COLLECTION « BEST-SELLERS »

DU MÊME AUTEUR

Ne pleure plus, Fixot, 1996
Vies éclatées, Robert Laffont, 1998
Ne compte pas les heures, Robert Laffont, 2002
Grande Avenue, Robert Laffont, 2002
Jardin secret, Robert Laffont, 2004
Lost, Robert Laffont, 2006

JOY FIELDING

SI TU REVIENS...

roman

Traduit de l'américain par Christine Bouchareine

ROBERT LAFFONT

Titre original : PUPPET

ISBN 978-2-221-10456-9
(édition originale : ISBN 0-7434-8800-8 Atria Books, New York)

À Warren, Shannon et Annie.
Mon cœur, mon âme et mon salut.

1.

Amanda Travis aime particulièrement le noir, elle aime son cours de gym, à l'heure du déjeuner, au centre de remise en forme, sur Clematis Street, au cœur de Palm Beach ; elle aime son appartement tout blanc sur le front de mer à Jupiter ; elle aime aussi les jurys conciliants et les hommes incompris par leurs épouses.

En revanche, elle déteste le rose, les températures extérieures en dessous de seize degrés, les clients qui ne suivent pas ses conseils, le gris, les barmen qui lui réclament sa carte d'identité, et les surnoms et diminutifs quels qu'ils soient.

Et, par-dessus tout, elle hait les traces de morsures.

Surtout celles qui sont profondes et encore nettes, plusieurs jours après. Des morsures qui s'étalent tel un tatouage violet sur des contusions jaune moutarde. Comme celles qui figurent sur les photos exposées devant elle, au banc de la défense.

Amanda repousse d'un mouvement de tête ses longs cheveux blonds qui lui tombent dans les yeux, et glisse les pénibles clichés sous un bloc de papier jaune ligné. Puis elle prend un crayon et fait mine de noter une chose importante, alors qu'elle écrit simplement : « Acheter du dentifrice ». Ce geste est destiné aux jurés, au cas où l'un d'eux l'observerait. Ce qui est peu probable. Ce matin, elle en a déjà surpris un à somnoler. Un homme entre deux âges, aux cheveux roux clairsemés, à la Ronald Reagan. Elle soupire, jette son crayon, se renfonce dans son siège, une moue désapprobatrice sur les lèvres. Juste assez marquée pour faire comprendre au jury le peu de crédit qu'elle accorde à ce témoignage.

— Il hurlait, affirme la jeune femme à la barre des témoins. Il passait sa vie à hurler, ajoute-t-elle avec un coup d'œil vers le banc de la défense, en enroulant ses boucles platine sur ses doigts aux faux ongles carrés.

Amanda reprend son crayon, ajoute « macaroni au fromage » à sa liste. Et « jus d'orange », inscrit-elle encore d'un geste théâtral, comme si le souvenir d'un point de droit important lui revenait soudain. Son mouvement fait réapparaître les photos sous les feuilles, et les morsures faites par son client reviennent la narguer.

Ce sont ces marques qui causeront sa défaite.

Elle était capable de brouiller les pistes, d'occulter les preuves, de submerger le jury de faits non pertinents susceptibles de soulever des doutes infondés, mais elle se trouvait sans défense devant de tels témoignages. Ils condamneraient son client sans appel et, tel un point noir sur une peau immaculée, entacheraient sa carrière jusque-là parfaite, mettant fin à une année de succès ininterrompus au profit de pauvres criminels à la culpabilité accablante.

Maudit soit ce Derek Clemens ! Qu'avait-il besoin de laisser de telles traces ?

Amanda tapote la main de l'accusé assis près d'elle. Encore un geste destiné aux jurés, quoiqu'elle doute que cela puisse les tromper. Ils regardent suffisamment la télévision pour connaître les petites astuces du métier : l'indignation feinte, les hochements de tête compatissants, les mimiques désabusées.

Elle retire sa main et l'essuie subrepticement sur sa jupe en lin noir.

Quel idiot ! songe-t-elle derrière sa façade souriante. *Tu ne pouvais pas te contrôler un peu ? Quel besoin avais-tu de la mordre ?*

L'accusé lui retourne son sourire, avec gratitude presque, les lèvres fermées. Les jurés verront ses dents bien assez tôt.

Avec ses vingt-huit ans et son mètre soixante-quinze, Derek Clemens a le même âge et la même taille que celle qui le défend. Jusqu'à ses cheveux qui sont du même blond, ses yeux du même bleu d'acier, bien que ceux de l'avocate soient plus sombres que les siens. Ne serait-ce ces circonstances dramatiques, on pourrait les croire frère et sœur, voire jumeaux.

Amanda chasse cette désagréable pensée d'un haussement d'épaules, et remercie le Ciel, une fois de plus, d'être fille unique. Elle se tourne vers les grandes baies au fond du tribunal. Il fait une journée typique de février en Floride : chaude et ensoleillée. Bref, un jour à se rendre à la plage. Amanda meurt d'envie d'aller appuyer son front contre la vitre pour contempler l'océan au-delà de l'Intracoastal Waterway. Il n'y a qu'à Palm Beach qu'on peut trouver un tribunal avec une vue digne d'un palace.

Bizarrement, Amanda préfère être ici, dans la salle d'audience 5C du tribunal du comté de Palm Beach, en compagnie d'un sale type accusé par sa concubine de coups et blessures, d'agression sexuelle et de menaces de mort, que de se faire bronzer au milieu des touristes qui étalent leur graisse au soleil. Il lui suffit de s'allonger quelques minutes sur le sable, avec les vagues qui lui lèchent les pieds, pour qu'elle ait envie de hurler à la mort.

— J'aimerais que vous me retraciez les événements qui se sont déroulés au matin du 16 août, mademoiselle Fletcher, dit le procureur d'une profonde voix de baryton qui ramène l'attention d'Amanda sur le devant du tribunal.

Caroline Fletcher hoche la tête sans cesser de tripoter ses mèches décolorées, tandis que son opulente poitrine, tout aussi artificielle, cherche désespérément à échapper au carcan d'un chemisier classique, mis pour la circonstance. Amanda sourit. Quelle chance que la victime ressemble à une strip-teaseuse ! Peu importe qu'elle travaille dans un salon de coiffure. Les apparences l'emportent toujours sur la réalité. Et après tout, n'est-ce pas l'apparence de la justice, plus que la justice elle-même, qui doit être rendue ?

— Le 16 août ?

Du bout de la langue, la jeune femme repousse le chewing-gum qu'elle mâchouille depuis le début de son témoignage.

— Le jour de l'agression, rappelle le procureur en s'approchant de la barre, l'œil rivé sur elle, son principal témoin, la clé de son accusation.

Le contraste ne pourrait être plus grand entre la jeune femme blonde et ce géant de près de deux mètres, à la peau chocolat et au crâne chauve et luisant. Quand Amanda était entrée au cabinet Beatty et Rowe, à peine un an auparavant, on lui avait dit que le beau procureur était un neveu de Martin Luther King. Mais quand elle lui avait posé la question, Tyrone King avait éclaté de rire et lui avait répondu qu'on devait raconter la même chose de tous les Noirs du Sud qui s'appelaient King.

— Vous avez déclaré que l'accusé était rentré du travail de mauvaise humeur.

— Il était toujours de mauvaise humeur.

Amanda se soulève légèrement de son siège afin de protester contre cette généralisation. Son objection est retenue.

— Comment manifestait-il cette mauvaise humeur ?

La jeune femme regarde le procureur sans comprendre.

— Parlait-il d'une voix forte ? Criait-il ?

— Son patron l'avait engueulé, alors quand il est rentré à la maison, il m'a engueulée à mon tour.

— Objection !

— Accordée.

— Pourquoi criait-il, mademoiselle Fletcher ?

Elle lève les yeux au ciel.

— Soi-disant que la maison était une porcherie, qu'il n'y avait jamais rien à manger, et qu'il en avait marre de travailler la nuit pour revenir dans cette pagaille, sans rien trouver comme petit déjeuner.

— Et qu'avez-vous fait ?

— Je lui ai répondu que je n'avais pas le temps d'écouter ses jérémiades, qu'il fallait que j'aille travailler. Alors il a dit qu'il n'était pas question que je lui laisse le bébé sur les bras toute la journée et je lui ai répondu que je ne pouvais pas l'emmener avec moi au salon. Tout est venu de là.

— Pouvez-vous nous dire ce qu'il s'est passé exactement ?

Elle hausse les épaules et promène son chewing-gum d'une joue à l'autre, mal à l'aise.

— Exactement, c'est difficile.

— Faites de votre mieux.

— On hurlait tous les deux. Il a dit que je fichais rien dans l'appartement, que je ne me bougeais jamais les fesses et que si je ne voulais pas faire la cuisine ni le ménage, je pourrais au moins lui tailler une p... Enfin vous voyez ce que je veux dire...

Caroline Fletcher s'arrête, redresse les épaules et jette un regard implorant aux jurés.

— Il voulait que vous lui fassiez une fellation ?

— Les hommes ne pensent qu'à ça.

Les sept femmes du jury gloussent d'un air entendu, comme Amanda qui cache son sourire derrière sa main et décide de ne pas lever d'objection.

— Que s'est-il passé ensuite ?

— Il a essayé de me pousser vers la chambre. J'avais beau lui répéter que je n'avais pas le temps, il n'écoutait pas. C'est là que je me suis souvenue d'un film à la télé où la fille, je crois que c'était Jennifer Lopez, je ne me souviens plus bien, enfin peu importe, y a un gars qui l'attaque et elle s'aperçoit que plus elle se débat, plus il devient mauvais. Alors elle ne bouge plus, le type ça le surprend et elle en profite pour s'enfuir. J'ai voulu faire la même chose.

— Vous avez cessé de vous débattre ?

— Ouais, je me suis laissé faire, je suis entrée la première dans la chambre et là je me suis retournée, je l'ai repoussé en arrière, je lui ai claqué la porte au nez et je me suis enfermée à double tour.

— Et comment a réagi Derek Clemens ?

— Il était furax. Il s'est mis à donner des coups de poing dans la porte en hurlant qu'il allait me faire la peau.

— Que voulait-il dire à votre avis ?

— Qu'il allait me faire la peau.

Amanda se tourne vers les jurés. Il est évident qu'ils ne peuvent considérer cette invective comme une menace de mort, se dit-elle. Elle prend son crayon et ajoute « céréales au son » à sa liste.

— Continuez, mademoiselle Fletcher.

— Bref, il a tellement hurlé qu'il a réveillé Tiffany qui s'est mise à pleurer.

— Tiffany ?
— Notre fille. Elle a quinze mois.
— Où était-elle pendant cette dispute ?
— Dans son berceau. Au salon. C'est là qu'on la met. Nous n'avons qu'une chambre, et Derek tient à son intimité.
— Ses hurlements ont donc réveillé le bébé ?
— Punaise, ils ont réveillé tout l'immeuble !
— Objection.
— Accordée.
— Et ensuite ?
— Eh bien, j'ai senti que si je n'ouvrais pas la porte, il allait la défoncer, alors je lui ai dit que j'ouvrirais à une condition, qu'il promette de se calmer. Il a promis, tout est devenu tranquille à part Tiffany qui pleurait, j'ai ouvert et là il s'est jeté sur moi et m'a arraché mes vêtements.
— Portiez-vous cette robe ?
Le procureur soulève une robe informe en jersey gris qui, à l'évidence, a connu de meilleurs jours. Il la montre à la victime avant de la présenter à l'inspection des jurés.
— Oui, monsieur le procureur.
Amanda se renfonce dans son siège, d'un air ostensiblement décontracté. Elle espère que le jury sera aussi peu impressionné qu'elle. Les deux minuscules déchirures aux coutures des hanches pouvaient aussi avoir été faites par Caroline Fletcher à force d'enlever sa robe par le bas que par Derek Clemens en la tirant par le haut.
— Que s'est-il passé une fois qu'il vous a arraché votre robe ?
— Il m'a jetée sur le lit, à plat ventre, et il m'a mordue.
Les photos accablantes apparaissent, comme par magie, entre les mains du procureur. Elles sont rapidement enregistrées comme preuves et distribuées aux jurés. Amanda observe leur réaction tandis qu'ils examinent l'empreinte laissée par les dents de Derek Clemens sur le dos de Caroline Fletcher. Le dégoût déforme leurs traits bien qu'ils s'efforcent de garder un masque d'impartialité.
Comme toujours, les jurés forment un ensemble hétéroclite. Un vieux juif à la retraite est coincé entre deux femmes noires

d'âge mûr. Viennent ensuite un Hispanique rasé de près, en costume-cravate ; un jeune homme à queue-de-cheval en jean et T-shirt ; une Noire aux cheveux blancs et une Blanche aux cheveux noirs. Des gros, des minces, des attentifs, des blasés. Avec tous une chose en commun : le mépris avec lequel ils considèrent l'accusé après avoir vu les photos.

— Que s'est-il passé après qu'il vous a mordue ?

Caroline Fletcher hésite, contemple ses pieds.

— Il m'a retournée et il m'a fait l'amour.

— Il vous a violée ? demande Tyrone King, paraphrasant prudemment sa réponse.

— Oui, monsieur le procureur, il m'a violée.

— Il vous a violée, répète Tyrone King. Et ensuite ?

— Ensuite j'ai appelé le salon pour prévenir que j'arriverais en retard et là, il m'a arraché le téléphone et me l'a jeté à la figure.

D'où l'accusation de tentative de meurtre, pense Amanda qui inscrit sous sa liste de courses « Vous avez appelé le salon et pas la police ? ».

— Il vous a jeté le téléphone à la figure, répète une fois de plus le procureur, et Amanda commence à trouver cette manie irritante.

— Oui, monsieur. Je l'ai reçu sur le côté de la tête et après il s'est fracassé par terre.

— Et ensuite ?

— Je me suis changée et je suis allée travailler. Comme il avait déchiré ma robe, fallait bien que je me change, explique-t-elle à l'intention des jurés.

— Êtes-vous allée porter plainte à la police ?

— Oui, monsieur le procureur.

— Quand l'avez-vous fait ?

— Deux jours plus tard. Quand il a recommencé à me frapper. Je l'avais prévenu que j'irais à la police s'il me battait encore.

— Qu'avez-vous dit à la police ?

— Eh bien, ce que le policier vous a dit.

Elle fait allusion au sergent Dan Paterson, le témoin précédent, un homme tellement myope qu'il a passé son temps le visage collé sur ses notes.

— Vous lui avez dit qu'il vous avait violée ?

— Je lui ai dit qu'on s'était battus, que Derek n'arrêtait pas de me frapper et tout ça, alors il a pris des photos.

Tyrone King lève ses longs doigts élégants pour lui faire signe de s'arrêter le temps qu'il retrouve d'autres clichés. Il les lui tend.

— Ce sont celles-ci ?

Caroline laisse échapper une grimace en les regardant.

Bien joué, songe Amanda. À se demander si on ne l'aurait pas aidée à préparer son numéro. *N'hésitez pas à montrer ce que vous ressentez*, entend-elle presque chuchoter Tyrone King de sa séduisante voix de baryton. *Il faut absolument que le jury vous trouve sympathique.*

Amanda baisse les yeux. Quel impact ces clichés peuvent-ils avoir sur les jurés ? On n'y voit rien de réellement accablant. Quelques griffures sur la joue qui pourraient très bien avoir été faites par les petits ongles de Tiffany, une légère trace rouge sur le menton, une vague ecchymose sur le gras du bras qu'elle aurait pu se faire toute seule. Pas le genre de marques que laisse une grave agression. Rien qui permette d'impliquer directement son client.

— Et c'est là que je lui ai dit que Derek m'avait mordue, reprend d'elle-même Caroline. Alors il m'a photographié le dos et m'a demandé si Derek m'avait violée. Je lui ai répondu que je n'étais pas sûre.

— Comment ça ?

— Ben, ça fait trois ans qu'on vit ensemble. On a un bébé. Je n'étais pas sûre de mes droits avant que le sergent m'explique.

— Et c'est là que vous avez décidé de porter plainte contre Derek Clemens ?

— Oui, monsieur le procureur. J'ai porté plainte, et puis les policiers m'ont ramenée à l'appartement et ils ont arrêté Derek.

Soudain la sonnerie d'un portable perturbe la concentration du tribunal.

Camptown ladies sing – dis song – Doodah ! Doodah ! Camptown ladies sing dis song – Doodah ! Doodah !

Amanda baisse les yeux vers son sac. Ce n'est quand même pas elle qui a oublié d'éteindre son téléphone, s'inquiète-t-elle en plongeant la main dans son sac, comme plusieurs femmes du jury. L'Hispanique porte la main à sa poche de chemise. Le procureur jette un regard assassin à son assistante ; celle-ci secoue la tête, les yeux écarquillés, l'air de dire « c'est pas moi ».

Camptown ladies sing dis song...

— Oh, mon Dieu ! s'exclame Caroline Fletcher, en blêmissant encore d'un ton.

Elle attrape l'énorme besace à ses pieds et la sonnerie se fait plus forte, plus insistante tandis qu'elle fouille dedans.

— Je suis vraiment désolée, s'excuse-t-elle, tournée vers le juge, qui la toise d'un air sévère par-dessus ses lunettes, alors qu'elle pianote sur le cadran et éteint enfin l'appareil. J'avais pourtant dit de pas m'appeler.

— Nous vous serions reconnaissants de bien vouloir laisser votre téléphone chez vous, la prochaine fois, rétorque le juge d'un ton sec, et il en profite pour déclarer l'audience suspendue le temps du déjeuner. Et laissez-y aussi votre chewing-gum, ajoute-t-il avant de préciser que les débats reprendront à quatorze heures.

— Alors où on va déjeuner ? demande Derek Clemens, très décontracté.

Son bras effleure celui d'Amanda pendant qu'ils se lèvent.

— Je ne déjeune pas, répond Amanda en rassemblant ses papiers pour les glisser dans sa mallette. Je vous suggère d'aller manger un morceau à la cafétéria. Je vous retrouverai dans une heure.

— Où allez-vous ? l'entend-elle lancer, au moment où elle sort dans le hall et court vers les ascenseurs, sur sa droite. L'un d'eux s'ouvre juste à l'instant, ce qu'elle prend comme un bon présage. Elle s'y engouffre en jetant un regard à sa montre. Si elle se dépêche, elle pourra arriver au club avant le début de son cours.

Elle écoute la messagerie de son portable et descend Olive Street en direction de Clematis Street. Il y a trois messages. Deux de Janet Berg, sa voisine du dessous : Amanda a eu une brève aventure sans intérêt avec son mari, quelques mois auparavant. Aurait-elle eu vent de l'affaire ? Amanda efface les deux messages et écoute le dernier qui, Dieu merci, vient de sa secrétaire, Kelly Jamieson, une petite rousse dynamique héritée de l'avocate qui l'avait précédée chez Beatty et Rowe. Cette dernière, lasse de travailler comme un forçat pour un salaire de misère dans le plus gros cabinet de droit pénal de la ville, s'était reconvertie en femme entretenue grâce à un séducteur sur le retour.

Personnellement, Amanda n'a rien contre les femmes entretenues. Au contraire, elle considère que c'est une noble profession.

Elle l'a pratiquée.

Elle appelle son bureau et parle sans laisser le temps à sa secrétaire de lui dire bonjour.

— Quoi de neuf, Kelly ? s'enquiert-elle en traversant la rue alors que le feu passe de l'orange au rouge.

— Gerald Rayner souhaiterait un nouveau report de l'affaire Buford ; Maxine Fisher voudrait savoir si elle peut venir mercredi prochain, à onze heures, au lieu de jeudi, à dix heures ; Ellie voulait vous rappeler le déjeuner, demain ; Ron aurait besoin que vous l'accompagniez à la réunion de vendredi ; et un certain Ben Myers a appelé de Toronto. Il voudrait que vous le contactiez de toute urgence. Il a laissé son numéro.

Pétrifiée, Amanda s'arrête au milieu de la rue, les jambes flageolantes.

— Qu'est-ce que vous dites ?

— Ben Myers a appelé de Toronto. Vous êtes bien originaire de là-bas ?

Amanda passe la langue sur sa lèvre supérieure où s'est formée une goutte de sueur.

Un conducteur klaxonne, aussitôt imité par un autre. Amanda est incapable de mettre un pied devant l'autre, et ce n'est que lorsqu'elle se rend compte que plusieurs voitures se pressent autour d'elle qu'elle parvient à bouger.

Ma poupée ! entend-elle dans le lointain tandis qu'elle sort enfin de sa torpeur et gagne le trottoir d'en face.

— Amanda ? Amanda, vous êtes là ?

— Je vous rappellerai.

Amanda éteint son téléphone et le jette dans son sac. Elle

s'arrête et respire profondément, afin d'exhaler les miasmes du passé. Le temps qu'elle arrive devant la porte vitrée du club de remise en forme, elle a presque réussi à effacer de sa mémoire la conversation avec sa secrétaire.

Les souvenirs. Encore une chose qu'Amanda Travis n'apprécie guère.

2.

Le temps qu'elle enfile sa tenue de gym, s'attache les cheveux en queue-de-cheval et lace ses tennis, son cours a commencé, et tous les vélos sont pris.

— Merde ! marmonne-t-elle.

Elle s'aperçoit avec stupeur qu'elle est au bord des larmes. Il devrait y avoir plus de vélos. Huit, ça ne suffit pas pour un cours aussi fréquenté. Elle caresse un instant l'idée d'éjecter une femme de sa selle, en se demandant s'il vaudrait mieux choisir l'adolescente qui frime sur le devant ou la quinquagénaire qui halète péniblement dans le fond. Elle penche pour cette dernière. Ce serait d'ailleurs un service à lui rendre. La pauvre femme va faire une crise cardiaque si elle continue. Ne sait-elle donc pas que les cours de gym sont destinés à celles qui n'en ont pas besoin ?

Amanda reste sur le seuil quelques secondes, espérant que l'une des participantes lui cédera sa place à la vue de sa mine désespérée. Ne comprennent-elles pas qu'elle n'a pas de temps à perdre ? Qu'à l'inverse de la plupart d'entre elles, elle travaille. Qu'elle doit être de retour au tribunal dans une heure, et qu'elle a besoin de ces quarante-cinq minutes de torture si elle veut brûler la tension accumulée dans la matinée et se ressourcer pour l'après-midi ?

— Bon, maintenant, on soulève les fesses ! aboie le moniteur au-dessus de la musique assourdissante.

Les femmes, déjà à bout de souffle, le visage trempé de sueur, décollent de leur selle et pédalent plus fort, plus vite, essayant de suivre leur mentor, au rythme de la chanson de Blondie qui jaillit des haut-parleurs.

La conversation avec sa secrétaire revient inopinément à l'esprit d'Amanda. *Et un certain Ben Myers a appelé de Toronto. Il voudrait que vous le contactiez de toute urgence. Il a laissé son numéro.*

Amanda opère une retraite précipitée vers la salle de musculation, saute sur le premier tapis de course libre, face aux grandes baies qui surplombent la rue, et en règle la vitesse. La salle dispose de trois postes de télévision stratégiquement situés. Leur son est coupé mais il est difficile d'ignorer les sous-titres, en lutte avec le bandeau d'informations qui défile sans répit dans le bas de l'écran. Amanda sent poindre un mal de tête et détourne les yeux alors que le présentateur du journal annonce de nouvelles catastrophes au Proche-Orient.

Il a dit que c'était urgent.

— Merde ! Amanda règle l'inclinaison de son tapis au maximum.

— Vous ne devriez pas faire ça, dit un homme en s'arrêtant à côté d'elle.

Amanda sent le souffle de l'homme sur son bras nu.

— Qu'est-ce que je ne devrais pas faire ? demande-t-elle sans le regarder.

Sa voix lui est inconnue. Elle essaie d'imaginer à quoi il ressemble. La trentaine. Des cheveux foncés, des yeux bruns. De gros biceps, des cuisses musclées.

— C'est le pépin assuré avec une pente aussi forte. Croyez-en mon expérience, ajoute-t-il, voyant qu'elle ignore sa mise en garde. Je me suis déchiré un adducteur l'an dernier. J'ai mis six mois à m'en remettre.

Amanda jette un coup d'œil dans sa direction sans ralentir, et voit avec plaisir qu'il est bien tel qu'elle l'imaginait, sauf qu'il semble plus proche de la quarantaine que de la trentaine et qu'il a les yeux verts, pas marron. Et qu'il est extrêmement soigné. Il ne doit jamais se séparer de son séchoir à cheveux. Elle l'a déjà vu au club et ce n'est pas la première fois qu'il retient son attention. Elle appuie sur un bouton ; l'inclinaison de la machine décroît.

— C'est mieux ?

— En fait, il vaudrait mieux ne pas l'incliner du tout. Vous fournissez déjà un effort pour courir. L'inclinaison ne fait qu'accentuer la tension des muscles de l'aine.

— Ce n'est certes pas ceux-là que j'ai besoin de muscler, rétorque Amanda en ramenant l'inclinaison de l'appareil sur zéro. Merci.

Combien de temps mettra-t-il à se présenter ?

— Carter Reese, dit-il avant même qu'elle n'ait fini de formuler cette pensée.

— Amanda Travis.

Elle l'observe tandis qu'il monte sur le tapis d'à côté : de larges épaules, des jambes robustes, un cou épais. Du style à avoir joué au foot dans l'équipe universitaire. Maintenant il doit pratiquer le golf et la musculation. Sans doute un conseiller financier. Récemment divorcé ou séparé, décide-t-elle en constatant qu'il ne porte pas d'alliance. Deux enfants. Pas intéressé par une relation sérieuse. Elle lui donne trois minutes pour qu'il l'invite à prendre un verre.

— On vous appelle Mandy ?

— Jamais.

— D'accord. Ce sera donc Amanda. Alors, vous venez souvent ici ? dit-il, plaisantant à demi.

Elle sourit. Elle aime les hommes qui ne craignent pas les sentiers battus.

— Aussi souvent que je peux.

— Je vous vois surtout sur ces affreux vélos.

— Malheureusement, je suis arrivée trop tard aujourd'hui. Ils étaient tous pris.

— Vous habitez dans les environs.

— Non, à Jupiter. Et vous ?

— À l'ouest de Palm Beach. Ne me dites pas que vous venez de Jupiter juste pour faire de la gym !

— Non, je travaille à côté.

— Dans quelle branche ?

— Je suis avocate.

— C'est vrai ? Je suis très impressionné.

Elle sourit.

— Vous parlez sérieusement ?

— J'ai toujours été impressionné par les avocates aux jolies jambes.

— Et vous, que faites-vous ?

— Je suis conseiller financier.

Elle ne s'était pas trompée !

— À mon tour d'être impressionnée ! s'extasie-t-elle, d'un ton qu'elle espère convaincant.

Mais s'il soupçonne la flatterie, il n'en laisse rien paraître.

— Et vous êtes spécialisée dans quel domaine ?

— Je suis criminaliste.

Il éclate de rire.

— Pardon ? J'ai dit quelque chose de drôle ?

Il secoue la tête.

— Vous n'avez vraiment pas le physique de l'emploi.

— Et vous l'imaginiez comment ?

— Bourru, virulent, bedonnant.

Il l'étudie avec ostentation des pieds à la tête et sourit d'un air appréciateur, comme si elle s'était musclé les abdos à son intention, avant de reprendre :

— Je ne vois aucune bedaine.

— Il ne faut pas se fier à ce qu'on voit.

— J'aimerais approfondir mon étude.

Un silence.

— À quelle heure finissez-vous de travailler ?

— À dix-sept heures environ.

— Environ ?

— Plus ou moins.

— Plus ou moins, répète-t-il en inclinant la tête. N'auriez-vous pas une pointe d'accent canadien ?

Amanda se raidit. Elle a travaillé dur pour en éliminer toute trace.

— Allez-vous enfin vous décider à m'inviter à prendre un verre ou quoi ?

Un silence, un sourire en coin.

— J'y pensais.

— Pensez plus vite. Je dois retourner au tribunal dans moins d'une heure.

— Une femme qui va droit au but. J'aime ça.

— Au Monkey Bar ? suggère-t-elle. Dix-huit heures ? Cela me laissera le temps de passer à mon cabinet.

— J'ai une meilleure idée.

Amanda n'est pas surprise. Elle n'en attendait pas moins d'un homme comme Carter Reese.

— Je connais un endroit génial, dans votre coin. Nous pourrions peut-être même dîner...

— Pourquoi pas ?

Amanda voit un large sourire s'étaler sur sa mâchoire carrée. Il est très content de lui, songe-t-elle, elle aussi assez satisfaite d'elle-même. Après tout, quand il s'agit de se libérer de son stress, faire l'amour peut être aussi efficace que le vélo.

— Avez-vous eu des relations sexuelles avec l'accusé après l'incident du 16 août ? demande Amanda à la victime, dès le début de son contre-interrogatoire.

Elle se lève de sa chaise, ferme le bouton du haut de sa veste de tailleur et s'approche d'un pas vif de Caroline Fletcher, qui jette un regard implorant au procureur.

— Objection ! s'empresse de lancer ce dernier.

— Pour quel motif ? rétorque Amanda.

— C'est sans rapport avec l'affaire.

Tyrone King s'approche du juge :

— Votre Honneur, il est question ici de ce qui s'est passé le matin du 16 août, pas de ce qui a pu arriver après.

— Au contraire, proteste Amanda. De lourdes charges pèsent contre mon client. La plaignante prétend qu'il l'a violée au matin du 16 août. Derek Clemens assure qu'elle était consentante et donne comme preuve qu'ils ont refait l'amour plus tard le même jour. Si c'est exact, ce détail est non seulement pertinent, mais il va à l'encontre de la crédibilité du témoin.

— L'objection est repoussée, accorde le juge, qui fait signe à Caroline Fletcher de répondre.

— Avez-vous eu des relations sexuelles avec l'accusé après l'incident du 16 août ? répète Amanda, voyant que la jeune femme hésite.

— Oui.

— Le même jour ?
— Quand je suis rentrée du travail.
Amanda se tourne vers le jury, les sourcils haussés, avec une perplexité bien étudiée.
— Pourquoi ?
— Je ne comprends pas.
— En toute franchise, moi non plus. Vous prétendez que Derek Clemens vous a violée le matin. Comment avez-vous pu faire l'amour avec lui à peine quelques heures plus tard ?
— Il a dit qu'il était désolé.
— Il a dit qu'il était désolé ?
— Il peut être très convaincant quand il veut.
— Je vois. Ce n'était donc pas la première fois que cela arrivait.
— Quoi ?
— Je le formule autrement.
Amanda prend une profonde inspiration :
— Comment décririez-vous vos relations avec l'accusé, mademoiselle Fletcher ?
— Je ne sais pas.
— Diriez-vous qu'elles sont houleuses ?
— Oui.
— Vous disputiez-vous souvent ?
— Il n'arrêtait pas de crier.
— Et vous criiez, vous aussi ?
— Parfois.
— Ces disputes s'étaient-elles déjà terminées par des coups, avant ce matin du 16 août ?
— Il lui arrivait de me frapper.
— Et vous le frappiez aussi ?
— Juste pour me défendre.
— Donc, la réponse est oui, il vous arrivait de le frapper ?
Caroline Fletcher la fusille du regard.
— Il est beaucoup plus fort que moi.
— D'accord. Voyons si j'ai bien compris. Derek Clemens et vous aviez une relation houleuse, vous vous disputiez souvent, et ça finissait parfois par des coups. C'est correct ?
— Oui, acquiesce Caroline à contrecœur.

— Ces disputes se terminaient-elles souvent par des relations sexuelles ?

Caroline Fletcher tripote ses cheveux.

— De temps en temps.

— Alors peut-être que Derek Clemens pensait que ce n'était qu'une dispute comme les autres, en ce matin du 16 août.

Caroline Fletcher croise les bras d'un air buté sur son opulente poitrine.

— Il savait exactement ce qu'il faisait.

Amanda marque un temps d'arrêt, étudie ses notes, bien qu'elle les connaisse par cœur.

— Mademoiselle Fletcher, quand monsieur le procureur vous a demandé ce qu'il s'était passé ce matin-là, vous avez dit que Derek Clemens vous avait jetée sur le lit, vous avait retournée sur le dos et vous avait fait l'amour.

— J'ai dit qu'il m'avait violée.

— Oui, mais vous avez d'abord déclaré qu'il vous avait fait l'amour. Et vous avez reconnu que ce n'est qu'après avoir parlé à la police que vous avez décidé qu'il vous avait violée.

— Comme je l'ai déjà dit, je n'étais pas sûre de mes droits avant que le sergent Peterson me les explique.

— Vous aviez besoin que l'on vous dise que vous aviez été violée ?

— Objection !

— Accordée, dit le juge. Poursuivez, maître Travis.

Amanda jette un nouveau regard superflu à ses notes.

— Après cette agression, vous avez appelé le salon de coiffure où vous travaillez.

— Je voulais les prévenir que je serais en retard.

— Vous n'avez pas appelé la police.

— Non.

— En fait, vous ne l'avez contactée que deux jours plus tard.

Caroline Fletcher prend un air renfrogné.

— Donc quand Derek Clemens a crié qu'il vous ferait la peau, vous n'avez pas pris cette menace au sérieux, n'est-ce pas, mademoiselle Fletcher ?

— Si.

— Vous avez pensé que ce n'était qu'une façon de parler, non ?

— Je me suis sentie sérieusement menacée, insiste Caroline Fletcher.

— À tel point que vous êtes rentrée chez vous après votre travail !

— Je devais m'occuper de mon bébé.

— Un bébé que vous avez confié sans problème à cet homme qui, d'après vous, vous bat et vous viole. Et vous menace de mort, par-dessus le marché.

— Derek ne fera jamais de mal au bébé.

— Oh, ça, j'en suis convaincue, approuve Amanda en décochant un sourire confiant à l'accusé. En fait, Derek Clemens est un excellent père, n'est-ce pas ?

— C'est un bon père, reconnaît Caroline Fletcher à contrecœur.

— C'est lui qui garde Tiffany la plupart du temps, si je ne me trompe ?

— Eh bien, il est à la maison dans la journée.

— Et en ce moment ?

— En ce moment ?

— À présent que vous ne vivez plus ensemble, Derek Clemens et vous, qui s'occupe de Tiffany ?

— Nous deux.

— N'est-il pas vrai qu'elle vit avec son père ?

— La plupart du temps.

— Et vous vivez désormais avec un autre homme. Un certain Adam Johnson, ajoute Amanda après avoir vérifié ses notes.

— Plus maintenant.

— Vous avez rompu ? Pourquoi ?

Le procureur se lève d'un bond.

— Objection, Votre Honneur. Ces questions sont sans rapport avec l'affaire.

— Je pense pouvoir prouver le contraire avec la question suivante, Votre Honneur.

— Poursuivez.

— Est-il vrai qu'Adam Johnson a porté plainte contre vous, mademoiselle Fletcher ?

— Objection.

— Rejetée.

— Pourquoi Adam Johnson a-t-il porté plainte contre vous, mademoiselle Fletcher ?

La jeune femme secoue la tête et écaille d'un geste nerveux le vernis de son index gauche.

— C'est un menteur. Tout ce qu'il veut, c'est me faire des ennuis.

— Je vois. Ce ne serait pas, par hasard, parce que vous l'avez attaqué avec une paire de ciseaux ?

— Ce n'étaient que des ciseaux à ongles, proteste Caroline Fletcher d'une voix faible.

— Je n'ai pas d'autres questions à poser au témoin.

Amanda retourne s'asseoir au banc de la défense en retenant un sourire.

Le téléphone sonne lorsque Amanda passe devant sa secrétaire.

— Je ne suis là pour personne, annonce-t-elle avant de refermer la porte de son bureau derrière elle.

Tout en feuilletant les messages sur sa table, elle retire sa veste, envoie promener ses escarpins en toile noire qui lui ont comprimé les orteils tout l'après-midi et se laisse tomber dans son fauteuil en cuir. Elle poserait bien ses pieds sur le dessus de son bureau en signe de triomphe, comme on voit les hommes le faire au cinéma, quand ils viennent de remporter une victoire, mais c'est un peu prématuré. Le procès est loin d'être terminé, même si la prestation de la victime, témoin numéro un de la défense, n'était guère brillante. Il reste encore à régler le problème des marques de morsure sur le dos de Caroline Fletcher. Derek Clemens réussirait-il à persuader le jury de ne pas tenir compte de ces preuves flagrantes ?

Amanda a une autre raison de ne pas poser ses pieds sur son bureau : il n'y a pas la place. Ses yeux sautent de l'écran éteint de son ordinateur aux différents papiers et dossiers empilés sur le côté. De nombreux feutres noirs sont éparpillés au milieu d'une collection de presse-papiers et de miniatures en cristal – un petit caniche, un livre ouvert, une plume d'oie dorée plantée dans un minuscule encrier. Une étrange accumulation de la part de quelqu'un qui déteste s'encombrer, songe-t-elle distraitement, avant de tourner les yeux vers la fenêtre et de faire la grimace, comme chaque fois qu'elle aperçoit l'immeuble rose bonbon, sur le trottoir d'en face. Enfin, elle est mal placée pour le critiquer, étant donné que l'immeuble de Beatty et Rowe est lui-même jaune canari et qu'elle n'a pas réussi à les convaincre de le repeindre dans un blanc plus discret.

Un léger coup à la porte, et sa secrétaire passe la tête dans l'entrebâillement. Kelly Jamieson souffre d'un léger strabisme que ses épaisses lunettes et sa masse de cheveux roux n'arrivent pas à cacher. Bizarrement, son visage lunaire, son nez long et fin, sa poitrine plate et ses jambes courtes et arquées composent un ensemble somme toute séduisant.

— C'était encore Ben Myers, annonce-t-elle d'une voix tonique.

Amanda prend un dossier sur son bureau et feint de lire.

— Je lui ai dit que vous n'étiez pas encore rentrée du tribunal. Il a laissé son numéro personnel : il voudrait que vous le rappeliez, même très tard.

Amanda laisse tomber le dossier sur le bureau et tripote le coin d'un autre classeur.

— Il est déjà tard. Vous devriez rentrer.

Kelly s'attarde sur le seuil.

— Puis-je vous poser une question ?

Amanda lève les yeux vers sa secrétaire et s'aperçoit qu'elle retient son souffle.

— Qui est Ben Myers ?

Amanda élabore une douzaine de mensonges en l'espace de quelques secondes et les repousse aussi vite.

— Mon ex-mari.

— Votre ex-mari ?

Kelly n'essaie même pas de dissimuler sa surprise. Ses yeux convergent sur l'arête de son nez.

— Je croyais que c'était Sean Travis, votre ex-mari.

— Oui, aussi.

— Vous avez deux ex-maris ?

Amanda perçoit le sous-entendu latent : « Et vous n'avez que vingt-huit ans ! »

— Que voulez-vous que je vous dise ? Je suis une excellente avocate et une épouse lamentable.

Elle attend que Kelly proteste « Oh, non ! Je suis sûre que vous étiez une épouse merveilleuse » mais rien ne vient.

— Vous savez ce qu'il voulait ?

— Je n'en ai pas la moindre idée.

— Il a dit que c'était très important.

Amanda opine, soudain crispée.

— Allez-vous le rappeler ?

— Non.

Silence. Sa secrétaire se balance d'un pied sur l'autre.

— Bon. Eh bien, je vais rentrer.

Amanda approuve d'un signe de tête, pourtant Kelly ne bouge pas.

— Y a-t-il autre chose ? demande Amanda d'une voix lasse.

Kelly s'approche et pose une petite note rose sur son bureau.

— Son numéro de téléphone personnel au cas où vous changeriez d'avis.

3.

Amanda a trois raisons de savoir que Carter Reese est marié avant même qu'il ne l'avoue : premièrement, l'endroit retiré où il lui a donné rendez-vous. Amanda a beau connaître le quartier, elle a dû parcourir la rue dans les deux sens avant de dénicher le restaurant, coincé entre une animalerie et une solderie de chaussures ; deuxièmement, il fait si sombre à l'intérieur qu'elle voit à peine ce qu'elle mange, ce qui n'empêche pas son compagnon de jeter un regard inquiet vers la porte d'entrée, chaque fois qu'elle s'ouvre ; troisièmement, il n'arrête pas de tripoter son annulaire gauche comme pour vérifier qu'il a pensé à enlever son alliance, un geste nerveux qui le trahit plus que tout le reste.

— Ne vous inquiétez pas, finit-elle par lui dire. Ça ne m'ennuie pas que vous soyez marié.

— Pardon ?

Malgré la lumière tamisée, elle lit la stupéfaction sur son visage.

— Le fait que vous soyez marié ne me gêne pas, répète-t-elle, sincère. En fait, ça simplifie les choses.

— Ah bon ?

— Je ne recherche pas une relation stable. J'ai un métier très prenant ; je suis littéralement débordée en ce moment. C'est bien plus simple comme ça. Alors détendez-vous. Vous n'avez pas besoin de me mentir. Du moins, à ce sujet, ajoute-t-elle avec un sourire.

Quelques secondes s'écoulent. La bougie au centre de la table vacille dangereusement, lorsqu'il lâche dans un souffle :

— Est-ce un test ?

Amanda éclate de rire.

— Je voulais juste dire que ça n'avait pas d'importance.

Il se renfonce dans son siège, secoue la tête, croise ses bras musclés sur sa poitrine et la scrute dans la pénombre.

— Ça ne va pas ? demande-t-elle.

— En toute franchise, je ne sais pas comment je dois le prendre.

— Que voulez-vous dire ?

Il rit d'un air gêné.

— Eh bien, je ne sais pas si je dois me sentir ravi ou insulté.

Amanda pose la main sur la sienne.

— Ce n'était certes pas dans mes intentions de vous insulter.

Il laisse échapper un nouveau soupir.

— Parfait.

Sur son visage s'étale un sourire qui hésite entre « Je suis le gars le plus chanceux de la planète » et « Il doit y avoir un os quelque part ».

— Parfait, répète-t-il en lui pressant les doigts. Je choisis donc d'être ravi.

— Parfait ! Maintenant que cette question est réglée, nous pourrions peut-être commander le dessert.

Elle cherche des yeux leur serveur, mais ne distingue que de vagues silhouettes dans le fond.

— Y a-t-il quelque chose que vous aimeriez savoir ? propose Carter.

— À quel sujet ?

— Sur mon mariage.

Amanda réfléchit. Apparemment, il se sent redevable de quelques explications alors qu'elle n'a aucune envie d'en savoir plus. Mais de peur de le vexer, elle se résigne à poser la première question qui lui vient à l'esprit.

— Depuis combien de temps êtes-vous marié ?

— Quinze ans. Deux enfants. Un garçon, Jason, treize ans, et une fille, Rochelle, qui aura onze ans, en mars. Sandy est artiste, continue-t-il comme si sa femme se trouvait près de lui à attendre qu'il la présente. Elle peint. Elle est très douée.

Amanda fait de son mieux pour paraître intéressée. Elle espère que Carter n'est pas de ces coupables tellement soulagés d'avoir été démasqués qu'ils passent la soirée à régurgiter tous leurs petits secrets.

— C'est une femme admirable.

— Je n'en doute pas.

— Je n'ai rien à reprocher à mon mariage. C'est juste... vous savez...

— Vous vous éloignez peu à peu, l'aide-t-elle.

Elle connaît déjà le script. Et chacune des répliques.

— Ce n'est la faute de personne. C'est juste... vous savez...

Amanda retire sa main et rajuste l'encolure plongeante de son pull noir, dans l'espoir de ramener son attention sur elle.

— Les enfants lui prennent beaucoup de son temps et de son énergie, continue Carter, apparemment indifférent à son impressionnant décolleté. Et elle n'a plus envie de faire l'amour. Elle prétend qu'elle est trop fatiguée. Vous savez...

Amanda opine, quoiqu'elle ait du mal à imaginer qu'on puisse être trop fatigué pour faire l'amour. Elle finit son verre d'une seule traite.

— Et si vous me parliez plutôt de vous, enchaîne-t-il, comme s'il avait senti qu'il était temps de changer de sujet. Comment une femme aussi jolie que vous peut-elle exercer un si vilain métier ?

Amanda hausse les épaules.

— Je croyais que ça serait amusant.

— Amusant ?

— Enfin, intéressant, corrige-t-elle quoique « amusant » correspond exactement à sa pensée.

— Et ça l'est ?

— Parfois.

— Ça dépend du criminel, sans doute.

— Non. En général, les criminels sont des hommes assez ennuyeux. Ils se ressemblent terriblement. La plupart manquent d'intelligence et d'imagination. Seuls leurs crimes les rendent intéressants. Plus le fait qu'ils sont tous persuadés de ne jamais se faire prendre.

— Pourquoi dites-vous les hommes ? Les femmes ne sont pas violentes ?

— Si, il y en a, mais elles sont moins nombreuses, répond-elle en pensant à Caroline Fletcher.

— Sandy m'a jeté un jour une omelette à la tête.

Amanda pâlit à cette nouvelle mention de son épouse. Pour une femme qui n'existait pas quelques minutes auparavant, elle se montre soudain plutôt envahissante.

— Une omelette ?

— Elle préparait le petit déjeuner lorsque j'ai remarqué, à voix haute, qu'elle avait un peu grossi. Je n'avais pas fini ma phrase que je recevais l'omelette en pleine figure.

Tué par un œuf au plat !

— Ce n'est pas une remarque à faire au réveil !

— Y a-t-il un bon moment pour ce genre de constat ? glousse-t-il.

— J'en doute.

— Vous avez été mariée ?

— Non, ment Amanda, décidée à couper court.

Deux ex-maris risquent de submerger Carter Reese, qui a déjà bien du mal à se dépêtrer de sa propre femme. Et elle n'a aucune envie de relater les différentes raisons qui les ont conduits, l'un comme l'autre, à l'échec. En résumé, la première fois, elle était trop jeune et la seconde, son mari était trop vieux. Enfin, ce n'était peut-être pas aussi simple que ça, mais quelle importance ? Étonnez-moi, se surprend-elle à penser et elle sourit à Carter Reese, le suppliant muettement de dévier du script. Il lui tapote la main sans cesser de surveiller la porte d'un œil anxieux.

Le serveur se matérialise si brusquement qu'Amanda sursaute.

— Comment était-ce ? s'informe-t-il en desservant la table.

— Délicieux.

Il se rengorge comme si c'était lui qui avait fait la cuisine.

— Merci. Un dessert ? Nous avons une succulente tarte au citron.

— Excellente idée, opine Amanda.

— Avec un cappuccino décaféiné. Et deux fourchettes, précise Carter.

Amanda se raidit. Elle a toujours détesté partager ses plats et supporte encore moins qu'on vienne picorer dans son assiette.

— Qu'est-ce qui vous a amenée en Floride ? continue-t-il.

Amanda s'aperçoit brusquement qu'il n'y a plus un bruit dans la salle, comme si tout le monde guettait sa réponse. Elle scrute à travers la pénombre les autres clients qui, le nez dans leur assiette, semblent l'ignorer totalement.

— Je suis venue en vacances, il y a huit ans, et je ne suis jamais repartie.

À quel moment une demi-vérité devient-elle un mensonge ? se demande-t-elle, pensant au serment que l'on doit prêter avant de témoigner. *Je jure de dire la vérité,* toute *la vérité...*

Dit-on jamais toute la vérité ?

Je suis venue en vacances en Floride, il y a huit ans (pour échapper à mon premier mari), *le coin m'a plu* (et mon second mari encore plus), *et j'ai décidé de rester.*

— Vous avez donc fait vos études de droit ici ?

— Oui. *Je me suis remariée.* J'ai obtenu la citoyenneté. *Et j'ai divorcé une seconde fois.* J'ai travaillé un an dans un petit cabinet de Jupiter avant qu'on ne me propose un poste chez Beatty et Rowe.

— Et votre famille ? Où est-elle ?

— Ma mère vit à Toronto. Mon père est mort il y a onze ans.

— J'ai perdu ma mère, l'an dernier.

À la façon dont il l'annonce, on croirait qu'il l'a égarée et qu'il lui suffirait de la chercher sérieusement pour la retrouver.

— Un cancer, ajoute-t-il.

Amanda compatit d'un hochement de tête.

— C'est dur...

— Pas pour mon père. Il s'est remarié deux mois plus tard. Avec la voisine, ajoute-t-il d'un ton amer, ses lèvres pleines déformées par un rictus.

Amanda trouve cette moue sarcastique presque irrésistible. Comme si elle donnait du caractère à sa voix assez banale et à ses traits d'une beauté trop classique. Elle regrette soudain d'avoir commandé un dessert. Plus vite ils s'éloigneront de cette parentèle importune, mieux ce sera.

— Savez-vous que j'ai une machine à cappuccino chez moi ? susurre-t-elle d'une voix enjôleuse.

Carter Reese se lève d'un bond.

— Garçon ! aboie-t-il à travers la pénombre, brusquement peu soucieux d'attirer l'attention générale. L'addition, s'il vous plaît !

Amanda retrouve Carter Reese devant l'élégante entrée en verre et en marbre de son immeuble, sur North Ocean Boulevard. Ils ont garé leurs voitures, elle, dans son box au sous-sol, lui, sur le parking réservé aux visiteurs.

— Bonsoir, Joe, salue-t-elle le vieux portier, avant de guider Carter vers les ascenseurs, au fond du hall.

Carter ne lève pas les yeux de ses mocassins noirs à glands tandis qu'ils attendent la cabine, visiblement gêné par la lumière crue des lustres et l'image de l'homme adultère que les miroirs lui renvoient à l'infini.

— Il n'est pas rapide, commente-t-il à mi-voix, alors qu'une cabine s'immobilise presque aussitôt devant eux.

La porte s'ouvre et une séduisante femme entre deux âges en sort, tirée par un grand caniche blanc. Le chien aboie en voyant Carter et se rue sur lui.

— Pussycat ! gronde sa maîtresse en le retenant par son collier en strass. Désolée, il n'aime pas les étrangers.

— Celui-ci n'est pas dangereux, déclare Amanda autant à l'attention de la femme que de son chien, avant de suivre Carter dans l'ascenseur et d'appuyer sur le bouton du quinzième. Enfin, on ne sait jamais, ajoute-t-elle dans un rire, tandis que Carter lui glisse les mains autour de la taille et que les portes se referment.

Il l'attire contre lui, et leurs lèvres ne sont plus qu'à un centimètre, lorsque les portes se rouvrent brutalement pour livrer passage à un couple.

— Oh ! laisse échapper la femme, surprise.

Carter lâche aussitôt Amanda et se replonge dans la contemplation de ses pieds.

— Bonsoir, Janet ! lance Amanda, tandis que la femme s'avance, les yeux rivés sur le fond de la cabine.

Ce n'est sans doute pas le moment de chercher à savoir pourquoi elle m'a appelée au cabinet, songe Amanda alors que le mari, séduisant, la trentaine bien sonnée, affublé d'une chemise hawaïenne et d'une mine renfrognée, entre à son tour.

— Bonsoir, Victor.

Amanda observe Janet à la dérobée en se demandant si elle s'est vraiment fait lifter le front comme on le prétend.

Plus personne ne prononce une parole jusqu'à ce que le couple s'arrête au quatorzième étage.

— Quels gens sympathiques ! déclare Carter en la prenant à nouveau dans ses bras et en enfouissant son visage dans son cou.

Le téléphone sonne au moment où ils entrent dans l'appartement d'Amanda.

— Ne répondez pas, murmure Carter.

— Je n'en ai aucune intention.

Elle lâche son sac sur le sol en dalles blanches, et se blottit contre lui tandis que la sonnerie continue à retentir.

Il lui embrasse le cou et lui mordille l'oreille.

Elle le prend par la main, lui fait traverser le salon entièrement blanc, éclairé par le clair de lune, et le conduit à sa chambre.

La sonnerie s'arrête enfin et le répondeur prend le relais.

— Alors comment trouvez-vous ma vue ?

— Spectaculaire !

Mais il ne jette pas un seul regard vers les immenses baies vitrées qui donnent sur la mer, et couvre son visage de petits baisers.

Elle rit en le sentant passer les mains sous son pull et presser ses seins nus.

— C'est la pleine lune, remarque-t-elle.

— Attention aux loups-garous.

Il lui prend les mains et les pose sur le devant de son pantalon avant de l'embrasser voracement.

Le téléphone recommence à sonner.

— Il insiste, le bougre, plaisante Carter.

— Ce n'est pas grave.

— Vous êtes sûre ?

En guise de réponse, Amanda retire son pull et le jette par terre.

— Que tu es belle ! murmure-t-il alors que la sonnerie s'arrête.

Elle tire sur la boucle de la ceinture de Carter, fait glisser son pantalon sur ses hanches et titube avec lui en direction du lit qui occupe le centre de la pièce.

En quelques secondes, ils se retrouvent allongés sur la couette blanche où ils se débarrassent maladroitement de leurs derniers vêtements. Encore quelques secondes et les voilà nus, il la caresse fébrilement, sa langue cherche la sienne. Exactement ce qu'il me fallait, songe Amanda tandis qu'il s'agenouille et la pénètre brutalement, et se met à la pilonner, bloquant le bruit des vagues, le bourdonnement de la climatisation et la sonnerie du téléphone qui recommence de plus belle.

Il tourne la tête vers l'appareil, sur la table de nuit.

— C'est peut-être une urgence, s'inquiète-t-il.

En guise de réponse, Amanda l'agrippe par les fesses, l'attire plus profondément en elle et lui fait comprendre d'accélérer. Il n'en demande pas plus et les vingt minutes suivantes se déroulent agréablement dans une délirante variété de positions.

— Waouh ! s'extasie-t-il après. C'était génial.

— On recommence ? propose-t-elle alors que le téléphone revient à la charge.

— Tu devrais répondre, bon sang ! Celui qui t'appelle n'a pas l'air décidé à te lâcher !

Amanda hoche la tête. Il a raison. Elle ne fait que repousser l'inévitable, prolonger la torture. Elle attrape le combiné pardessus Carter.

— Allô ?

— Je t'ai eue à l'usure, hein ? s'exclame une voix qu'elle a bien connue autrefois.

Amanda aspire une grande goulée d'air afin de calmer les battements furieux de son cœur.

— Tu as intérêt à ne pas me déranger pour rien.

— Il s'agit de ta mère, annonce Ben Myers.

Amanda essaie de se représenter son ex-mari, mais seule lui vient à l'esprit l'image du jeune rebelle à la redoutable beauté qu'il était à l'époque de leur première rencontre. Elle se demande si sa silhouette presque maigre s'est enrobée avec les années, si ses cheveux bruns se sont clairsemés, ou si le temps a durci le doux marron de ses yeux. Ses pommettes doivent encore se plisser quand il sourit, même si cela lui arrive rarement.

Amanda repousse les cheveux qui lui tombent sur le visage et s'appuie contre la tête du lit.

— Ma mère ? Elle est morte ?

— Non.

— Malade ?

— Non. Mandy...

— Ne m'appelle pas Mandy. Elle a eu un accident ?

— Elle a des ennuis.

— Vraiment ? Qui a-t-elle tué ?

Le front de Carter Reese se creuse d'une multitude de petites rides.

— Un certain John Mallins.

— Quoi ?

— Ce nom te dit quelque chose ?

— Qu'est-ce que tu racontes ?

— Hier, vers quatre heures de l'après-midi, ta mère a abattu un certain John Mallins, dans le hall de l'hôtel Four Seasons.

Amanda sent une rage folle l'envahir.

— C'est quoi, cette mauvaise plaisanterie ?

— Je ne plaisante pas.

— Tu veux me faire croire que ma mère a abattu un homme sans raison ?

— Ta mère a tué quelqu'un ? balbutie Carter Reese d'un ton incrédule.

— Il s'appelle John Mallins, répète Ben.

— Mais bon sang, qui est-ce ?

— Son nom ne te dit rien ?

— Que veux-tu que j'en sache ? Je n'ai pas parlé à ma mère depuis notre divorce.

Les yeux de Carter Reese se plissent. *Tu m'avais dit que tu n'avais jamais été mariée*, semblent-ils l'accuser.

— Et ma mère, qu'en dit-elle ?

— Elle refuse de parler.

— Tiens donc !

— Il faut que tu reviennes, Amanda.

— Ça, jamais de la vie.

— Ta mère est en prison. Elle est inculpée de meurtre.

— Ma mère est en prison. Elle est inculpée de meurtre, répète Amanda, qui se croit en plein cauchemar postcoïtal.

Carter bat discrètement en retraite et cherche son caleçon dans les plis de la couette.

— Écoute, il doit y avoir une méprise.

— Non, ma poupée, je suis désolé.

— Quoi ?

— Ta mère a tué un homme de trois balles de revolver, devant vingt témoins. Elle est déjà passée aux aveux, ma poupée.

— Je t'interdis de m'appeler comme ça.

— Tu n'as pas dû bien entendre ce que je disais.

— Oh, si, parfaitement, crois-moi !

— Tu comprends donc qu'il faut que tu reviennes de toute urgence.

— Je ne peux pas. Je suis en plein procès. Une affaire très délicate. Je ne peux pas laisser tomber mon client comme ça.

— Demande un ajournement.

— Impossible. Je suis sûre que tu t'en sortiras très bien.

— Impossible, rétorque-t-il du tac au tac.

— Je ne peux pas revenir, Ben.

— C'est ta mère.

— C'est à elle qu'il faut le dire.

Amanda raccroche puis arrache rageusement le cordon du mur avant de courir dans la cuisine débrancher l'autre poste. Puis elle va au pas de charge au salon, ouvre les portes coulissantes, sort sur son patio et aspire goulûment l'air marin, afin de réhydrater ses poumons desséchés.

Ma poupée ! lui crient les vagues. *Ma poupée ! Ma poupée !*

Amanda rentre aussitôt.

— Carter ! appelle-t-elle en refermant vite les portes pour ne plus entendre ces voix importunes et en se tournant vers la chambre. Carter, ramène tes jolies petites fesses par ici. La nuit ne fait que commencer.

Mais la lune illumine un appartement vide. Et, au silence qui l'entoure, Amanda comprend que Carter Reese est parti.

4.

— Jurez-vous de dire la vérité, toute la vérité, rien que la vérité ? entonne le greffier d'une voix solennelle.

Derek Clemens pose la main gauche sur la Bible et lève la droite.

— Je le jure.

Amanda examine son client tandis qu'il décline son nom, l'épelle, puis donne son adresse. Bien qu'il porte une chemise blanche propre et un pantalon noir impeccablement repassé, comme elle le lui a conseillé, son allure a quelque chose de négligé avec son col trop ouvert, sa ceinture en daim qui s'effiloche et ses cheveux blonds, gras et sales, attachés en queue-de-cheval.

— Je les ai lavés ce matin, a-t-il soutenu d'un ton acerbe.

Amanda se lève, déboutonne sa veste noire ; elle porte la même que la veille, avec la même jupe et les mêmes chaussures qui lui écrasent les orteils. Elle a juste changé de chemisier, bien que ce soit la réplique exacte du précédent. Elle résume rapidement les relations de l'accusé avec Caroline Fletcher, leur vie commune, leurs disputes fréquentes, leur façon de se réconcilier après leurs violentes querelles.

— Et si vous nous donniez votre version des incidents du 16 août, dit-elle, parcourant les jurés du regard pour s'assurer que tout le monde l'écoute. Elle constate avec soulagement que leurs yeux sont rivés sur l'accusé. Personne ne somnole encore.

Ils ont sans doute dormi d'un sommeil réparateur, songe-t-elle avec envie, alors que, de minuit à six heures du matin, elle n'a cessé de maudire le Canada et tout ce qui était canadien. Comment Ben Myers a-t-il osé l'appeler après tant d'années ? Comment a-t-il osé lui demander de revenir ? Et comment a-t-il osé l'appeler ma poupée ?

Elle n'était plus la poupée de personne.

Il faut que tu reviennes de toute urgence.

Je ne peux pas.

Comment ça, tu ne peux pas ?

Je suis en plein procès.

— C'est vrai, quoi, je travaille toute la nuit, continue Derek Clemens. Je ne demande pas la lune. Je voudrais juste avoir un peu de lait d'avance, que je puisse prendre un bol de céréales quand je rentre.

— Vous aviez donc travaillé toute la nuit, vous étiez fatigué et vous aviez faim ?

— Je travaille de onze heures du soir à sept heures du matin...

À peu près les mêmes heures qu'elle a passées à se retourner dans son lit, calcule-t-elle avec un hochement de tête compatissant.

— ... et bien sûr, j'étais crevé. L'appartement était une vraie porcherie. Et elle s'apprêtait à partir. Elle se mettait du parfum. Sans même me dire un petit « Bonjour, comment ça va ? ». Alors je suis allé dans la cuisine me servir un bol de corn flakes. Ce n'est pas que j'aime ça, mais y a jamais rien d'autre, vu que Caroline est toujours au régime. Et il n'y avait plus de lait. Non, mais quelle mère faut-il être pour ne même pas avoir du lait d'avance pour son bébé ?

C'est ta mère.

C'est à elle qu'il faut le dire.

— Et cela vous a irrité ? demande Amanda après avoir chassé ces voix importunes d'un mouvement brusque de la tête.

— Mince, y avait de quoi !

— Qu'avez-vous fait ?

— Je lui ai dit que, puisqu'elle me collait la petite toute la journée, elle pourrait au moins aller me chercher du lait avant de s'en aller. Et elle m'a répondu qu'elle n'avait pas le temps. Comment ça, tu n'as pas le temps, je lui ai dit. Il n'est pas huit heures et le salon ouvre à neuf heures. Soi-disant qu'elle voulait arriver de bonne heure parce que Jessica lui avait promis de lui couper les cheveux avant l'ouverture. Ensuite Tiffany s'est réveillée et s'est mise à hurler, et moi, bon sang, j'étais crevé, je n'avais qu'une idée : dormir. Pas question ! qu'elle a hurlé. Et elle m'a bousculé parce que j'étais devant la porte. Alors moi, je l'ai attrapée par le bras et c'est là qu'elle m'a giflé.

— C'est elle qui vous a giflé ?

— Ouais, elle a mauvais caractère. Elle s'énerve pour un rien.

Tyrone King se lève à moitié.

— Objection.

— Contentez-vous de répondre à la question, monsieur Clemens, ordonne le juge.

— Désolé, Votre Honneur.

— Que s'est-il passé après qu'elle vous a giflé ? poursuit Amanda.

— Je ne me souviens pas exactement de l'enchaînement des événements.

Cette phrase élaborée avec soin fait un effet bizarre dans sa bouche, comme s'il parlait une langue étrangère.

— Mais je me souviens que je me suis protégé la tête. Je suis serveur le week-end, et ça ne fait pas bon effet d'arriver le visage couvert de bleus.

— Vous voulez dire qu'elle vous a frappé à plusieurs reprises ?

— Oh, elle m'a bien cogné trois ou quatre fois avant que je réagisse.

Ta mère a abattu un homme de trois coups de revolver, devant une bonne vingtaine de témoins.

— Et de quelle façon avez-vous réagi ? poursuit Amanda d'une voix un peu trop forte.

— Je l'ai repoussée en lui disant de me foutre la paix, que j'en avais marre de ses conneries et que j'allais me coucher.

— Et qu'a-t-elle fait ?

— Elle m'a suivi dans la chambre en hurlant et en me martelant le dos. Je lui ai crié de me laisser tranquille mais c'était une vraie furie.

— Vous ne lui avez pas demandé de vous faire une fellation ?

— Vous plaisantez ? J'avais vraiment pas envie de lui coller mon machin dans la bouche. Oh, pardon, Votre Honneur ! s'excuse-t-il au-dessus des rires étouffés de quelques jurés.

— Pourriez-vous nous épargner certains détails ? reprend le juge, bien qu'Amanda surprenne une lueur amusée dans son regard.

— Et pourtant cela ne vous a pas empêché de finir par lui faire l'amour, rappelle-t-elle à son client.

Il secoue la tête d'un air incrédule.

— Ouais. Ça se passait toujours comme ça. On se battait comme des chiffonniers et ensuite, on se sautait dessus comme des lapins.

— Avez-vous déchiré sa robe ?

— Les coutures tiennent plus de nos jours, Caroline n'arrête pas de le répéter.

— L'avez-vous forcée à vous faire l'amour ?

— Ça, jamais de la vie !

Il faut que tu reviennes, Amanda.

Ça, jamais de la vie.

Amanda prend une profonde inspiration.

— Comment expliquez-vous ces traces de morsures, monsieur Clemens ?

Derek Clemens a la décence de prendre un air sincèrement embarrassé. Lui aussi inspire profondément, puis il se tourne vers les jurés afin de s'adresser à eux directement.

— Après avoir fait l'amour, Caroline a recommencé à s'énerver. Soi-disant que je l'avais mise en retard, que Jessica n'aurait plus le temps de lui couper les cheveux et que c'était ma faute. Je lui ai dit de la fermer et de me laisser dormir, et elle s'est remise à me frapper à bras raccourcis. J'ai réussi à me lever du lit et à l'immobiliser par-derrière, mais quand j'ai essayé de lui prendre les bras pour qu'elle arrête de me frapper, elle m'a attrapé par les cheveux. Ils sont assez longs.

Il tourne la tête d'un côté à l'autre pour montrer sa queue-de-cheval, avant de reprendre :

— Elle s'est mise à tirer dessus de toutes ses forces, je lui ai crié de me lâcher. Et elle, évidemment, elle a tiré de plus belle.

Ça me faisait un mal de chien et je savais pas quoi faire pour l'arrêter. Alors je l'ai mordue. Et comme elle me lâchait toujours pas, j'ai recommencé. Plus fort. Et là, seulement elle m'a lâché.

— Vous l'avez donc mordue afin de vous défendre ?

— Je voulais juste qu'elle arrête de me tirer les cheveux, gémit-il d'un ton plaintif.

— Et ensuite, que s'est-il passé ?

— Ensuite elle a attrapé le téléphone et elle me l'a jeté à la figure. Et moi, du tac au tac, je lui ai renvoyé. Je ne voulais pas lui faire mal.

— L'avez-vous retenue dans l'appartement contre son gré ?

— Bon Dieu, non ! Je n'avais qu'une idée, qu'elle foute le camp !

— Que vouliez-vous dire quand vous l'avez menacée de « lui faire la peau » ?

Il hausse les épaules.

— C'était juste une façon de parler. Si y avait quelqu'un qui devait craindre pour sa peau, c'était moi.

— Quelle taille faites-vous, monsieur Clemens ?

— Un mètre quatre-vingts.

— Et combien pesez-vous ?

— Soixante-quinze kilos.

— Et vous voulez nous faire croire que c'était vous qui craigniez pour votre vie, alors que vous faites au moins douze centimètres et vingt kilos de plus que Caroline Fletcher ? continue Amanda qui sait que, si elle ne pose pas cette question, le procureur le fera.

— Ce n'est pas la taille du fusil qui tue, ce sont les méchantes petites balles, rétorque Derek avec un sourire effacé.

Les jurés rient encore quand Amanda conclut son contre-interrogatoire.

— Pour combien de temps en auront les jurés ? demande Ellie Townshend en jouant avec sa salade.

Ellie est la meilleure amie d'Amanda bien qu'elles se voient tout au plus une fois par mois. Et encore moins depuis qu'Ellie s'est fiancée à Michael.

— Ça dépend de leur perspicacité, répond Amanda, qui se demande si l'un d'eux s'apercevra que jamais Derek n'aurait pu mordre Caroline Fletcher à l'épaule et encore moins au milieu du dos s'il se tenait réellement derrière elle et qu'elle lui tirait les cheveux comme il le prétend. Il n'aurait pu le faire que couché sur elle.

— À propos, as-tu enfin trouvé une robe pour mon mariage ? s'informe joyeusement son amie en secouant les boucles auburn qui entourent son joli visage creusé de fossettes.

— Pas encore.

Amanda contemple la rue animée. Elles sont assises à la terrasse du Big City Tavern, sur Clematis Street, où défile un flot constant de touristes. Une légère brise soulève les coins des nappes en papier. Le thermomètre se maintient à vingt-cinq degrés. Encore une journée de rêve en Floride, songe Amanda qui s'en veut de ne pas en tirer davantage de plaisir.

— Mais qu'est-ce que tu attends ?

— La cérémonie n'a lieu qu'en juin.

— Ce qui veut dire pratiquement demain. Oh, mon Dieu, ne te retourne surtout pas !

Aussitôt, Amanda pivote sur son siège.

— Merde ! lâche-t-elle à mi-voix en voyant approcher Sean Travis, un bras protecteur passé autour des épaules de sa nouvelle épouse. Merde, merde, merde !

Il l'a repérée. Comment se fait-il que son chemin croise celui de ses deux ex en deux jours. Sa secrétaire aurait-elle oublié de la prévenir que c'était la semaine nationale des ex-maris ?

— Bonjour, Amanda, dit Sean sans lâcher sa jeune femme.

— Bonjour, Sean. Comment vas-tu ?

— Bien. Et toi ?

— Bien. Tu te souviens d'Ellie ?

— Bien sûr. Comment allez-vous ?

— Bien, merci.

Que de biens ! songe Amanda.

— Vous devez être Jennifer, reprend-elle.

Elle étudie son ex-mari et sa compagne sans passion, et trouve que les cheveux noirs et les yeux gris de la jeune femme mettent en valeur les cheveux grisonnants et les yeux noirs de Sean.

La nouvelle épouse lui tend la main avant de la reposer sur son ventre arrondi.

— Nous attendons un bébé pour le mois de juillet, annonce avec fierté Sean qui a suivi le regard d'Amanda.

— Félicitations, répond sincèrement cette dernière.

— Nous mourons d'impatience, frétille Jennifer.

— Eh bien, j'étais ravi de te revoir, déclare Sean d'une voix qui semble généreuse. Bon appétit.

— Bonne chance ! leur lance Amanda alors qu'ils s'éloignent.

— Le salaud ! grommelle Ellie. Quel besoin avait-il de venir te narguer avec cette grossesse ?

— Je ne pense pas qu'il l'ait fait exprès.

Ellie hausse les épaules, d'un air peu convaincu.

— C'est moi qui n'ai pas voulu avoir d'enfant, Ellie.

— Ce que je n'ai jamais compris. Tu ferais une mère fabuleuse.

— Ouais. Surtout avec l'exemple que j'ai eu !

Amanda se représente sa mère dans une cellule de Toronto et bannit aussitôt cette image déplaisante. Des bribes de souvenirs s'accrochent à la périphérie de sa conscience tandis qu'elle hésite à raconter à son amie le coup de fil de Ben. Et quand elle s'y décide enfin, elle s'aperçoit qu'Ellie termine une phrase dont elle n'a pas entendu le début.

— Pardon, que disais-tu ?

— Je te demandais ce que ça t'a fait de revoir Sean.

— Ça m'a fait bizarre. C'est drôle de ne plus rien avoir à dire à quelqu'un avec qui on croyait passer sa vie.

— Des regrets ?

— Beaucoup, admet Amanda dans un soupir. Je n'ai pas été une bonne épouse.

— Vous n'étiez pas bien assortis, c'est tout.

Amanda lui décoche un grand sourire.

— Que tu es gentille ! Merci.

— C'est la vérité. Sean Travis était sans doute très sympathique mais il n'était pas fait pour toi.

Le visage de Ben Myers surgit à sa mémoire, et Amanda le repousse à son tour en clignant des yeux.

— Ça ne va pas ?

— Si, si.

— J'ai comme l'impression que tu as quelque chose à me dire.

— Ah bon ? *Alors voilà, puisque tu insistes. Figure-toi que j'ai reçu un coup de fil assez perturbant hier soir. De mon ex-mari. Pas celui que nous venons de voir, mais le précédent. Je suis désolée. Je ne sais pas pourquoi je ne t'en ai jamais parlé. Enfin, quoi qu'il en soit, il m'appelait pour m'annoncer que ma mère a abattu un homme dans le hall de l'hôtel Four Seasons, à Toronto.* Non, non. Je t'assure, dit-elle à la place, avec son sourire le plus rassurant.

Puis elle plante sa fourchette dans une feuille de laitue et l'avale afin de retenir ses aveux.

Après le déjeuner, Amanda décide de ne pas aller à son bureau, par peur d'affronter le regard inquisiteur de sa secrétaire. Elle n'a pas non plus envie de passer à son club de gym, par crainte d'y croiser Carter Reese. Et elle n'a aucune raison de retourner au tribunal. C'est trop tôt. Il peut s'écouler des heures, voire des jours, avant que le jury ne rende son verdict.

Sur un coup de tête, elle saute dans le vieux trolley vert qui fait la navette entre Clematis Street et City Place, où s'est installée la nouvelle Mecque du shopping, dans un complexe qui occupe plusieurs pâtés de maisons. Elle pourrait aller voir un film, décide-t-elle alors qu'elle descend du tram et se faufile à travers la foule jusqu'à l'escalator. Mais tout Palm Beach semble avoir eu la même idée : une longue queue s'étale devant le multiplex. Amanda redescend à la galerie marchande, à l'étage en dessous, et passe les heures suivantes à contempler les vitrines d'un œil distrait, à la recherche d'une tenue pour le mariage d'Ellie. Bien qu'elle soit tentée par une longue robe noire pendue à la devanture de Betsey Johnson, elle n'entre pas et continue, comme en transe, à remonter l'allée dans un sens puis dans l'autre. Elle finit par s'asseoir sur un banc, près d'une énorme fontaine qui trône au milieu d'un square, et observe les enfants qui courent entre les adultes assis à la terrasse du

Bellagio, un restaurant italien plus réputé par la taille de ses rations que par sa gastronomie.

La vue de Sean avec sa nouvelle femme l'a perturbée. Pourquoi ? Un soupçon de nostalgie peut-être. Sean était un homme bien, un homme bon. Elle l'avait rencontré par hasard, alors qu'elle se promenait sans but sur la plage. Il l'avait invitée à prendre un verre, puis à dîner. Il était d'un abord facile. Ou peut-être avait-elle juste envie de parler. Et il avait apprécié ce qu'elle disait. Au moins au début.

Les débuts sont faciles. Elle était très douée pour les débuts.

Et pour les fins aussi, décide-t-elle en se levant d'un bond, manquant de bousculer un couple âgé qui avance à petits pas prudents sur les dalles inégales. C'était elle qui avait décidé de mettre fin à son mariage avec Sean, comme elle avait décidé de mettre fin à celui avec Ben. Il ne fallait plus lui jouer le coup du « jusqu'à ce que la mort nous sépare ». Aime-les et jette-les, telle est sa devise. Et mieux vaut être celle qui part.

Ma poupée ! entend-elle crier. *Par ici, ma poupée !*

Elle tourne la tête vers la droite mais ne voit qu'un groupe d'enfants qui chahutent.

— Par ici, tête de linotte ! crie un petit garçon. Mais non, idiote, de ce côté.

Ma poupée ! Ma poupée !

Amanda se rue dans la première boutique venue pour ne plus les entendre, attrape quelques vêtements sur un portant et se dirige vers les cabines d'essayage, dans le fond.

— Puis-je vous aider ? propose une vendeuse de dix-huit ans environ. L'âge qu'avait Amanda quand elle a épousé Ben.

S'est-il remarié ?

— Non, je ne vais pas recommencer, marmonne-t-elle en se frottant le front afin de chasser son ex-mari de son esprit.

— Pardon ? s'inquiète la vendeuse. Vous ne voulez pas essayer ?

— Quoi ? Si, bien sûr.

Elle entre dans une cabine étriquée, se contemple dans l'étroit miroir et voit le reflet de sa mère en plus jeune qui la regarde.

Bonjour, ma poupée, lui dit celle-ci.

Amanda frissonne. Elle avait six ans quand sa mère avait jeté un sort au vieux M. Walsh, leur voisin, qui avait la fâcheuse manie de se garer au beau milieu de leur allée commune. Deux mois plus tard, le pauvre homme mourait. Tels étaient les terribles pouvoirs de sa mère !

Et voilà qu'elle avait fait une nouvelle victime. Abattue de trois balles à bout portant. Qu'est-ce qui t'arrive, maman ? Jeter des mauvais sorts ne te suffit plus ?

Ma poupée ! lance sa mère de l'autre côté de la porte.

— Pardon ? Qu'y a-t-il ?

— Je vous demandais comment ça allait, répond la vendeuse.

— Bien, ment Amanda qui n'a encore rien essayé. Merci.

— C'est votre téléphone qui sonne ? continue la jeune fille.

Amanda entend tout à coup la sonnerie derrière elle et se retourne pour prendre l'appareil dans son sac.

— Allô ? demande-t-elle d'une voix timide.

Je t'ai eue à l'usure, hein ?

— Quoi ?

— Le tribunal vient d'appeler. Les jurés sont revenus.

5.

— Concernant l'accusation de menace de mort qui pèse contre le prévenu, quel est votre verdict ?

— Non coupable.

— Concernant l'accusation de séquestration qui pèse contre le prévenu, quel est votre verdict ?

— Non coupable.

— Concernant l'accusation de viol qui pèse contre le prévenu, quel est votre verdict ?

— Non coupable.

— Concernant l'accusation d'agression avec intention de nuire qui pèse contre le prévenu, quel est votre verdict ?

— Non coupable.

— Concernant l'accusation de coups et blessures qui pèse contre le prévenu, quel est votre verdict ?

— Coupable.

— Merci.

Le juge libère les jurés et fixe la date de la sentence.

— Que s'est-il passé ?

Les yeux de Derek Clemens sautent de son avocate à la jeune femme en larmes qui partageait sa vie encore peu de temps auparavant.

— Ils vous ont acquitté de quatre chefs d'accusation sur cinq.

— Comment se fait-il qu'ils ne m'aient pas acquitté du cinquième ?

— Parce que vous l'avez mordue, Derek.

— Je l'ai violée aussi. Et ils m'ont acquitté.

Amanda secoue la tête, à la fois de dégoût et d'incrédulité. Dire qu'elle avait presque réussi à croire à son histoire !

— Je vous reverrai ici le jour de la sentence.

— Vous croyez que j'irai en prison ?

— C'est votre premier délit et vous avez la garde de Tiffany. Je m'attends plutôt à une peine avec sursis et mise à l'épreuve.

— Je vous jure que je tuerai cette salope si je fais de la taule.

— Dans ce cas, ne comptez plus sur moi pour vous défendre.

Elle met son sac en bandoulière et se dirige vers le fond du tribunal avec Derek Clemens sur ses talons.

— Hé ! Attendez ! Je pensais qu'on irait boire un verre pour fêter ça.

Amanda ne prend même pas la peine de ralentir le pas.

La pleine lune la suit tandis qu'elle descend Congress en direction du nord. Une bouteille d'excellent vin est posée sur le siège du passager de sa Thunderbird. Le cabriolet lui a été offert par Sean à l'occasion de leur quatrième et dernier anniversaire de mariage. Le vin, c'est elle qui se l'est offert. Après tout, n'est-ce pas grâce à elle si le monde compte un dangereux cannibale de plus en liberté ? J'ai fait mon boulot, se rappelle-t-elle alors qu'elle tourne à gauche sur la Quarante-Cinquième et file vers la I-95.

Ce n'est pas sa faute si Derek Clemens ment si bien. Ce n'est pas sa faute si Caroline Fletcher se fait plus de mal que de bien. Le système judiciaire est tellement pourri qu'il vaut mieux avoir un bon avocat qu'une bonne cause. Les innocents paient et les coupables s'en sortent. Par bonheur, les visages se fondent vite les uns dans les autres. Et d'ici à demain, elle aura effacé de sa mémoire la vision de Caroline Fletcher pleurant au fond du prétoire. Avec un peu de chance, bien sûr, et quelques verres de bon vin. Amanda tapote la bouteille posée sur le siège en cuir, à côté d'elle. Le lendemain lui apporterait une nouvelle crapule à défendre. Envoyez la monnaie et au suivant.

Amanda jette un regard dans son rétroviseur, avant de se rabattre sur la file de droite, et voit les yeux de sa mère tapis derrière les siens. Certains visages se dissipent moins vite que d'autres.

Elle s'engage un peu vite sur la bretelle et débouche sur la I-95 sous le nez d'une Lexus blanche. Le conducteur fait un écart et agite le poing. Mais où vous croyez-vous ? demande ce poing vindicatif, tandis qu'Amanda contemple avec horreur les files de voitures arrêtées devant elle.

L'autoroute est bloquée, comme d'habitude. Par des banlieusards fatigués qui rentrent de leur travail, des touristes oisifs en quête du dernier coin à la mode, des adolescents nu-pieds avec de fausses cartes d'identité, en route vers le dernier bar branché, et des vieux à qui on aurait dû retirer le permis depuis des années, qui ne savent plus où ils sont et encore moins où ils vont. Un typique vendredi soir de février. À voir la lenteur et la densité de la circulation, il doit y avoir un accident un peu plus loin. C'est ma faute, conclut-elle, après un bref coup d'œil sur l'horloge du tableau de bord. Il est presque dix-neuf heures. Elle n'aurait pas dû rester si tard au cabinet, après le tribunal. Elle n'aurait pas dû mettre si longtemps à choisir son vin chez le caviste. Elle n'aurait pas dû s'engager sur la I-95 à sept heures du soir, un vendredi de février. Le trajet prenait une vingtaine de minutes en temps normal ; elle aurait de la chance si elle arrivait à Jupiter avant vingt heures. Elle renverse la tête contre l'appui-tête. Inutile de s'énerver : ça ne changera rien.

— Bon, ça suffit. On avance, maintenant ! soupire-t-elle, dix minutes après, à bout de patience.

Elle jette un œil assassin à la lune au-dessus d'elle comme si le visage souriant qui s'y dessine était responsable de ce contretemps. La pleine lune est une période dangereuse, songe-t-elle en se tournant vers la voiture à sa droite où la conductrice vêtue d'un twin-set rose parle au téléphone.

Elle pourrait appeler quelqu'un, elle aussi ! Vite, elle attrape son sac. Sans bien savoir à qui téléphoner. Ellie trouverait bizarre qu'elle la rappelle déjà ce soir, alors qu'elles ont déjeuné ensemble à midi, et elle croit vaguement se souvenir que Kelly lui a dit qu'elle dînait chez ses parents.

— Ellie et Kelly, prononce-t-elle à voix haute. Kelly et Ellie. Tout est joli avec Ellie et Kelly.

Génial ! Je deviens complètement folle. Et si j'appelais Vanessa ? Quelle bonne idée ! Ça fait au moins deux ans que tu ne lui as pas donné signe de vie. Et Judy Knelman ? Vous n'arrêtiez pas de les voir, elle et son mari quand tu étais encore mariée à Sean. Et la femme de son ami Bryce Hall. Comment s'appelait-elle, déjà ? Edna, Emma, Emily ? Sûr, tous les amis de Sean doivent mourir d'envie d'avoir de tes nouvelles !

Pourquoi songe-t-elle encore à Sean ? Juste parce qu'elle l'a rencontré à midi ? Pourtant, ce n'est pas la première fois qu'ils se croisent. Elle l'avait aperçu au Kravits Center, il y a deux ans. Il lui en voulait encore à cette époque, bien qu'elle ne lui eût rien réclamé lors de leur divorce. Et il s'était engouffré dans les toilettes des hommes en faisant semblant de ne pas l'avoir vue. Elle avait chassé ce souvenir de ses pensées. Quand c'était fini, c'était fini. Loin des yeux, loin du cœur. N'est-ce pas sa devise depuis toujours ?

Évidemment, Jennifer ne figurait pas encore au tableau, à cette époque. Jennifer avec son teint de pêche et ses longs cheveux noirs soyeux. Et son ventre arrondi.

Ventre arrondi. Ventre arrondi, Ventre arrondi.

C'est ça qui la met dans tous ses états ?

Elle aurait pu être à sa place. C'était elle qui n'avait pas voulu d'enfant. Elle qui prétendait ne pas avoir la fibre maternelle. Tu serais une maman merveilleuse, lui avait dit Ellie au déjeuner. Ben voyons ! Comme sa mère... qui ne lui avait jamais manifesté que de l'indifférence ou de l'agressivité. Et, bizarrement, Amanda avait préféré l'agressivité.

Amanda regarde à nouveau la conductrice en twin-set rose, qui sourit tout en poursuivant sa communication téléphonique.

La dernière fois qu'Amanda avait vu sa mère, celle-ci portait un chemisier exactement du même ton, et on aurait dit qu'elle sortait de chez le coiffeur avec ses cheveux blond miel fraîchement lavés et bien arrangés. L'avait-elle jamais vue autrement ? Même ivre morte, elle restait toujours parfaitement coiffée.

Qu'a-t-elle encore fait ?

Franchement, ça ne me concerne pas.

Qui a-t-elle tué ?

Ce n'est pas mon problème.

C'est ta mère.

Plus maintenant.

Amanda repousse l'image de sa mère d'un geste de la main comme si elle chassait un moustique.

— Pourrions-nous avancer un peu ? supplie-t-elle les autres conducteurs ; et le hasard veut que les voitures devant elle accélèrent. Merci, lance-t-elle à la lune qui lui sourit.

Quarante minutes plus tard, elle arrive enfin chez elle.

— Bonsoir, Joe, salue-t-elle le portier.

— Vous étiez dans l'embouteillage sur la I-95 ?

— Hélas !

— Ils ont dit à la radio qu'il y avait un accident à la sortie de Riviera Beach.

— En effet, il y avait encore des voitures de police sur le bas-côté...

— Vous attendez du monde ? continue-t-il avec un geste du menton vers la bouteille qu'elle tient à la main.

Amanda sent son dos se raidir. Est-ce de la curiosité ou une critique qu'elle perçoit dans sa voix ?

— Pas ce soir.

Il sourit.

— Eh bien, bonne soirée.

— Vous aussi.

Il me faisait juste la conversation, se rassure-t-elle dans l'ascenseur, reconnaissante de monter jusqu'au quinzième étage tranquillement. Sans arrêts inutiles. Sans anciens amants. Sans épouses soupçonneuses.

— Juste moi et ma bouteille, annonce-t-elle au couloir désert lorsque s'ouvrent les portes de l'ascenseur.

Elle se dirige d'un pas vif vers son appartement, et trébuche dans un morceau de moquette ivoire qui s'est décollé du mur de la même couleur. Il faudra qu'elle appelle le syndic de l'immeuble, qu'on envoie quelqu'un arranger ça avant qu'il y ait un accident. Ils ne voudraient pas qu'une jeune avocate pleine d'ambition, comme elle, leur fasse un procès.

Non pas que les procès pour préjudices personnels fassent partie de son domaine d'expertise. Non, elle, sa spécialité, c'est la défense des crapules qui dévorent leurs petites amies. Sans parler de celles qui tabassent un étranger dans un bar ou attaquent une supérette en zigouillant quelques ménagères innocentes. Évidemment, si jamais la crapule est le fils d'un politicien en vue ou si l'une des passantes est jeune et belle, et donc susceptible de faire la une du *Palm Beach Post*, le cas est alors confié à Jackson Beatty ou à Stanley Rowe, qui se réservent toutes les bonnes affaires.

— Les bonnes affaires ! répète Amanda à voix haute, en se demandant depuis quand elle est si amère. Et ce qui l'a le plus contrariée : le fait que Derek Clemens ait été reconnu innocent de quatre chefs d'inculpation ou le fait qu'il ait été reconnu coupable du cinquième ?

Elle reste quelques secondes devant sa porte, hésitant à entrer. Combien de messages de son ex-mari va-t-elle trouver sur son répondeur ? Encore que, bizarrement, il n'ait pas rappelé son bureau.

Et il n'a laissé aucun message ici non plus.

— Bien ! déclare-t-elle en débouchant la bouteille au milieu de sa cuisine d'un blanc immaculé. Bien, répète-t-elle, quoiqu'elle se sente bizarrement vexée.

Elle remplit un grand verre presque à ras bord, boit une longue gorgée et décide de manger un morceau. Elle ouvre le réfrigérateur, n'y trouve qu'une bouteille de jus d'orange et une douzaine de yaourts aux fruits. Elle en choisit un au kiwi et vérifie sa date de péremption. Dépassée de cinq jours. Ce qui signifie que les autres ne sont pas plus frais, vu qu'elle les a tous achetés en même temps. Quand était-ce ? Quand avait-elle fait des courses la dernière fois ? Il n'y a même pas de lait, bon sang !

Quelle mère est-elle pour ne même pas avoir du lait d'avance pour son bébé ?

— Heureusement que je n'ai pas de bébé, affirme-t-elle sur la défensive.

Son verre de vin d'une main et la bouteille de l'autre, elle entre au salon.

— Vous voyez, pas de bébé.

Elle boit une nouvelle gorgée, enlève ses chaussures d'un

coup de pied, s'affale sur le canapé en toile blanche, et vide la moitié de son verre d'une seule traite, comme le faisait sa mère.

Finalement, ce n'est pas étonnant que Ben n'ait pas rappelé. Il n'a jamais été du genre à s'imposer. Il a toujours su quand s'arrêter, quand laisser tomber, quand fuir pour limiter les dégâts.

En fait, ce qui est étonnant, c'est qu'il l'ait appelée.

Amanda pousse un petit gloussement. Certes, les circonstances sont assez exceptionnelles. Ce n'est pas tous les jours que votre mère commet un meurtre.

Quoique, allez savoir combien sa mère pouvait avoir fait de victimes au fil des années ? John Mallins n'était peut-être que le premier qu'elle ait exécuté en public !

Elle finit de vider son verre et s'en sert un autre. Quelques gouttes tombent sur les dalles blanches, au ras de son tapis blanc bordé de noir. Cette pièce manque de meubles. Il faudrait un fauteuil afin de combler ce vide près du mur, à gauche, peut-être une table basse, une autre lampe. Son appartement a toujours eu un air vaguement inachevé, comme si elle venait d'emménager. Ou s'apprêtait à déménager.

Et c'est comme ça que ça me plaît, décide-t-elle en sirotant une nouvelle gorgée. Elle contemple ses murs nus et blancs et sent enfin sa tension se relâcher.

— À l'homme de la lune, lance-t-elle avec un petit salut de la tête avant de porter le verre à ses lèvres. Et à Ben, mon premier ex-mari.

Une nouvelle gorgée, plus longue que la précédente.

— Et à Sean, mon second.

Une gorgée suivie d'une autre.

— Que diable ! À tous mes maris passés et futurs !

Elle lève son verre.

— Et à toutes les victimes sans méfiance de ma mère. Le vieux M. Walsh... John Mallins... mon père, ajoute-t-elle dans un murmure en se relevant péniblement. Oh, non ! On ne va pas parler de lui. Tout mais pas ça !

Elle entend soudain la sonnerie de la porte d'entrée. Amanda fixe le battant sans bouger. Au bout de quelques secondes, on sonne à nouveau.

— Allez, ouvre-moi ! crie une voix féminine.

Amanda se lève et obtempère sans demander qui c'est.

— Janet !

Elle dévisage sa voisine. Bon sang, pourquoi celle-ci s'est fait lifter le front si c'est pour le cacher sous une frange. Elle est sur le point de dire « À quoi dois-je cet honneur ? ». Mais elle s'en doute et lui propose juste un verre.

— Non, merci.

Avec un sourire, Amanda verse le reste de la bouteille dans le sien.

— Puis-je entrer ?

Amanda s'efface devant elle, puis la suit au salon et lui indique le canapé.

— Je t'en prie, assieds-toi.

— Non, merci. Je ne serai pas longue.

Alors à quoi bon entrer ? pense Amanda, mais elle garde la question pour elle, l'attention soudain attirée par les lèvres anormalement gonflées de sa voisine. Quel démon peut pousser une aussi jolie femme à se faire de telles mutilations ?

— Je suis sûre que tu connais la raison de ma visite.

— Je suis désolée. Je voulais te rappeler. Mais j'ai été tellement débordée...

— Tu ne trompes personne, tu sais.

— Je crois que je ferais mieux de m'asseoir.

Amanda se laisse tomber sur le canapé et sent la pièce tourner autour d'elle.

— Je sais tout.

Amanda ne dit rien. Certes, il n'y a pas de meilleure défense que l'attaque, mais elle n'a ni l'énergie ni la volonté d'engager la discussion.

— Victor m'a tout raconté.

Amanda secoue la tête de stupéfaction. Quel satané besoin les hommes ont-ils de se confesser ? Une fois de plus, elle connaît la réponse. Rien de tel que la confession pour dissiper la culpabilité.

Janet prend le geste d'Amanda pour une dénégation.

— Tu ne vas pas prétendre que tu n'as pas eu d'aventure avec mon mari ?

— Une aventure, c'est un bien grand mot !

— Vraiment ? Et tu appelles ça comment, coucher avec le mari d'une autre ?

Amanda n'a plus la force de se défendre.

— Du manque d'idée, s'entend-elle répondre. Et de la bêtise.

— Au moins tu t'en rends compte ! acquiesce Janet, visiblement mal à l'aise, comme si cette victoire trop facile la privait de la bagarre à laquelle elle s'était préparée.

Elle jette un regard mauvais au verre d'Amanda.

— Tu es sûre que tu ne veux rien boire, insiste cette dernière.

— Qu'est-ce qui t'arrive, Mandy ? Tu ne trouves plus d'hommes mariés qui acceptent de trinquer avec toi.

— S'il te plaît, ne m'appelle pas Mandy.

— Oh, pardon. Seuls les hommes avec qui tu as couché y sont autorisés ?

Amanda se relève péniblement alors qu'elle n'a qu'une envie : s'allonger.

— Tu devrais t'en aller maintenant.

— Pas tant que je n'aurais pas dit ce que j'ai à dire.

— Je suis désolée. Je croyais que c'était fait.

— Ce n'est qu'un jeu pour toi, c'est ça ? Ça te plaît de bousiller la vie des autres ? Tu t'en fiches du mal que tu fais ? Et de ruiner mon ménage ?

— Tu dramatises. C'était juste une nuit. Ça ne comptait ni pour l'un ni pour l'autre.

— Ça compte pour moi.

Amanda sent la honte lui monter au visage.

— Je suis désolée.

— Ne t'approche plus de mon mari ! crie Janet avant de partir en courant.

Et elle claque la porte derrière elle.

La vibration fait à Amanda l'effet d'une décharge électrique. Il est temps de quitter la ville, songe-t-elle, juste avant de vomir sur son tapis tout blanc.

Quand elle se réveille, allongée par terre, il est presque deux heures du matin.

— Oh, merde ! marmonne-t-elle, le cœur soulevé par l'odeur du vomi.

Elle contemple l'énorme tache rouge qui s'étale au milieu du tapis. Comme du sang. Elle aura beau le laver, rien ne pourra le détacher, elle le sait. Et le martèlement dans son crâne ne cesse d'augmenter. Elle se touche le côté de la tête et s'aperçoit qu'elle a les cheveux poisseux, pleins de bile.

— Tu me dégoûtes !

Elle entre dans sa douche tout habillée, se met sous l'énorme pommeau et ouvre le jet à fond. Elle va bousiller son tailleur, c'est sûr. Comme elle a bousillé le tapis. Sans parler de sa vie, conclut-elle avant de vider le contenu entier d'une bouteille de shampooing sur la tête et de s'étriller le cuir chevelu.

Que voulez-vous ? Telle mère, telle fille !

Quoiqu'elle ne se souvienne pas d'avoir jamais vu sa mère vomir après ses nombreuses beuveries. Elle buvait jusqu'à atteindre un état semi-comateux et restait là, distante et inaccessible, sa présence physique soulignée par son absence mentale.

Après sa douche, Amanda s'essuie sans ménagement avec une grande serviette blanche, puis se couche. Elle s'occupera du tapis demain matin. Mais que pourra-t-elle faire d'autre, à part le rouler et le jeter ? Même si elle le donne plusieurs fois à nettoyer, il restera toujours une auréole rosâtre. Elle se demande ce que le directeur du Four Seasons a fait du tapis du hall. Trois coups de feu, ça fait couler beaucoup de sang. Elle devrait l'appeler afin de savoir comment il s'était débrouillé. Amanda prend le téléphone sur la table de chevet, et compose le numéro qu'elle a mémorisé sans s'en rendre compte.

— Allô ? répond une voix endormie à l'autre bout du fil.

— Qu'est-ce qu'ils ont fait du tapis ?

— Amanda ?

Elle voit Ben s'asseoir dans son lit, repousser les cheveux qui tombent sur ses yeux à moitié ouverts.

— Ça a dû faire beaucoup de sang, continue-t-elle. Et je me demandais ce qu'ils avaient fait du tapis.

— Je ne sais pas, répond-il comme si rien n'était plus naturel que cette conversation entre eux à une heure pareille.

— Et qui peut bien être ce satané John Mallins ?

— On ne sait pas grand-chose sur lui.
— Que sait-on exactement ?
— Juste qu'il venait d'Angleterre. Qu'il était ici en vacances avec sa femme et ses enfants.
— Et quel lien a-t-il avec ma mère ?
— Aucun, d'après la police.
— Tu veux dire qu'elle aurait abattu un parfait inconnu ?
— Apparemment.

Amanda s'appuie contre la tête du lit. C'était excessif, même de la part de sa mère.

— Elle avait bu ?
— Non. Il faut vraiment que tu viennes, Amanda.

Elle raccroche sans dire au revoir, et va à sa fenêtre contempler la lune.

6.

L'avion pour Toronto quitte Palm Beach avec presque une heure de retard. Lorsqu'il roule enfin vers la piste, Amanda pousse un soupir, soulagée de ne plus avoir la possibilité de se lever d'un bond en hurlant : « Je ne veux plus partir, laissez-moi descendre ! » Ce qu'elle aurait sûrement fait si elle ne s'était pas retrouvée coincée au fond d'un 737 bondé, entre une adolescente mastiquant un chewing-gum et un homme d'affaires si absorbé par son livre d'espionnage qu'il n'a pas daigné lever les yeux quand elle l'a enjambé pour atteindre sa place.

À rajouter à la liste de ce qu'elle déteste : le siège du milieu dans les avions ; les adolescentes qui mâchonnent bruyamment leur chewing-gum, le font exploser encore plus fort et vous collent leurs longs cheveux raides dans la figure ; le manteau noir informe qu'elle n'a pas porté depuis huit ans et qu'elle aurait dû jeter depuis longtemps.

Pourquoi ne l'a-t-elle pas fait ? Il n'a plus aucun style et le tissu lui irrite les bras. Elle voudrait l'enlever mais elle a déjà à peine la place de respirer. Bien fait pour elle ! songe-t-elle, tandis que les cheveux de sa voisine lui chatouillent la joue. Elle aurait dû l'ôter avant de s'asseoir. Elle aurait même dû mettre cette horreur à la poubelle dès qu'elle avait quitté Toronto.

— Et je n'aurais surtout pas dû monter dans cet avion, conclut-elle à voix haute, avant de jeter un regard gêné autour d'elle. Mais l'adolescente continue à faire claquer son chewing-gum au rythme du rock qui filtre par ses écouteurs, et le visage de son voisin disparaît de plus en plus dans son livre. Apparemment personne ne l'a entendue.

Pourquoi n'a-t-elle pas pensé à prendre un livre ? Elle essaie de se souvenir de la dernière fois où elle s'est offert le luxe de lire un bon bouquin. Un suspense comme celui qui captive son voisin, une intrigue qui l'aiderait à passer les deux heures et demie de vol, et à oublier où elle va. Et pourquoi.

Elle n'arrive pas à se rappeler à quel moment précis elle a décidé de se rendre à Toronto. Après sa conversation avec Ben, elle avait sombré dans un sommeil agité, où elle avait été pourchassée le long de la I-95 par une Jennifer Travis enceinte jusqu'aux dents, une Janet Berg en furie et une Caroline Fletcher en larmes. Et elle s'était arrêtée en pleine poursuite pour acheter un tableau de Sandy, la femme de Carter Reese, avant de se réveiller, trempée de sueur, convaincue qu'il était temps de s'éclipser.

Elle avait appelé les compagnies aériennes dès six heures du matin et avait retenu la dernière place sur le vol direct Palm Beach-Toronto, à quatorze heures trente. Puis elle avait joint sa secrétaire à son domicile, oubliant que la pauvre jeune femme aimerait sans doute profiter de sa grasse matinée en ce samedi matin, afin de lui annoncer qu'elle serait absente du bureau le lundi.

— Et quelle explication dois-je donner ? avait questionné Kelly d'une voix d'une alarmante vivacité à cette heure matinale.

— Aucune.

— Serez-vous de retour mardi ?

— Je l'ignore.

Silence. Amanda avait presque pu entendre tourner les rouages du cerveau de Kelly : elle devait mourir d'envie de lui demander si ce brutal changement de planning avait un rapport quelconque avec les appels de Ben Myers.

— Je vous téléphonerai dès que je le saurai, avait-elle promis avant de raccrocher.

Puis elle avait fourré un pantalon et un pull à col cheminée noirs dans un sac de voyage, avec sa trousse de maquillage et du linge de rechange, et avait appelé Ben pour le prévenir de son arrivée vers cinq heures à Toronto. Elle s'était ensuite rendue en taxi à l'aéroport où elle avait avalé une tranche de pizza aux poivrons avec un verre de Coca, en guise de petit déjeuner, avant de procéder à l'enregistrement et de passer les formalités de police. Et, à peine assise en salle d'embarquement, elle s'était endormie d'un sommeil de plomb en attendant son avion.

Heureusement, ou malheureusement, songe-t-elle à présent, quelqu'un l'avait réveillée à temps : elle avait embarqué juste avant qu'on ne ferme les portes, et avait eu du mal à coincer son sac dans le coffre à bagages plein à craquer. Puis elle s'était glissée tout aussi difficilement à sa place, à l'avant-dernier rang de la cabine. Alors qu'elle se disait qu'elle devait faire contre mauvaise fortune bon cœur, le pilote leur avait annoncé qu'à la suite d'un léger problème mécanique, leur décollage était retardé d'un petit quart d'heure. Qui s'était transformé en vingt, trente et, finalement, cinquante minutes.

Maintenant, ils remontent la piste, le problème apparemment résolu.

— Et hop, c'est parti ! murmure-t-elle quand l'avion s'élève enfin dans les airs.

Elle s'agrippe aux accoudoirs, en essayant de contrôler sa panique. Il y a plus de huit ans qu'elle n'a pas mis les pieds dans un avion. Même lors de leur lune de miel avec Sean, ils avaient seulement pris le bateau. Une croisière aux Antilles. Ils n'avaient pas eu de lune de miel avec Ben.

Elle chasse l'image de Ben de son esprit. Elle le verrait bien assez tôt.

— Réserve-moi une chambre sur les lieux du crime, lui avait-elle demandé. Je t'appellerai dès que je serai installée.

La fille à côté d'elle fait claquer son chewing-gum en rafale, comme des coups de feu. Quelle arme avait prise sa mère pour assassiner ce mystérieux inconnu ?

Soudain elle se revoit enfant, fouillant le placard de sa mère, à la recherche d'une paire d'escarpins. Elle les voudrait avec de hauts talons et le bout pointu, de préférence dorés ou argentés, pour jouer les princesses de conte de fées. Mais elle ne trouve que de tristes mocassins marron ou noirs, bien alignés sur le sol. C'est alors qu'elle lève les yeux et aperçoit une boîte à chaussures sur l'étagère, au-dessus de la penderie. C'est peut-être là que sa mère a rangé ses beaux souliers. Elle court chercher le petit escabeau appuyé contre le buffet de la cuisine, l'installe devant le placard et grimpe sur la troisième et dernière marche. Mais elle a beau tendre les bras, ses doigts ne font qu'effleurer la boîte sans pouvoir l'attraper. Elle réussit enfin à la faire basculer et manque de la recevoir sur la tête avant qu'elle ne s'écrase en répandant son contenu à ses pieds.

Et elle avait vu un revolver ! se rappelle-t-elle soudain en étouffant un cri. Petit, noir et étonnamment lourd.

Elle se revoit enfant, soupesant l'étrange objet, le retournant avant de renifler son odeur métallique. Soudain sa mère apparaît sur le seuil, hurle en agitant les bras, comme une marionnette en folie, et lui arrache le revolver des mains. L'enfant s'enfuit, terrorisée. Plus tard, quand elle retourne dans la chambre de sa mère afin d'essayer de s'expliquer, celle-ci la regarde sans la voir.

La boîte à chaussures avait disparu quand Amanda, intriguée par son contenu, s'était à nouveau glissée en cachette dans la chambre. Et sa question était restée sans réponse au fil des années : que faisait sa mère avec une arme ?

Avec aujourd'hui une question subsidiaire : était-ce avec ce revolver qu'elle avait assassiné John Mallins ?

— Qui diable est John Mallins ? s'interroge-t-elle à voix haute.

— Pardon ? Vous m'avez parlé ?

Son voisin la dévisage de ses grands yeux marron.

— Comment ? Oh, non. Excusez-moi, je parlais toute seule.

— Ce n'est pas grave. Ça m'arrive régulièrement.

Il se replonge dans son bouquin.

Amanda se surprend à étudier son profil. Il a un visage sympathique. Pas particulièrement beau. Ni vilain d'ailleurs. Un long nez, des pommettes hautes, des lèvres pleines, une mâchoire carrée. Un regard chaleureux, ajoute-t-elle, et elle a soudain envie qu'il la regarde à nouveau.

— Il est bon, ce livre ?

— Comment ?

— Vous semblez captivé par votre lecture.

— Ça se lit.
— C'est tout ?

Pourquoi harcèle-t-elle ce pauvre homme ? Il ne semble avoir aucun désir d'engager la conversation. Il n'a pas besoin qu'on lui change les idées. Sa mère n'a pas abattu d'inconnu dans le hall de l'hôtel Four Seasons.

— Il est assez bien ficelé jusqu'ici.

Puis, posant le livre ouvert sur ses genoux :

— Mais je me prépare à être déçu.
— Pourquoi ?
— Je lis beaucoup de suspenses. La plupart démarrent très bien. Malheureusement, ça se gâte souvent par la suite.

Amanda hoche la tête bien que son expérience en la matière soit limitée. Elle trouve déjà la réalité bien assez déconcertante.

— Et comment se prépare-t-on à être déçu ?

Il sourit tout en réfléchissant à la question.

— On pense au passé.

Aussitôt Amanda sent des gouttes de transpiration perler au-dessus de sa lèvre supérieure et ses joues s'enflammer comme si elle était penchée sur un feu.

— Ça va ? lui demande son voisin, les yeux plissés d'inquiétude.
— C'est ce manteau, ment-elle. J'étouffe.
— Laissez-moi vous aider.

Il le fait glisser de ses épaules et elle extirpe ses bras des manches, manquant de peu de frapper l'adolescente avec sa main droite.

— Excusez-moi, murmure-t-elle.

Un claquement de chewing-gum l'informe que ses excuses ont été acceptées.

— Voulez-vous que je mette votre manteau dans un coffre ? propose son voisin.
— Avec plaisir.
— Ça va mieux ?

Amanda tapote le décolleté en V de son T-shirt blanc et prend une profonde inspiration.

— Oui, nettement. Merci.
— Voulez-vous un verre d'eau ? Je peux appeler l'hôtesse.

— Non, ça ira. Merci encore.

Il lui sourit et lui tend la main.

— Jerrod Sugar.

Amanda met quelques secondes à comprendre qu'il s'agit de son nom et non de celui d'une boisson exotique.

— Amanda, répond-elle en lui serrant la main. Amanda Travis.

— Vous rentrez chez vous ?

— Non, je suis originaire de Floride.

— Vraiment ? J'avais pourtant cru sentir une pointe d'accent.

Amanda se crispe.

— Non, non, je suis née en Floride. Et vous ?

— Je viens du Milwaukee. Mais je vis à Abacoa depuis un an.

Amanda voit la petite ville champignon qui vient de surgir entre Jupiter et Palm Beach Gardens. Bien qu'elle ne soit pas encore entièrement peuplée, elle s'enorgueillit déjà d'un stade, d'un golf et d'une université à part entière. Amanda se représente juste après une épouse et trois petits Sugar.

— Pourquoi Abacoa ?

— Je suis professeur. On m'a fait une proposition fabuleuse.

— Et qu'enseignez-vous, exactement ?

Il rit. Ça lui plaît. Elle se penche et, de son sein gauche, lui effleure le bras.

— L'économie.

Il plonge la main dans sa poche à la recherche d'une carte de visite, prenant garde de ne pas la toucher.

Elle étudie sa carte avec attention.

— Je crains de ne rien connaître à l'économie.

— J'ai comme l'impression que vous en savez pas mal sur d'autres sujets.

C'est au tour d'Amanda de glousser.

— Alors qu'allez-vous faire à Toronto ?

— Je me rends à un congrès. Et vous ?

Elle sort le premier mot qui lui vient à l'esprit.

— En vacances.

— Non ? Quelle idée d'aller passer ses vacances là-bas, en février ?

Amanda hausse les épaules. Il n'a pas tort, à la réflexion.

— Allez, dites-moi tout.

Cette fois, c'est lui qui se penche vers elle et plonge ses yeux dans son décolleté.

Amanda ne sait pas si c'est dû à son regard appuyé ou à son « dites-moi tout » mais elle se surprend à lui répondre :

— Figurez-vous que mon ex-mari vient de m'apprendre que ma mère a été arrêtée pour meurtre. Et que ce serait bien que j'aille lui rendre visite.

Il lui décoche un grand sourire.

— Vous plaisantez, j'espère ?

— Je plaisante, lui assure-t-elle aussitôt.

Il éclate d'un rire qui laisse percer une certaine nervosité qu'il n'avait pas auparavant. Puis il se détourne. Quelques instants plus tard, son nez disparaît à nouveau dans son livre.

Amanda avait quatorze ans quand elle a perdu sa virginité.

Ça s'était passé un week-end de juillet, à Holiburton, dans la maison de campagne de Claire Singleton, une camarade de classe. Les Singleton avaient invité Amanda avec l'espoir d'attiser l'amitié entre leur fille trop timide et cette gamine ouverte. Hélas, Amanda n'avait réussi qu'à allumer leur fils aîné.

À seize ans, Perry Singleton était déjà le type même du garçon que craignent les mères pour leurs filles : séduisant, insolent et rebelle. Amanda l'avait vu traîner dans les couloirs du collège Jarvis et avait entendu parler de ses prouesses sexuelles. On disait même qu'il tenait un tableau détaillé de ses conquêtes, avec un système de notation finement élaboré, combinant encre rouge, astérisques et étoiles d'or. Et qu'il ne détestait pas partager ces informations avec ses copains. Elle avait souvent vu pleurer, dans les toilettes, des filles qu'il venait de plaquer. Des idiotes qui s'étaient toutes crues différentes et capables de le changer, de le mettre à leurs pieds.

Amanda ne nourrissait aucune de ces illusions, même à quatorze ans. Elle n'avait aucune intention, ni aucune envie, de changer ce crapaud arrogant en prince ennuyeux. Tout ce qui l'intéressait, c'était de figurer en première place à son palmarès. Elle visait l'encre rouge, l'astérisque et l'étoile d'or.

Et donc, lorsqu'il avait surgi derrière elle et plaqué la main sur le bas de son short, loin de jouer les pucelles effarouchées, elle s'était retournée et avait tranquillement posé sa main sur son entrejambe en lui disant de se réserver pour ce soir, quand elle le ferait entrer en douce dans sa chambre, une fois que Claire serait endormie.

Il n'avait pas perdu de temps en prémices, au grand soulagement d'Amanda qui avait trouvé son pelotage plus pénible qu'excitant. Et elle n'avait pas ressenti grand-chose la première fois qu'il l'avait pénétrée. Elle avait eu mal, mais pas trop, sans doute parce que l'opération n'avait pas duré une minute. Il n'avait pas paru remarquer qu'elle était vierge. Ou peut-être s'en moquait-il, ce qui ne la gênait pas non plus. Elle n'avait pas mis longtemps à découvrir ce qu'il aimait. Il suffisait de s'intéresser à son pénis. Et elle avait vu assez de films pour savoir quels mouvements faire et à quel moment. Peu lui importait de ne pas éprouver beaucoup de plaisir de son côté. Ce n'était pas sa satisfaction personnelle qui lui vaudrait des astérisques et des étoiles d'or.

Inutile de dire que Percy Singleton avait été au désespoir quand elle l'avait plaqué, deux mois plus tard.

Elle était aussitôt passée à Ronnie Leighton, suivi rapidement par Fred Coons, Norman McAuliff, Billy Kravitz et Spenser Watt. Tout cela avant son seizième anniversaire.

Puis il y avait eu Ken Urbach, Jeremy Walberg, Ian Fitzhenry, Brian Castleman, Larry Burton, Stuart Magilny et au moins une demi-douzaine d'autres avant ses dix-sept ans.

C'est alors qu'elle avait enfin trouvé un garçon à sa hauteur.

Amanda se cambre et regarde le hublot de l'autre côté de l'adolescente qui s'est assoupie, sans que ses mâchoires cessent de mastiquer. Elle voit Ben Myers dans le reflet de la vitre. Il a les yeux de la couleur du chocolat amer et les joues mal rasées. Il porte le jean le plus moulant et le plus dépenaillé qu'elle ait jamais vu, et ses longs cheveux bruns sentent la bière et la marijuana. Il n'attend rien de personne, clame-t-il à qui veut l'entendre. Les gens sont des hypocrites ; réussir c'est nul ; la stabilité, c'est bon pour les filles. Sauf qu'il ne dit pas les filles ; il dit les chattes et la sonorité de ce mot excite Amanda.

Faut-il s'étonner s'ils se rencontrent ? S'ils s'attirent comme des aimants ? S'ils se jettent littéralement dans les bras l'un de l'autre ?

— Mes parents sont des minables, lui confie-t-il une nuit. Ils ne me comprennent pas.

— Les miens ne savent même pas que j'existe, avoue-t-elle en retour, songeant qu'elle aurait préféré être incomprise qu'ignorée.

— Je suis infréquentable.

— Et moi donc !

Le commandant de bord annonce le début de la descente sur Toronto. Amanda sent une pression douloureuse dans ses oreilles, pense demander à sa voisine si elle n'aurait pas un chewing-gum à lui passer, mais craint qu'elle ne plonge la main dans sa bouche afin de partager le sien. Elle laisse échapper une grimace et ne dit rien.

— Ça ne va pas ? s'inquiète Jerrod Sugar.

Amanda indique ses oreilles.

— Il faut avaler.

Amanda repousse la connotation sexuelle de ce conseil, et déglutit plusieurs fois sans soulagement réel. Se rappelant brusquement que les deux périodes les plus dangereuses d'un vol sont le décollage et l'atterrissage, elle s'agrippe aux accoudoirs.

— Je ne vous aurais jamais cataloguée parmi les angoissées, s'étonne Jerrod Sugar avec un sourire.

— Je suis pleine de surprises.

— Ça, je l'aurais parié.

Cette fois, il ne détourne pas les yeux.

Amanda sent qu'il s'apprête à lui proposer de partager sa limousine ou peut-être même de prendre un verre ensemble, mais il ne dit rien et, cette fois, c'est elle qui détourne son regard.

Elle aperçoit par le hublot les nuages qui se fondent peu à peu dans le paysage enneigé.

— On se croirait sur une autre planète, marmonne-t-elle.

L'adolescente se retourne tout à coup vers elle.

— Je suis tellement impatiente, lui annonce-t-elle, comme si elles étaient de vieilles connaissances. Ça fait six mois que je n'ai pas vu mon petit ami. Nous allons dans des universités différentes et c'est la première fois que nous nous retrouvons. Je suis bien comme ça ? demande-t-elle en se tapotant les cheveux, avec un regard implorant, sans cesser de mastiquer férocement.

— Vous devriez peut-être vous débarrasser de votre chewing-gum, suggère Amanda.

La fille le crache aussitôt dans sa main en gloussant.

— Je l'avais oublié. Beurk, il n'a plus de goût, fait-elle en le jetant dans le sac vomitoire. Je suis mieux comme ça ?

— Nettement.

— Merci. Je suis tellement angoissée. Je crois qu'il faut que j'aille aux toilettes.

Elle détache sa ceinture et se soulève de son siège.

— Vous ne pouvez pas vous déplacer pendant la descente.

Amanda lui montre le signal lumineux « Attachez votre ceinture » au-dessus de sa tête.

— Flûte !

La fille se laisse retomber.

Aussitôt, Amanda se met à penser à sa mère.

Dès qu'ils atterrissent, Jerrod Sugar sort le sac de voyage d'Amanda du compartiment à bagages. Il l'aide ensuite à enfiler son manteau et ses mains s'attardent une seconde de trop sur ses épaules.

— Je serai au Metro Convention Center jusqu'à jeudi. Si vous avez un moment de libre, n'hésitez pas à m'appeler.

7.

Le trajet de l'avion à la douane canadienne est interminable. Amanda avance lentement, son sac en cuir noir lui scie l'épaule. Elle aurait dû s'acheter l'une de ces nouvelles valises à roulettes comme en possèdent les autres passagers. Mais quel intérêt ? Avec des roulettes, elle irait plus vite, arriverait plus tôt à destination, alors qu'elle n'a qu'une seule idée, repartir en courant.

Elle s'engage sur l'escalator, descend encore, et se retrouve derrière plusieurs centaines de personnes qui font la queue au contrôle des passeports. Elle entend une femme se plaindre de l'arrivée simultanée de deux gros-porteurs, ce qui signifie au moins une heure d'attente. Amanda hausse les épaules. Elle est sans doute la seule à apprécier ce délai importun. Elle cherche des yeux Jerrod Sugar, croit le voir quelques rangs devant elle, en grande conversation avec une femme séduisante, juste avant de le repérer finalement loin derrière elle, qui parle avec animation au téléphone. Elle s'aperçoit soudain qu'il possède l'un de ces visages qui vous semblent toujours familiers. Et bien qu'elle ait passé une bonne partie de l'après-midi à flirter avec lui, elle serait incapable de le reconnaître si, le prenant au mot, elle allait le voir à son hôtel.

Malgré la longue queue et les prédictions pessimistes, elle avance assez rapidement. Moins d'une demi-heure plus tard, elle se retrouve devant la ligne jaune.

— But de votre visite ? entend-elle aboyer l'agent de la police des frontières au couple qui la précède.

— Affaires, répond le mari.

— Loisirs, répond sa femme.

Faudrait savoir ! a-t-elle envie de leur lancer. Elle baisse les yeux vers son formulaire, sursaute en voyant qu'elle a coché « Loisirs ». Il devrait y avoir une case « Devoir ». Ou « Poussé par les remords ». Et pourquoi pas « Mère meurtrière » ?

On lui tape sur l'épaule.

— Mademoiselle ? C'est à vous.

Amanda opine et avance. Le cœur battant à tout rompre, comme si elle était une immigrante clandestine, elle tend son passeport et son formulaire au policier.

— D'où êtes-vous ? demande ce dernier alors qu'il a toutes les informations sous son nez.

— De Floride.

Elle se demande si l'écran de son ordinateur lui indique qu'en fait elle est née, ici même, à Toronto, et s'il va lui passer des menottes et la renvoyer aux États-Unis, *illico presto*.

— Et qu'est-ce qui vous amène à Toronto à cette époque de l'année ? continue-t-il d'un ton amène.

— Je viens voir ma mère, réplique-t-elle, manquant de s'étrangler sur le dernier mot.

À coup sûr, il a senti son hésitation. Il va réclamer plus de détails. *Qui est votre mère ? Depuis quand ne l'avez-vous pas vue ? Pourquoi cette longue séparation ? Qui êtes-vous ? Qui êtes-vous* vraiment *?*

— Combien de temps pensez-vous rester ?

— Juste quelques jours.

— Apportez-vous des cadeaux ?

Amanda manque d'éclater de rire. À quand remontait la dernière fois où elles avaient échangé des cadeaux, sa mère et elle ? Cela leur était-il jamais arrivé ?

— Non. Aucun.

— Des cigarettes ou de l'alcool ?

Elle sent le vin de la veille lui remonter dans la gorge.

— Non.

— Bon séjour.

Il tamponne son formulaire, le lui rend avec son passeport et fait signe au suivant.

— Merci.

Amanda le quitte à regret et suit les flèches jusqu'à la zone de réception des bagages. Comme elle n'en a aucun à récupérer, elle se dirige droit vers la sortie où l'on contrôle une dernière fois sa déclaration de douane.

— Parfait, lui dit le douanier, lui épargnant la honte de voir un étranger fouiller dans son sac, même si cela ne révélerait que sa trousse de maquillage, son pantalon et son pull noirs et quelques sous-vêtements en coton.

Amanda s'avance vers la sortie d'un pas lourd avec l'impression d'avoir les jambes en plomb, et parcourt les visages des gens qui attendent impatiemment l'arrivée de leurs proches. Partout autour d'elle résonnent les cris de joie des retrouvailles. « Bonjour, ma chérie », « Ton voyage s'est bien passé ? », « Mais regarde-toi ! Comme tu as grandi ! J'ai failli ne pas te reconnaître », « Nous sommes contents de te revoir, papa ! » Elle voit, avec un pincement au cœur, sa voisine de siège se jeter au cou de son petit ami avec un joyeux abandon. Depuis quand ne s'est-elle pas jetée au cou de quelqu'un ? Depuis combien de temps n'a-t-elle plus personne qui l'attende ?

— Où sont planqués ces satanés taxis ? marmonne-t-elle sans desserrer les lèvres. Elle sent déjà l'air glacial de février monter du sol et s'enrouler autour de ses jambes comme un serpent mortel. Il faudra en plus que je m'achète une paire de bottes ! s'énerve-t-elle alors qu'elle n'a pas encore quitté l'aéroport. Putain de temps !

— Encore en train de parler toute seule ? demande une voix derrière elle, et elle s'arrête net, sans oser tourner la tête. Le sang afflue à ses tempes et l'assourdit.

— Il ne fallait pas venir jusqu'ici, s'entend-elle répondre d'une voix dangereusement calme. Je t'avais dit que je t'appellerais dès que je serais installée.

— J'ai pensé que ça te ferait plaisir de voir un visage amical.

— L'est-il vraiment ?

— Si tu te retournais pour juger par toi-même ?

À contrecœur, Amanda pivote sur elle-même et lève les yeux.

Ben Myers n'a pas changé depuis le jour où elle s'est enfuie, huit ans auparavant. Il est toujours grand et efflanqué, de cette beauté décontractée qui la rendait folle, mais ses yeux bruns ont maintenant l'air plus méfiants que blessés, et une tranquille assurance a remplacé ses airs de bravache. Amanda constate que son méchant garçon s'est transformé en homme. Et en homme bien, en plus.

— Bonjour, Ben, dit-elle, tandis que son pouls retrouve un rythme normal.

— Bonjour, Amanda. Tu es splendide.

— Merci. Toi aussi.

Il lui prend son sac de voyage et le met en bandoulière.

— C'est tout ce que tu as ?

— Oui.

— Tu n'as pas l'intention de rester très longtemps à ce que je vois.

— J'ai pensé qu'un jour ou deux pourraient...

Elle s'arrête. Elle n'a pas envie de finir sa phrase. Surtout qu'il marche si vite qu'elle a du mal à le suivre.

— Ma voiture est par là, lance-t-il par-dessus son épaule en l'entraînant vers l'ascenseur. Boutonne ton manteau, lui conseille-t-il alors que la cabine s'arrête au cinquième niveau. Il fait froid.

Dès qu'elle sort dans le parking, l'air arctique la frappe de plein fouet. Elle a l'impression de recevoir un verre d'eau glaciale au visage. Sauf que si c'était de l'eau, elle aurait gelé avant de l'atteindre. Elle serre le col de son manteau contre sa gorge, en se maudissant de ne pas avoir songé à prendre une écharpe. Ni des gants. Que vient-elle fiche ici ? Que fait-elle dans ce trou glacial, avec son ex-mari qui l'emmène à l'hôtel où sa mère, à qui elle n'a pas adressé la parole depuis des années, a abattu un homme dont elle n'a jamais entendu parler ?

— Par ici, dit Ben.

— La Mercedes ?

— Pas exactement.

Il tend le doigt vers une Corvette blanche.

— Mon Dieu ! Tu l'as toujours !

— Tu me connais. J'ai du mal à me détacher des choses.

Amanda ignore le sous-entendu et se frotte les mains dans l'espoir futile de les réchauffer, tandis qu'il ouvre les portières et jette le sac sur la ridicule banquette arrière. Elle caresse la carrosserie et de doux souvenirs tempèrent le froid cinglant qui lui brûle les doigts.

Dix ans plus tôt, elle avait vu Ben, jeune rebelle en jean noir et blouson de cuir noir râpé, émerger de la voiture de sport toute neuve et monter quatre à quatre les marches de son perron. Elle s'était précipitée à sa rencontre, avec l'espoir de surprendre le regard désapprobateur de sa mère, quand elle glisserait sa main dans celle du garçon. Mais quand elle avait levé les yeux vers la fenêtre de sa chambre, les rideaux étaient fermés et personne ne l'observait. Tout comme personne ne l'attendait pour la gronder quand elle était rentrée furtivement, à quatre heures du matin.

Autant pour les doux souvenirs ! songe-t-elle en montant dans la voiture.

Cette Corvette aurait dû lui révéler quel type d'homme était Ben. Il s'était payé cette folie tout seul, en travaillant tous les week-ends et toutes les vacances depuis qu'il avait quatorze ans, économisant sou par sou. Cela aurait dû lui faire comprendre combien il était volontaire, déterminé, décidé à réussir. Mais elle n'avait vu que son blouson en cuir noir, sa Corvette blanche, et ses airs de rebelle. Et sa volonté de fer lui avait totalement échappé. Elle n'avait retenu que son ton de défi, quand il s'emportait contre l'autorité, sans entendre l'autorité avec laquelle il s'exprimait.

Elle n'était pas la première femme à se laisser séduire par une image, à avoir été trahie par la projection qu'elle faisait de ses propres désirs sur quelqu'un qui avait aussi les siens. Elle voulait du style ; elle avait trouvé du caractère. Elle cherchait un homme qui soit le pire cauchemar de sa mère ; elle avait trouvé le gendre idéal. La dernière chose qu'elle souhaitait.

— Tu n'aurais pas dû faire tout ce chemin pour venir me chercher, dit-elle tandis qu'il paie le parking et empoche le récépissé.

— J'avais trop peur que tu te dégonfles en arrivant ici et que tu rentres par le premier avion.

— En effet, j'y ai songé.

— C'est bien ce que je craignais.

Il sourit comme s'il la connaissait toujours après toutes ces années. Comme s'il l'avait jamais connue !

— Alors, comment va-t-elle ?

Elle ne précise pas qui, et il ne le demande pas, ce en quoi elle lui est reconnaissante. Ils savent tous deux de qui elle parle.

— Elle résiste étonnamment bien.

— Ce n'est pas elle qui a reçu trois balles à bout portant.

— Tu as raison.

— Quand te décideras-tu à me raconter ce qu'il s'est passé ?

— Je t'ai tout dit.

— Je sais, ma mère a tué un parfait inconnu dans le hall de l'hôtel Four Seasons.

Mais elle aura beau la rabâcher cent fois, cette phrase n'aura toujours aucun sens. En fait, elle perd même de sa signification à chaque répétition. Telles les couleurs qui s'affadissent avec les lavages répétés, les mots perdent à l'usage leur lustre et leur impact.

— Quoi d'autre ?

— Rien.

— Ben, je ne suis pas venue de si loin pour rien.

— Tu ne crois pas que je te le dirais si je savais autre chose ?

— Alors redis-moi ce que tu sais.

Il inspire puis expire avec lenteur, son haleine chaude embue brièvement le pare-brise.

— J'ai cru comprendre que ta mère était assise dans un coin du hall quand l'un des clients, un certain John Mallins, s'est approché de la réception. D'après les nombreux témoins, ta mère s'est levée calmement de son siège, a traversé le hall, a sorti un revolver de son sac et a tiré trois fois, à bout portant, sur ce John Mallins. Après quoi, elle a remis l'arme dans son sac puis elle a regagné son siège où elle a attendu tranquillement l'arrivée de la police.

— Tu veux dire qu'elle a tiré sans recevoir la moindre provocation ?

— Apparemment.

— Elle ne lui a pas parlé ?

— Personne n'a rien entendu.

— Il ne lui a pas parlé non plus ?

— Elle ne lui en a pas laissé le temps.

— Elle s'est juste avancée vers lui et a tiré ?

— Apparemment.

Pourquoi rabâche-t-il ce mot ? s'énerve Amanda. Rien dans cette affaire n'est apparent.

— D'après un employé de la réception, elle avait passé la journée assise dans le hall, continue-t-il.

— Que veux-tu dire ? Qu'elle l'attendait ?

— Probablement.

Amanda essaie d'imaginer sa mère assise dans un coin du hall, attendant paisiblement d'abattre un inconnu sans défense.

— À quoi ressemblait-il, à propos ?

— Taille moyenne, un peu trapu, cheveux bruns, moustachu.

— Quel âge a... euh... avait-il ?

— Pas loin de cinquante ans.

— Pas loin de cinquante ans, répète-t-elle en essayant de l'imaginer. Je n'y comprends rien. Qui est cet homme ?

— Amanda...

— Ben, ma mère est peut-être cinglée, mais pas au point de passer une journée dans le hall d'un hôtel à attendre d'assassiner un inconnu. Elle devait le connaître, c'est évident. Elle savait qu'il était à Toronto, et où il était descendu. Il y avait donc un lien entre eux.

— Si c'est le cas, elle refuse de nous le dire.

— Elle prétend avoir abattu quelqu'un au hasard...

— Elle ne dit rien du tout.

Amanda contemple le paysage plat couvert de neige que traverse l'autoroute 401 et secoue la tête de dépit.

— Ne ferait-elle pas une sorte de dépression due à la ménopause ?

— Tu ne crois pas qu'elle est un peu âgée pour ça ?

Amanda lui jette un regard étonné. Elle a toujours considéré sa mère comme quelqu'un d'assez jeune, alors que celle-ci avait déjà trente-quatre ans à sa naissance. Ce qui lui faisait près de soixante-deux ans maintenant, calcule-t-elle.

— Et si c'était la maladie d'Alzheimer ?

— Peut-être.

— Tu n'y crois pas ?

— Non.

— Pourquoi ?

— Elle a l'air si...

— Si quoi ?

— Si saine d'esprit.

— Ma mère ? Saine d'esprit ? Là, cette fois, je suis sûre qu'elle est complètement cinglée !

Ben éclate de rire et Amanda s'aperçoit qu'elle adore son rire et qu'elle l'a trop rarement entendu.

— A-t-elle été vue par un psychiatre ?

— « Vue » est le terme qui convient, car elle a refusé de lui parler. Ce qui n'arrange pas son cas.

— Ça te surprend ?

Il rit à nouveau, mais cette fois d'un rire étranglé, comme si on lui serrait une corde autour de la gorge.

— Peut-être qu'à toi elle parlera.

Amanda ferme les yeux, et essaie de se souvenir de la dernière fois où elles se sont parlé. Elle entend des voix enflées par la colère, des accusations qu'elles se renvoient comme des balles de caoutchouc. *Pas étonnant qu'avec une fille comme toi, ton père ait fait une crise cardiaque !*

— Quand pourrai-je la voir ?

— Je pensais t'y conduire demain, vers une heure de l'après-midi.

— Où est-elle ?

— Au Centre de détention de l'Ouest.

— À quoi ça ressemble ?

— Ce n'est pas le Four Seasons.

— Là, au moins, elle ne tuera personne.

Amanda secoue la tête. Elle croit rêver. Ont-ils vraiment cette conversation ?

— Et tu n'auras pas de problème à me faire entrer ?

— Je te présenterai comme mon assistante.

Amanda ignore la lueur espiègle dans son regard.

— Sait-elle que je suis là ?

— Non.

— Tu crois que c'est une bonne idée ? Elle n'a jamais aimé les surprises.

— Je ne voulais rien dire au cas où...

— Je ne serais pas venue ?

— Par exemple.

Elle se retourne vers la vitre, lit *Seconde Peau*, écrit en gros sur le côté d'un immeuble en brique. Voilà ce qu'il me faudrait ! songe-t-elle, en frissonnant dans son manteau. Oui, j'en aurais bien besoin.

— Tu as encore froid ?

Ben augmente le chauffage. Elle sent un courant d'air chaud lui souffler sur les pieds.

— J'avais oublié qu'il faisait encore si froid à cette période de l'année.

— Certaines années sont pires que d'autres.

Amanda hoche la tête et étudie son profil. Il a le nez plus long que dans son souvenir, les pommettes plus marquées. Quoi qu'il en soit, c'est un bel homme, constate-t-elle avec un petit pincement avant de se forcer à détourner les yeux.

— Alors, qu'est-ce que tu deviens ? questionne-t-elle après un silence de quelques secondes.

— Je vais bien.

— Ça te plaît d'être avocat ?

— Oui. Et toi ?

— Oui, répond-elle en éclatant de rire. On dirait qu'on se marie.

— Une fois suffit, tu ne crois pas ? murmure-t-il avec un sourire triste.

Elle acquiesce.

— Tu ne t'es pas remarié ?

Ses mains sont cachées par les gros gants en cuir, mais elle ne se rappelle pas lui avoir vu d'alliance, à l'aéroport. Elle se demande ce qu'il a fait de l'ancienne, s'il a pu s'en séparer avec plus de facilité que de sa Corvette.

Il secoue la tête.

— Une fiancée ?

— Une amie, admet-il après un nouveau silence, visiblement peu enclin à s'épancher sur sa vie privée.

— Une petite amie ? le taquine-t-elle, bien qu'elle se sente contrariée à l'idée qu'il sorte avec une autre.

Cette réaction presque viscérale la surprend. Elle a eu des douzaines d'amants depuis qu'elle l'a quitté, sans oublier un mariage et un divorce. Croyait-elle sérieusement qu'il resterait sagement à l'attendre pendant toutes ces années ? Souhaite-t-elle rallumer l'étincelle fragile qui subsiste encore entre eux ? Elle expulse l'air avec force pour chasser cette pensée gênante de son esprit.

— Ça ne va pas ?

— Que fait ta petite amie ? demande-t-elle tout en décidant qu'elle aimerait peut-être coucher avec lui en souvenir du bon vieux temps, mais qu'elle ne veut rien de plus.

— Elle est avocate.

— Sans blague ?

— Auprès du procureur.

— Tu couches donc avec l'ennemi.

Ben ne répond pas. Amanda remarque à travers le cuir de ses gants qu'il serre le volant.

— Qui aurait cru ça ? pense-t-elle à voix haute. Qui aurait cru ça ?

— Quoi ?

— Tout ça.

Il hoche la tête.

— Oui, qui aurait cru ça ?

8.

Dieu merci, la circulation est fluide, même s'ils rencontrent un léger ralentissement en arrivant sur la voie express Allen. Quelque part entre Lawrence Avenue et Eglinton, Amanda ferme les yeux et fait semblant de somnoler. Elle n'a aucune envie de voir les changements que la ville a subis au fil des années, et encore moins de poursuivre la conversation. Bizarrement, elle s'endort et se réveille juste lorsque Ben s'arrête devant le hall du magnifique hôtel.

— Je me suis endormie ?

— Tu as même ronflé.

— Je ronfle ?

— Ce n'est pas nouveau.

Amanda sent ses joues s'enflammer malgré le courant d'air glacial qui l'agresse quand le portier en livrée ouvre la portière.

— Les femmes ne ronflent pas, rétorque-t-elle d'un ton acerbe, en prenant la main que lui tend l'employé pour s'extirper de la Corvette. Je ne ronfle pas.

Elle ne sait pas si elle est énervée par la référence inopinée à leur passé commun qu'il vient de faire d'un ton de propriétaire, ou si c'est parce qu'elle a montré une certaine vulnérabilité en s'endormant et lui a laissé ainsi prendre le dessus. Le dessus de quoi, d'ailleurs ? Elle plonge vers le siège arrière afin de récupérer son sac, et sent les doigts gantés de Ben lui effleurer la main.

— Je peux me débrouiller, proteste-t-elle tandis qu'il soulève le sac et le porte vers le hall. Tu n'as pas besoin d'entrer.

Mais il s'est déjà engouffré dans la porte à tambour et, le

temps qu'elle la franchisse à son tour, il n'est plus qu'à quelques pas du comptoir de la réception.

Amanda s'arrête net et sent le souffle de la porte qui continue à tourner derrière elle. C'est donc ici que c'est arrivé. Elle inspire l'air subtilement parfumé à la recherche d'une vague odeur de sang. C'est là que sa mère a tué un homme à bout portant.

Elle scrute le vaste tapis imprimé de fleurs qui occupe le centre du hall brillamment éclairé, à la recherche de taches sombres mais n'en voit aucune, ce qui signifie qu'ils ont dû le changer. Ils n'avaient pas le choix. On ne peut pas dire qu'une flaque de sang soit une vue attrayante pour les clients.

Une somptueuse composition florale trône sur la table en acajou qui occupe le milieu du tapis. Du marbre marron cuivré recouvre les murs et le sol. Des colonnes couvertes de miroirs s'élancent vers le haut plafond. Une rangée d'ascenseurs richement ornés occupe le mur du fond, sur la gauche de la réception. À leur droite, elle aperçoit un bar sympathique, avec ses gros fauteuils et ses profonds canapés de différents tons de beige, groupés autour des tables basses. C'est là que sa mère a dû attendre sa victime. Amanda scrute les sièges en essayant d'imaginer celui que sa mère occupait.

— Amanda, dit Ben depuis la réception. Nous aurions besoin de ta pièce d'identité.

Elle sent soudain ses jambes se dérober et trébuche. Ben revient vers elle, la prend par le coude et l'aide à parcourir les derniers pas.

— Ça va ?

Elle balaie ses inquiétudes d'un geste impatient et tend son passeport au réceptionniste.

— Ils n'ont pas perdu de temps pour nettoyer, marmonne-t-elle.

— Bonsoir, mademoiselle Travis, lance le jeune homme avec un sourire qui révèle plus de dents qu'il n'est nécessaire. Je vous souhaite la bienvenue. Je vois que vous restez ici sept nuits.

— Jamais de la vie ! rétorque-t-elle d'un ton sec.

L'employé pâlit, ses dents disparaissent derrière ses lèvres pincées.

— Deux nuits me suffiront largement, ajoute Amanda.

Elle fusille son ex-mari du regard, l'air de dire « Qu'est-ce qui a pu te laisser croire que je pourrais passer une semaine ici ? ».

Ben ne dit rien. L'employé pousse un formulaire et montre à Amanda où elle doit signer.

— Vous ne prenez pas l'empreinte de ma carte de crédit ? s'étonne-t-elle en voyant qu'il ne la demande pas.

— Monsieur s'en est déjà chargé.

Amanda tend sa carte au jeune homme avec un sourire glacial, et murmure à Ben :

— Qu'est-ce qui t'a pris ?

— Je voulais juste gagner du temps.

— Je peux m'assumer toute seule.

— Je n'en doute pas.

Il se retient d'ajouter « comme toujours » mais elle l'entend quand même.

Que faisait John Mallins à la réception lorsque sa mère l'a abattu ? Parlait-il à cet employé ?

— Vous êtes au seizième étage, dit le jeune homme, qui semble soudain trop enjoué pour quelqu'un qui aurait récemment assisté à un assassinat.

Il tend à Amanda une enveloppe qui contient sa clé magnétique, puis baisse la voix comme s'il allait lui confier un secret d'État.

— Chambre 1612. Si vous avez besoin de quoi que ce soit, n'hésitez pas à nous appeler. Voulez-vous qu'on vous aide à monter vos bagages ?

— C'est inutile, remercie Ben, avant de remettre le sac en bandoulière et de se diriger vers les ascenseurs.

Amanda s'apprête à l'arrêter, à lui dire qu'elle peut maintenant se débrouiller seule, qu'il est inutile qu'il l'accompagne à sa chambre, que ce n'est pas parce que sa mère a tué un homme dans le hall de cet hôtel qu'il doit venir la border dans son lit, qu'elle n'est plus la demoiselle en détresse qu'il croyait sauver en l'épousant, qu'il devrait le savoir depuis le temps.

À moins qu'il n'ait envie d'un petit coup en vitesse, histoire de faire la paix. Un bref rappel de la fougue de leur jeunesse, une reconnaissance de l'attirance qu'ils éprouvent encore l'un pour l'autre, que la question soit réglée une fois pour toutes, juste histoire de satisfaire leur curiosité et qu'on n'en parle plus. Certes, ça ne serait pas pour lui déplaire, songe-t-elle alors qu'il pose son sac devant l'ascenseur.

— Je te laisse.

Amanda essaie de ne montrer ni étonnement ni déception. C'est mieux ainsi. Peut-être va-t-il lui proposer de se retrouver pour dîner. Elle meurt de faim. Elle n'a rien mangé de la journée.

— Je passerai te prendre vers une heure, demain.

— Parfait.

Ce sera donc le service d'étage, se console-t-elle, en ramassant son sac tandis que les portes d'un ascenseur s'ouvrent à sa gauche. Elle entre dans la cabine et appuie sur le bouton du seizième étage.

— Attends, j'allais oublier...

Ben baisse la fermeture Éclair de sa veste, sort une grosse enveloppe en papier kraft et la lui tend juste au moment où un couple d'un certain âge s'engouffre dans la cabine. Des flocons de neige étincellent sur les épaules du manteau de vison noir de la femme.

— Qu'est-ce que c'est ?

— Tu regarderas quand tu auras un moment.

L'enveloppe pèse lourd dans la main d'Amanda tandis que la femme au manteau de fourrure appuie sur le bouton du vingt-huitième étage et que les portes se referment doucement.

Amanda jette son sac sur le grand lit et s'approche de la fenêtre. Il fait très sombre et il n'y a plus que quelques rares passants qui marchent sous la neige, la tête rentrée dans le col relevé de leur manteau.

— Qu'est-ce que je suis venue fiche ici ? demande-t-elle à la chambre silencieuse. Hier encore, je contemplais l'océan. Hier encore, tu vomissais tripes et boyaux, corrige-t-elle, avant de poser l'enveloppe pour prendre le menu sur le bureau.

Elle attrape la télécommande et allume la télévision. Ouf, ça fait du bien d'entendre un peu de bruit ! Elle jette un regard à l'enveloppe et décide de ne pas l'ouvrir avant d'avoir mangé. Elle pense savoir ce qu'elle contient. Mieux vaut d'abord prendre des forces.

Elle met moins d'une minute à déballer ses affaires, puis cinq minutes à choisir son dîner.

— Je prendrai une soupe de carottes et le poulet rôti, commande-t-elle au service d'étage, au moment où le présentateur lui recommande d'une voix excitée de rester sur cette chaîne si elle ne veut pas rater la Nuit du Hockey canadien.

— Il faut compter une heure d'attente, annonce l'employé au bout du fil.

— Une heure ?

— Nous sommes débordés.

Amanda raccroche et s'affale sur le lit. Ses yeux parcourent fiévreusement les murs saumon et la moquette beige. Elle s'appuie sur les coudes, jette au loin ses bottes noires, et remue ses pieds nus dans le vide, comme si elle était assise au bout d'une jetée.

— À quoi pourrais-je m'occuper pendant une heure ? demande-t-elle au tableau, au-dessus de son lit.

Elle pourrait regarder la télévision. Sauf qu'elle ne comprend rien au hockey, et qu'après avoir fait défiler deux fois les chaînes avec la télécommande, elle n'a absolument rien trouvé d'intéressant. Elle ne se laisse même pas tenter par le porno. Elle pourrait aller se promener, explorer les environs, avec ses boutiques tendance et ses night-clubs branchés. Mais il fait un froid de canard, tous les magasins sont fermés et la simple idée de l'alcool lui donne la nausée.

Maudit soit son ex-mari. Où était-il parti si vite ? À un rendez-vous galant avec sa séduisante assistante du procureur ?

— Eh oui, nous sommes samedi soir, se rappelle-t-elle à voix haute, en se renversant sur les oreillers.

Pourquoi pense-t-elle à Ben ? Cela lui est si peu arrivé ces dernières années.

Quoique ce ne soit pas tout à fait exact. Elle se couvre les yeux du bras droit, afin de repousser la première vision qu'elle a eue de lui à l'aéroport. Il était aussi séduisant que le jour où elle lui avait annoncé qu'elle partait, il y a huit ans.

— Je ne comprends pas pourquoi tu fais ça, avait-il simplement dit. Et toi, tu le comprends ?

Amanda se rassoit brutalement, bien décidée à ne pas laisser ses pensées dériver. Elle attrape le téléphone et appelle le standard.

— Pourriez-vous me mettre en communication avec l'hôtel du Metro Convention Center, s'il vous plaît ?

Une minute plus tard, elle obtient une réceptionniste qui la salue en français et en anglais.

— La chambre de Jerrod Sugar, s'il vous plaît. Merci.

— M. Sugar ne répond pas, l'informe l'employée au bout d'une demi-douzaine de sonneries. Voulez-vous lui laisser un message ?

— Non, merci. Je rappellerai. Tu as raté ta chance, mon grand, marmonne-t-elle en raccrochant. D'accord. J'abandonne. Il ne me reste plus qu'à regarder la Soirée du Hockey !

Elle sélectionne la chaîne adéquate et passe dix minutes à essayer de suivre l'action.

Bon sang ! que peut bien être un hors-jeu ? demande-t-elle au commentateur avant de se lever pour aller prendre un bain. Elle ouvre le robinet, se déshabille et attend, nue au milieu de la salle de bains, que la baignoire se remplisse.

Le téléphone sonne.

Ben !

Elle ferme le robinet et tend la main vers le combiné près des toilettes. Elle attend la seconde sonnerie avant de décrocher. Inutile de se montrer trop impatiente. Elle imagine la suite du scénario : Allô ? Non, je ne me sens plus la force d'aller dîner. Merci quand même. J'allais juste me glisser dans un bon bain chaud avant de dormir. À demain.

— Mademoiselle Travis, dit une voix inconnue, ici le service d'étage. Nous avons oublié de vous demander quel style de pommes de terre vous vouliez avec votre poulet.

Une profonde déception lui écrase la poitrine.

— Que proposez-vous ?

— Frites, purée, gratin, ou pomme de terre au four.

— Pomme de terre au four.

— Avec du beurre, de la crème, de la ciboulette ou du bacon ?

— Mettez des quatre.

— Merci. Nous vous apportons cela le plus vite possible.

Amanda repose le combiné sur son socle, rouvre le robinet d'eau chaude et fixe la baignoire jusqu'à ce qu'elle soit remplie presque à ras bord. De la vapeur monte de la surface quand elle plonge le pied avec prudence, et son corps prend une inquiétante teinte rose vif quand elle y entre complètement. Elle s'allonge et ferme les yeux. Qu'est-ce qui te prend ? s'interroge-t-elle alors que l'eau submerge ses lèvres. Qu'est-ce qui te chagrine le plus ? Que ta mère ait tué un homme de sang-froid ou que ton ex-mari ne t'ait pas invitée à dîner ?

Elle se met sur le côté et ce déplacement brutal fait déborder la baignoire. Ne sois pas ridicule. Ben Myers ne m'intéresse pas. Il appartient au passé, un passé que j'ai fui. Oui, mais un passé dans lequel il a plus ou moins réussi à me ramener et c'est ça qui m'ennuie. Ça n'a rien à voir avec lui. Rien du tout.

Bon sang ! Quel besoin avait-il de venir à l'aéroport jouer les chevaliers servants ? Et quel besoin avait-il d'être aussi beau ?

Amanda sent les larmes lui monter aux yeux et se rassoit brusquement. Une nouvelle cascade déferle sur le sol de la salle de bains. Elle arrache le papier du savon et commence à se frictionner énergiquement les bras, les jambes, le ventre, les seins en essayant d'ignorer les larmes qui roulent sur ses joues. Elle les essuie d'un revers de la main et sent le savon lui piquer les yeux. Tant mieux. Au moins elle a une raison de pleurer.

Elle se tamponne les yeux avec une serviette qu'elle presse contre ses paupières jusqu'à ce qu'elle voie de petits carrés gris comme une grille de mots croisés. La grille explose en une série d'images : Ben qui la suit hors du club dont elle s'est fait éjecter parce que le barman ne s'est pas laissé avoir par sa fausse carte d'identité, puis Ben qui l'embrasse sur la bouche avant même de lui dire comment il s'appelle ; ses cheveux qui lui tombent dans les yeux quand il lui fait l'amour, le corps trempé de sueur ; son corps nu endormi à côté d'elle ; son petit sourire coquin quand il l'attire à nouveau contre lui.

Ils étaient si bien ensemble.

Avant qu'il ne confonde le sexe avec l'amour.

— Non ! crie-t-elle en secouant la tête si fort qu'elle éclabousse autour d'elle comme un chien qui s'ébroue. Je ne vais pas recommencer.

Elle se drape dans une épaisse serviette blanche et sort de la baignoire.

Mais ne pourrait-elle pas se retourner le reproche ? Ne s'est-elle pas toujours servie du sexe comme arme, comme panacée, pour tenir ses distances, garder le contrôle. Elle rit. Sean ne lui avait-il pas justement reproché de confondre l'amour avec le sexe ?

Elle s'enveloppe dans le grand peignoir de bain en éponge fourni par l'hôtel, et retourne dans la chambre en se frictionnant les cheveux avec une serviette. Dehors, il continue à neiger. Dedans, des jeunes gens baraqués continuent à patiner sur l'écran de la télévision. Un commentateur hurle : « Dégagement interdit ! » Qu'est-ce que ça peut bien vouloir dire ? Il n'y a pas une minute qu'elle est sortie du bain et elle frissonne à nouveau. Elle regarde le réveil sur la table de chevet. Encore une demi-heure à attendre son dîner. Elle attrape à contrecœur l'enveloppe en papier kraft sur le bureau et l'emporte vers le lit dont elle retire le dessus à fleurs, avant de se glisser sous les draps.

— Autant que je m'en débarrasse !

Elle déchire l'enveloppe avant de s'apercevoir qu'elle n'était pas fermée, et en sort une série de coupures de presse. UNE FEMME ABAT UN INCONNU AU MILIEU DU HALL D'UN GRAND HÔTEL, annonce l'une. MEURTRE À L'HÔTEL FOUR SEASONS, clame l'autre. Et encore une autre : UNE FEMME ABAT UN TOURISTE À BOUT PORTANT.

— Génial !

Amanda fixe le portrait grumeleux en noir et blanc de John Mallins et découvre qu'il est bien tel que Ben l'a décrit : la cinquantaine environ, moustachu. Banal à tous points de vue, sauf un : il a été tué par la femme sur la photographie d'à côté.

Amanda évite le portrait de sa mère et ne lit que la légende en dessous. *Nous voyons ici Gwen Price, 61 ans, emmenée par deux policiers, après avoir abattu à bout portant un touriste dans le hall de l'hôtel Four Seasons.*

Amanda pousse un cri en levant les yeux vers le cliché qui montre sa mère menottée. Qui est-ce ? se demande-t-elle en essayant de concilier cette femme frêle et blonde avec le souvenir de la harpie de son enfance et de l'automate au regard glacial de sa jeunesse. La photographie suivante lui semble plus familière. On y voit sa mère en gros plan, à l'arrière de la voiture de police : elle est tournée vers la fenêtre, les yeux vides, à la limite de l'indifférence, et pourtant sa mâchoire paraît détendue et ses lèvres ébauchent même un sourire.

Qu'est-ce qui peut bien la faire sourire, bon sang ?

Les articles sont d'une imprécision irritante sur l'attaque en elle-même. La police n'a pas souhaité spéculer sur les mobiles du meurtre. « Pour le moment, nous n'en savons pas plus que vous », aurait déclaré un certain inspecteur Billingsly.

Qui êtes-vous, John Mallins ?

Amanda parcourt les différents articles à la recherche d'informations mais ne trouve rien de plus que ce qu'elle sait déjà. John Mallins... Quarante-sept ans... Homme d'affaires anglais... en vacances à Toronto, avec sa femme et leurs deux enfants... Elle arrête sa lecture et revient à son portrait.

— Quelle idée de venir passer des vacances ici, en février ? s'étonne-t-elle à voix haute, faisant écho à la question que lui a posée Jerrod Sugar dans l'avion. Vous êtes venu voir quelqu'un, n'est-ce pas ? Était-ce ma mère ?

On frappe à la porte.

— Service d'étage !

— Vous êtes en avance, dit-elle en ouvrant au jeune serveur avec un sourire de gratitude. Vous n'avez qu'à poser ça là, ajoute-t-elle en montrant le pied du lit.

Il remonte les côtés de la table roulante à l'aide de gestes maladroits, lisse la nappe blanche, soulève le couvercle de la soupe de carottes afin qu'Amanda vérifie, fait de même pour le plat de résistance.

— Poulet rôti, asperges et pomme de terre au four avec du beurre, de la crème, du bacon et de la ciboulette.

— Ça sent délicieusement bon. Merci.

Elle signe la note, ajoute un généreux pourboire.

Il ne bouge pas et, l'espace d'une seconde, Amanda se demande si elle lui a donné assez. Elle s'aperçoit qu'il a les yeux tournés vers le lit où les coupures de presse sont étalées comme les carrés d'un patchwork.

— Quelle horrible affaire ! hasarde-t-elle. Vous étiez là quand ça s'est passé ?

— J'étais dans l'hôtel, mais pas dans le hall. Je n'ai rien vu.

— Vous avez dû en entendre des échos, j'imagine.

Il hausse les épaules.

— Un peu.

— Quoi par exemple ?

Il se balance d'un pied sur l'autre en jetant un regard soupçonneux aux coupures.

— Nous ne sommes pas censés en parler. Vous êtes journaliste ?

— Moi, journaliste ? Mon Dieu, non ! C'était juste de la curiosité.

Amanda se penche sous prétexte de humer la soupe, et laisse son peignoir s'entrouvrir légèrement.

— Sa famille est encore ici ?

— Oui, répond-il sans réfléchir en louchant sur ses seins. En fait, je viens juste de monter des hamburgers aux enfants.

— Ils ne sont pas à cet étage, n'est-ce pas ?

Elle pose la question d'un ton qui se veut décontracté, mais un léger tremblement dans sa voix menace de la trahir.

— C'est vrai quoi, ça m'angoisserait un peu de savoir que je suis à l'étage où logeait un pauvre homme qui vient de se faire assassiner, ajoute-t-elle.

— Ne vous inquiétez pas. Ils sont au vingt-quatrième étage, dans l'autre aile de l'hôtel.

Avec un sourire, Amanda resserre les pans de son peignoir.

— Je n'aurais pas dû vous le dire.

— Me dire quoi ?

Le garçon hoche la tête avec reconnaissance et s'en va.

— Dans l'autre aile de l'hôtel, au vingt-quatrième étage, répète Amanda en se laissant tomber sur le lit.

Elle retire le couvercle de sa soupe de carottes en se demandant ce qu'elle va bien pouvoir faire de cette information.

9.

Contre toute attente, elle dort d'un sommeil de plomb, après s'être assoupie pendant la troisième période du match, et ne se réveille que lorsqu'on frappe à sa porte pour lui servir son petit déjeuner. Elle enfile le peignoir et va ouvrir, à moitié endormie. Elle se rappelle vaguement avoir accroché la fiche à sa porte quand elle a poussé la table roulante dans le couloir, la veille, mais n'a aucun souvenir de ce qu'elle a commandé.

— Ça sent bon, dit-elle, humant la bonne odeur du bacon canadien tandis qu'elle fait entrer la jeune et jolie serveuse philippine.

La jeune femme installe la table roulante au pied de son lit.

— Vous étiez là quand cet homme a été tué ? demande-t-elle, quand celle-ci lui tend la note à signer.

Que diable ! Ça ne coûte rien d'essayer.

La serveuse secoue la tête et sa queue-de-cheval se balance comme pour souligner sa réponse.

— Je ne travaillais pas ce jour-là.

— Quelle horrible affaire !

— Oui, mademoiselle. Vraiment horrible.

— Vous connaissiez M. Mallins ?

Elle secoue de nouveau la tête.

— J'ai cru comprendre que sa famille était au vingt-quatrième étage.

— Je ne sais pas, mademoiselle. Vous avez ici du jus d'orange, du café, des œufs au bacon, des toasts et le journal du matin.

Voulez-vous autre chose ? enchaîne-t-elle sans laisser à Amanda le temps d'ajouter quoi que ce soit.

— Non, rien. Merci.

— Bonne journée.

— Vous aussi.

Amanda se sert une tasse de café et va à la fenêtre regarder dans la rue. Il n'y a pas beaucoup de circulation, ce qui n'est guère surprenant car on est dimanche matin, il est encore tôt et il a neigé toute la nuit. Quelle idée de harceler cette pauvre serveuse ? Comme si le personnel des cuisines pouvait savoir quoi que ce soit d'intéressant ! Même si elle arrive à découvrir le numéro de la chambre qu'occupe la famille de la victime, même si elle a la témérité de monter les voir, rien ne prouve que Mme Mallins connaisse la raison de l'assassinat de son mari. Et même si c'est le cas, croit-elle sérieusement qu'elle acceptera de transmettre cette information à la fille de la meurtrière ?

Mais si elle la voit, si elle lui parle, peut-être découvrira-t-elle un indice.

Quelle idée !

Quand a-t-elle jamais obtenu le moindre indice sur sa mère ?

Amanda revient vers la table roulante prendre le journal. La une ne parle que de la guerre qui se profile entre l'Amérique et l'Irak. Il n'y a rien non plus dans les pages suivantes au sujet du meurtre. Ce n'est que dans la section régionale qu'elle découvre un entrefilet. Hélas, il ne fait que récapituler ce qu'elle sait déjà. LE MYSTÈRE DU MEURTRE DU TOURISTE ANGLAIS RESTE ENTIER, stipule la petite manchette, et l'article fait à peine allusion à Mme Mallins.

— Il doit bien y avoir quelqu'un qui sait quelque chose, marmonne-t-elle en retirant la pellicule de plastique qui recouvre son jus d'orange pressée. Elle vide le verre d'une seule traite et consulte le réveil. Huit heures trente. Encore quatre heures et demie à passer avant de retrouver Ben en bas, dans le hall. Comment s'occuper pendant tout ce temps-là ?

— Je ne peux même pas aller faire du shopping, les magasins n'ouvrent qu'à midi.

Elle allume la télévision, et zappe si vite d'une chaîne à l'autre que la télécommande se bloque. Elle arrive quand même à l'éteindre et l'abandonne sur la moquette avant de finir son petit déjeuner en silence. Puis elle se lave les dents jusqu'à s'irriter les gencives, prend une longue douche brûlante qui finit de lui arracher le peu de peau qui lui reste après le bain de la veille. Il lui faut trois quarts d'heure pour se sécher les cheveux et les coiffer de manière qu'elle ne paraisse pas coiffée, et presque aussi longtemps pour se maquiller de manière qu'elle ne paraisse pas maquillée. Puis elle enfile son pull à col cheminée avec une telle brusquerie que tout est à recommencer.

Bon sang, qu'est-ce qui me prend ? demande-t-elle à son reflet dans la glace, prise d'une envie subite de ramasser ses affaires et de rentrer par le premier avion.

On frappe à la porte. Elle entend un bruit de serrure. Serait-ce Ben ? Le réceptionniste lui aurait-il donné une carte magnétique ?

— Ben ? C'est toi ?

Elle sort de la salle de bains au moment où la porte s'ouvre.

— Oh, je suis désolée ! s'exclame une petite femme de chambre boulotte, dont la peau satinée noire tranche sur le bleu de son uniforme. Je croyais qu'il n'y avait plus personne. Je reviendrai plus tard.

— Non, vous pouvez faire la chambre maintenant, ça ne me dérange pas, dit Amanda en reculant pour la laisser entrer. J'allais partir.

Première nouvelle ! Et où ça ?

La femme de chambre cale son chariot contre la porte ouverte.

— Vous avez bien dormi ? demande-t-elle en ramassant la télécommande.

— Très bien, merci.

Sans rêver d'ex-maris qui la pourchassent dans les rues enneigées, ni de mères embusquées dans le hall pour l'assassiner.

— Vous voulez les garder ?

La femme de chambre montre les coupures de journaux éparpillées sur les couvertures.

— Non, vous pouvez les jeter.

À quoi bon les conserver ? Elle les a lues et relues si souvent qu'elle les connaît par cœur.

— Triste histoire !

La femme de chambre les fourre dans son grand sac-poubelle en secouant la tête.

— Vous étiez là quand ça s'est passé ?

Amanda prend une fois de plus un ton détaché, comme si elle ne cherchait qu'à lui faire poliment la conversation.

— Non. J'avais déjà terminé ma journée. Mais une de mes amies a tout vu.

— Ah bon ? Vraiment ?

— Elle est arrivée juste au moment où la vieille dame bien habillée a traversé le hall et a tiré sur le pauvre M. Mallins, chuchote l'employée d'une voix de conspiratrice.

— Pauvre M. Mallins, répète Amanda. On dirait que vous le connaissiez.

— J'ai nettoyé sa suite plusieurs fois.

— Il occupait une suite ?

— Il avait l'air sacrément fortuné. Et bien habillé avec ça. Il paraît qu'il portait un costume à deux mille dollars quand il a été tué.

Amanda digère cette dernière information. À sa connaissance, seuls les gangsters portent des costumes à deux mille dollars. Sa mère aurait-elle des liens avec la pègre ?

— Et comme il était avec sa femme et ses enfants, il leur fallait deux chambres.

— J'ai entendu dire qu'ils étaient encore là.

— Ils doivent attendre la fin de l'autopsie pour ramener le corps en Angleterre. Ce sont des personnes si gentilles. Les enfants sont si bien élevés.

— À quoi ressemble Mme Mallins ?

— C'est une femme tranquille. Elle ne parle pas beaucoup. Mais elle est très polie.

La femme de chambre roule les draps en boule et prend un air contrit avant de reprendre :

— La direction nous a dit qu'on ne devait pas en parler, mais c'est dur, vous savez. On n'arrête pas d'y penser.

— Bien sûr.

— C'est drôle. Les gens se méfient toujours des jeunes Noirs, alors que finalement les vieilles dames blanches sont encore plus dangereuses !

Elle éclate de rire.

Amanda tente de l'imiter mais le rire reste coincé dans sa gorge.

— Il vaut mieux que je m'en aille et que je vous laisse travailler.

Elle attrape son sac et son manteau dans le placard et sort de la chambre.

— Bonne journée ! lui lance la femme de chambre.

L'ascenseur est vide quand Amanda monte à l'intérieur, mais il s'arrête au quatorzième étage pour laisser entrer un homme mûr chargé d'une lourde valise, puis au dixième, pour une femme accompagnée de deux jeunes enfants.

— Maman, pleurniche la petite fille tandis que les portes se referment. Tyler m'a marché sur les pieds.

— C'est pas vrai, proteste le blondinet en bousculant sa sœur.

— Il m'a poussée.

— C'est pas vrai.

— Arrête, Tyler.

— J'ai rien fait.

— Eh bien, arrête quand même.

La mère exaspérée sourit d'un air las à Amanda. Une femme séduisante mais qui semble déjà épuisée alors que la journée ne fait que commencer. Amanda lui retourne son sourire, en se félicitant intérieurement de ne jamais avoir eu d'enfants.

— Où est papa ? chouine la petite fille en tirant la jupe de sa mère. Je veux papa.

Il vient soudain à l'idée d'Amanda qu'elle se trouve devant Mme Mallins et ses deux enfants. Aussitôt, un million de questions se bousculent dans sa tête. Que faisait votre mari à Toronto ? Était-il venu voir ma mère ? Quel était le lien entre eux ? Y a-t-il quelque chose, n'importe quoi, qui pourrait me permettre de comprendre cette histoire de fous ?

— Madame Mallins..., commence-t-elle dans un chuchotement.

La jeune femme se tourne vers elle.

— Pardon. Vous m'avez parlé ?

La porte de l'ascenseur s'ouvre sur le hall et l'homme à la valise se précipite pour sortir le premier.

— Je ne voudrais surtout pas vous ennuyer..., continue Amanda sans faire mine de sortir.

— Papa ! hurle la petite fille en apercevant dans le hall son père qui lui tend les bras.

— Papa ! crie Tyler encore plus fort, en se jetant dans ses jambes.

— Oui ?

Leur mère attend qu'Amanda finisse sa phrase.

Amanda se sent complètement idiote.

— Je suis désolée. Je me suis trompée. Je vous ai confondue avec une autre.

— Vous en avez mis du temps ! s'exclame le mari tout en guidant sa famille vers la sortie.

— Tyler a voulu aller aux toilettes et ensuite Candace a dit qu'elle avait mal au ventre.

— C'est fini maintenant, le rassure Candace, en s'engouffrant dans la porte à tambour. Maman, Tyler m'a encore poussée !

Amanda les regarde disparaître dans un taxi. Qu'est-ce qui t'arrive ? Vas-tu passer ton temps à prendre toutes les femmes que tu croises avec deux enfants pour Mme Mallins ? Ce n'est pas ton genre de tirer des conclusions aussi ridicules. Il faut te reprendre. C'est indigne de toi.

Elle marche jusqu'aux sièges sur la gauche de l'entrée et les contemple quelques instants. C'est là que sa mère a attendu, un revolver dans son sac. Amanda s'assoit dans un fauteuil, s'appuie contre le dossier, imagine sa mère les bras posés sur ces mêmes accoudoirs, les jambes croisées avec la même insouciance. À quoi pensait-elle pendant son attente ? Son regard était-il fixé sur les ascenseurs ? John Mallins revenait-il d'une journée de balade ou s'apprêtait-il à sortir ? Sa famille l'accompagnait-elle ? Sa mère aurait-elle manqué de cœur au point de l'abattre devant sa femme et ses enfants ?

Amanda se relève d'un bond, à la grande frayeur d'une femme qui vient de s'asseoir sur le canapé à côté. Tu es folle. Tu te rends malade pour rien. Aucun journal n'a mentionné que sa mère avait tué John Mallins devant les siens. Mais c'est vrai qu'elle en aurait bien été capable. Amanda éclate de rire. La femme du canapé se replie prudemment vers le bar.

Amanda respire profondément afin de se calmer et s'approche de la réception. Une séduisante jeune femme à la peau mate et à l'accent indien l'accueille en souriant.

— Puis-je vous aider ?

— Je voudrais avoir des renseignements sur vos suites, s'entend répondre Amanda, à sa propre stupéfaction.

— Avec plaisir. Nous avons trois cent quatre-vingts chambres dans cet hôtel dont presque la moitié sont des suites. Voici nos tarifs, répond l'employée en glissant une feuille de papier vers elle.

Amanda parcourt la liste et note les différentes options : Standard, Supérieure, Deluxe, Royale, Présidentielle, suite avec deux chambres.

— La suite avec deux chambres, dit-elle en voyant qu'elle est à 795 dollars la nuit.

— Nous en avons deux sortes. L'une avec deux grands lits et l'autre avec un grand lit dans une chambre et deux lits jumeaux dans l'autre.

Amanda sent son pouls accélérer.

— C'est celle avec les lits jumeaux qui m'intéresse. J'ai des amis qui viennent à Toronto le mois prochain et je leur ai promis de me renseigner.

— Peut-être cela pourra-t-il vous aider, propose la jeune femme en lui tendant une petite brochure. Vous y trouverez une présentation de l'hôtel et...

— La suite à deux chambres, l'interrompt Amanda. A-t-elle une jolie vue ?

— Oh, oui. Nos suites ne commencent qu'au vingt-troisième étage et sont exposées plein sud, elles ont donc une vue ravissante sur la ville et le lac.

— Et combien y en a-t-il par étage ?

— Juste une.

Amanda sourit, laisse tomber la brochure dans son sac et s'écarte du comptoir.

— Merci.
— Je vous en prie. Bonne journée.
Amanda se dirige vers la sortie, particulièrement contente d'elle. Le vent glacial qui lui frappe le visage dès qu'elle met le pied dehors la ramène aussitôt à la réalité. La belle affaire ! la nargue-t-il. Tu as su tirer quelques renseignements d'une pauvre réceptionniste qui voulait trop bien faire. Et tu sais où se trouve Mme Mallins. Tu es avocate, non ? Tu as été entraînée à poser les bonnes questions. Mais la plus importante est à venir : que vas-tu faire maintenant ?
Le portier hèle un taxi et Amanda monte à l'intérieur.
— Où allez-vous, mademoiselle ?
Amanda s'adosse au vinyle craquelé de la banquette qui dégage une odeur de corps mal lavé.
— Au cimetière de Mount Pleasant, s'il vous plaît, répond-elle après avoir longuement hésité.

Arrivée à destination, elle indique au chauffeur la route qui serpente à travers le cimetière. Celui-ci forme une énorme enclave en plein centre-ville, longée au nord et au sud par Davisville et St. Clair, et à l'est et à l'ouest par Mount Pleasant et Yonge. C'est un endroit magnifique, même sous la neige, avec ses collines arrondies et sa grande variété d'arbres. Tout ce qu'on peut souhaiter pour sa dernière demeure. Paisible. Tranquille. Près de tout. Avec une belle vue. *Tout le monde meurt d'envie d'y habiter*, entend-elle dire une petite voix derrière elle, et elle se retourne brusquement, comme si elle s'attendait à voir des fantômes.
— Tournez à droite, indique-t-elle au chauffeur. Voilà. C'est ici.
Il arrête le taxi devant un petit monument gris, gardé par un grand ange de pierre.
— Pouvez-vous m'attendre quelques minutes ?
— Je laisse tourner le compteur, répond-il avec un haussement d'épaules.
— Je ne serai pas longue.
Elle descend de la voiture, lit machinalement l'inscription gravée sur la pierre. VERA TRUFFAUT, 1912-1998. Elle avait

donc quatre-vingt-six ans quand elle est morte, calcule-t-elle. Un âge tout à fait respectable pour quitter ce monde.

Elle continue à descendre l'allée. La neige perce ses bottes. Elle ne sait pas si c'est son imagination mais elle sent déjà l'eau s'infiltrer entre ses orteils. Quoi qu'il en soit, elle n'est pas équipée pour arpenter les cimetières enneigés au cœur de l'hiver.

STEPHEN MOLONEY, 1895-1978, lit-elle. Mort à quatre-vingt-trois ans. Juste à sa droite, MARTHA MOLONEY, 1897-1952. Morte à cinquante-cinq.

— Elle l'a bien laissé tomber, commente-t-elle en accélérant le pas et elle dérape aussitôt sur une plaque de glace. JACK STANFORD, 1912-1975. Soixante-trois. ARLENE HILL, 1916-1981. Soixante-cinq.

Elle s'arrête brusquement devant une pierre tombale en granit rose. EDWARD PRICE, 1933-1992. PÈRE ET MARI DÉVOUÉ.

— Mort à cinquante-neuf ans, murmure-t-elle, et elle entend sa mère s'approcher d'elle par-derrière et lui hurler : *Pas étonnant qu'avec une fille comme toi, ton père ait fait une crise cardiaque !*

TU VIVRAS TOUJOURS DANS NOS CŒURS.

Amanda sent les larmes lui monter aux yeux et geler sur ses joues.

— Bonjour, papa.

Bonjour, ma poupée, l'entend-elle répondre.

Ça fait longtemps, continue-t-elle muettement.

Pas si longtemps que ça.

Onze ans.

Ce n'est pas long.

Je suis partie. Je vis en Floride maintenant. Je suis avocate. Tu le savais ?

Bien sûr. Je sais tout sur toi. Et je suis si fier de toi.

Vraiment ? Pourquoi ? Tu ne t'es jamais intéressé à moi de ton vivant.

Il faut que tu comprennes que ta mère a traversé une très mauvaise passe. Elle buvait. Elle était déprimée. Elle avait besoin que je m'occupe d'elle, que je la soutienne.

Moi aussi, j'avais besoin de toi.

Tu étais si forte, si indépendante. Ta mère...

Ma mère était folle. Et elle ne s'est pas arrangée !

Elle a besoin de toi.

Amanda éclate de rire malgré ses larmes. Quand sa mère a-t-elle jamais eu besoin d'elle ?

Je n'ai pas les diplômes nécessaires pour exercer au Canada, papa. En plus, elle a déjà un bon avocat. Tu te souviens de Ben. Maman disait que c'était lui qui t'avait achevé.

Elle ne le pensait pas.

Tu m'avais dit un jour que tu m'expliquerais tout, quand je serais assez grande pour comprendre... Amanda s'essuie les yeux. Mais ce moment n'est jamais venu, n'est-ce pas, papa ?

EDWARD PRICE. 1933-1992
PÈRE ET MARI DÉVOUÉ
TU VIVRAS TOUJOURS DANS NOS CŒURS.

Le temps passe et les gens disparaissent, pense Amanda en revenant vers le taxi. Seuls les remords sont éternels.

10.

— Désolée d'être en retard, s'excuse Amanda en montant dans la Corvette. J'avais besoin de m'acheter des bottes et les magasins n'ouvraient qu'à midi.

Comme il a l'air contrarié, elle ne lui parle pas de sa visite impromptue au cimetière. Elle tend ses longues jambes devant elle et contemple avec fierté ses nouvelles bottes qui couvrent son pantalon jusqu'aux genoux.

— Elles sont même doublées.

— Très jolies, dit-il sans tourner les yeux. J'espère que tu as mangé. Nous n'avons pas le temps de nous arrêter pour déjeuner.

— J'ai pris un petit déjeuner consistant. Du bacon, des œufs et des toasts. La totale. Je devrais tenir jusqu'au dîner, répond-elle en se demandant s'il lui en veut parce qu'elle est en retard et si c'est pour cela qu'il évite de croiser son regard. Tout va bien ? Je veux parler de ma mère... il n'est rien arrivé ?

— Non, rien.

— Bien.

Elle marque une pause tandis que la voiture quitte l'allée de l'hôtel et s'engage dans Avenue Road.

— J'ai lu les coupures de journaux que tu m'as données. Elles sont assez vagues.

— Le visage de John Mallins ne te dit rien ?

— Je ne l'ai jamais vu de ma vie.

Ben hausse les épaules et opine sans tourner la tête. Il se tait. Avenue Road cède la place à University Avenue. Ils passent devant le musée Royal Ontario et ce qui était le Planétarium, puis contournent Queen's Park, longent les bâtiments du Parlement et le campus de l'université de Toronto.

— À propos, comment s'est déroulé ton rendez-vous, hier soir ?

— Très bien.

— Qu'est-ce que vous avez fait ?

— Nous sommes allés dîner chez des amis.

— Ah bon ! Je les connais ?

— J'en doute.

— Il ne te reste plus d'amis du bon vieux temps ? demande-t-elle en riant, alors qu'elle sent qu'elle ferait mieux de ne rien dire.

— Tu étais ma seule amie.

Il s'arrête au feu de College Street, se tourne vers elle et la regarde pour la première fois depuis qu'ils sont partis de l'hôtel.

— Je n'ai pas été une très bonne amie, reconnaît-elle malgré elle.

Il hausse encore les épaules, et ce geste remonte son blouson jusqu'à ses oreilles.

— C'est du passé...

— Nous étions très jeunes.

— Nous le sommes encore.

Amanda hoche la tête, bien qu'elle se sente plutôt vieille depuis quelque temps.

— Tu crois qu'on pourrait encore être amis ? Du moins, provisoirement. Tu pourras recommencer à me détester dès que je serai repartie.

— Je ne te déteste pas, Amanda.

— Tu devrais.

Le feu passe au vert. Ben redémarre sur les chapeaux de roues et fonce entre l'immeuble Hydro et la rangée d'hôpitaux qui bordent les deux côtés de la rue. La Corvette, au ras du bitume, est sensible au moindre dénivellement, à la moindre crevasse.

— J'avais oublié comme on est secoué dans cet engin, remarque Amanda.

— Oui, on sent la moindre bosse. Tiens, à propos, voilà le tribunal où ta mère comparaîtra mardi.

Amanda pâlit.

— Ça fait bizarre d'entendre les mots « mère » et « comparaître » dans la même phrase.

— Je m'en doute.

— De toute façon, je ne serai plus là. Tu crois qu'ils la laisseront sortir ?

— Elle aura plus de chances si tu restes pour te porter garante.

— Tu plaisantes ?

— Au contraire, je suis on ne peut plus sérieux.

— Tu me demandes de faire un faux témoignage ?

— Je ne pense pas que ce soit nécessaire.

— Surtout si je ne suis pas là.

— C'est ta mère, Amanda.

— Si tu me fais témoigner, elle est bonne pour la corde.

— Nous ne pendons plus les gens dans ce pays, Amanda.

— Fais-moi confiance, vous allez vous y remettre.

— Veux-tu au moins y réfléchir ?

— J'y réfléchirai, rien de plus.

Il soupire et le silence revient, bien que la tension entre eux se soit dissipée.

— Alors, tu te décides à me raconter ta soirée ou pas ? reprend Amanda tandis qu'elle aperçoit le Metro Convention Center un peu plus loin et se demande distraitement ce que devient Jerrod Sugar.

— Non, ça ne te regarde pas.

— Tu n'es pas drôle. Dis-moi au moins ce que vous avez mangé.

Ben rit malgré lui.

— D'accord, mais rien de plus.

Amanda sourit et sent les muscles de son cou et de ses épaules se dénouer peu à peu.

— D'accord, je t'écoute.

— Eh bien... nous avons commencé par une salade aux poires et aux endives, suivie par un carré d'agneau, avec des pommes de terre et des asperges.

— Moi aussi, j'ai mangé des asperges. Avec du poulet rôti.

— Vraiment ? Où es-tu allée ?
— Service d'étage.
— Mon restau préféré. C'était bon ?
— Délicieux. Qu'est-ce que vous avez pris comme dessert ?
— Du gâteau au chocolat et un café. Et toi ?
— J'ai sauté le dessert. Je voulais me coucher de bonne heure. À quelle heure t'es-tu couché ?
— Vers minuit.
— Chez toi ou chez elle ?
— Amanda...
— C'est juste histoire de faire la conversation.
— Ben voyons !
— Où habites-tu, au fait ?
— J'ai un appartement à Harborside, au bord de l'eau.
— Arrête, ce n'est pas vrai !
— Si, si. Avec d'immenses baies vitrées dans toutes les pièces.
— Je le crois pas. C'est exactement la description de mon appartement en Floride.
— Ça t'étonne ?
— Eh bien, avoue que c'est drôle.
— Quoi ?
— Tout ce que nous avons en commun.
— Ce n'est pas nouveau. N'est-ce pas pour ça que tu es partie ?

La question la frappe de plein fouet au moment où Ben engage la voiture sur l'autoroute Gardiner, en direction de la 401. Qu'est-ce que tu veux dire par là ? a-t-elle envie de hurler.

— Et comment s'appelle ta petite amie ? réussit-elle à articuler.

Il hésite.

— Jennifer.
— Qu'est-ce qu'elles ont toutes à s'appeler Jennifer ? s'exclame-t-elle en revoyant la nouvelle femme de Sean.
— Quoi ?
— Alors qu'y a-t-il exactement entre toi et cette Jennifer ?
— Ce ne sont pas tes oignons.

— Oh, allez, raconte-moi.

— Il n'y a rien à raconter. Nous ne sortons ensemble que depuis quelques mois.

— Ça fait suffisamment longtemps pour avoir des trucs à raconter.

— Et toi ? contre-attaque-t-il soudain, comme tout avocat qui se respecte. Tu as quelqu'un depuis ton dernier divorce ?

— Surtout pas. Comment es-tu au courant, d'ailleurs ?

— Ce n'est pas difficile. Un de mes copains t'a croisée en Floride. Je crois que c'était Keith Halpern.

— Ah, oui ! Ce bon vieux Keith Halpern !

La première fois qu'elle avait couché avec lui, elle avait seize ans. La dernière fois, c'était il y a deux ans, quand elle était tombée sur lui par hasard, au Palm Beach Grill. Il était devenu un brillant agent de change et passait ses vacances en Floride, lui avait-il expliqué. Sa femme était allée pour quelques jours chez ses parents à Boca ; ils pourraient prendre un verre ensemble, non ? Le divorce d'Amanda venait juste d'être prononcé ; elle se sentait assez vulnérable. Elle lui avait sans doute fait plus de confidences que nécessaire. Et il avait dû être ravi de partager ces informations avec son ancien camarade de classe.

La conversation retombe. Ben allume la radio, saute d'une station à l'autre sans qu'Amanda ait le temps de reconnaître quoi que ce soit. Le ruban plat de l'autoroute s'étale à perte de vue devant elle. Il n'y a strictement rien à voir sur le bord de la chaussée.

— C'est encore loin ? s'enquiert-elle tandis que Ben s'engage sur la 427.

— Nous sommes presque arrivés.

— Mais nous sommes revenus à l'aéroport, bon sang !

Ben tourne à droite dans Dixon, continue jusqu'au feu et tourne à gauche dans Carlingview Road.

Amanda se retourne sur son siège et regarde par la lunette arrière. La ville a disparu.

— Je me demande si j'ai bien fait de venir, finalement.

— Je me le demande aussi.

— Tu as eu ma mère, ce matin ?

— Non.

— Alors elle ne sait toujours pas que je suis là ?

— J'espère que la surprise lui déliera la langue.

— Ne te fais pas trop d'illusions.

— Je ne m'en fais jamais.

Ils continuent vers le nord, jusqu'à Disco Road, qu'ils suivent sur trois cents mètres avant de s'engager dans une large allée sur la droite.

Y a vraiment pas de quoi avoir la fièvre du samedi soir, songe-t-elle en contemplant l'affreux bâtiment de brique brune qui se dresse au milieu de cette rue au nom improbable.

— C'est sinistre !

Elle se représente les prisons de Floride, avec leurs façades pastel entourées de douves pittoresques et de végétation tropicale. Même les palmiers se balançant dans la brise ne pourraient égayer cette monstruosité, décide-t-elle pendant que Ben cherche une place dans le parking bondé.

— Tu veux que je te dépose devant la porte ? Ça t'évitera de marcher dans la neige.

— Non, ça ira. Je ne suis pas pressée d'arriver. Et en plus, j'ai de nouvelles bottes.

Elle étend à nouveau ses jambes devant elle pour lui faire admirer ses acquisitions.

Cette fois, il lui fait la grâce d'un regard.

— Très jolies.

Il trouve enfin une place au fond du parking, se gare et coupe le moteur. Il pousse un profond soupir.

— Tu es prête ?

— On ne pourrait pas attendre quelques minutes.

— Amanda...

— Juste deux minutes.

Il hoche la tête.

— C'est immense ! dit-elle afin de gagner du temps. Je n'imaginais pas que Toronto était un tel nid de délinquantes.

— Il y a la prison des hommes aussi. Là, tu vois les deux bâtiments ensemble.

Amanda ferme les yeux pour ne plus rien voir du tout.

— Au fait, comment se fait-il que tu t'occupes de cette affaire ? C'est ma mère qui t'a appelé ?

— Non. Quand j'ai lu dans le journal qu'elle avait été arrêtée, j'ai proposé mes services.

— Bon sang, pourquoi as-tu fait ça ?

— Je ne sais pas. Par devoir, sans doute.

— Par devoir ? C'est tout juste si elle était aimable avec toi quand nous étions mariés.

— C'est peut-être pour ça que je l'ai fait.

— Parce qu'elle était à peine polie ?

— Parce que nous avons été mariés.

— Tu veux dire que tu as fait ça pour moi ?

— Non, j'ai juste considéré que c'était de mon devoir de la représenter.

— Même si elle est coupable.

— Surtout si elle est coupable.

— Ne me dis pas que tu crois en cette ânerie selon laquelle tout un chacun peut prétendre à la meilleure défense possible, qu'il soit coupable ou innocent ?

— Pas toi ?

— Si, avoue-t-elle à regret, tout en frissonnant dans son manteau. Mais ça m'est de plus en plus difficile. C'est vrai quoi, ça ferait du bien, de temps en temps, de croiser un client qui n'a vraiment rien à se reprocher !

— Tout peut arriver.

— La preuve, nous avons fini avocats tous les deux.

— Et tout ça pour mourir de froid sur le parking du Centre de détention de l'Ouest !

— Tu veux qu'on y aille, c'est ça ?

— Exactement.

Amanda trouve l'intérieur du bâtiment encore plus laid et plus déprimant que l'extérieur.

— Eh bien, ils ne font pas d'effort pour attirer le client, marmonne-t-elle pendant qu'ils franchissent les portes et se présentent aux contrôles.

Le garde assis dans l'épaisse guérite de verre, devant le sas, prend son temps avant de leur ouvrir, puis ils subissent la routine habituelle du passage au détecteur de métal, du contrôle d'identité, de la fouille des sacs et des mallettes.

— Signez ici.

Le gardien pousse un bloc vers Ben tout en inspectant Amanda d'un œil soupçonneux.

Amanda ne baisse pas les yeux, le défiant du regard de déceler la moindre ressemblance avec sa mère. En fait, elle forme un curieux mélange entre ses parents. Elle a la bouche charnue de sa mère mais la forte mâchoire de son père ; et les doux yeux de son père avec l'expression féroce de sa mère.

— Par ici, leur indique le garde en les conduisant à travers des corridors qui empestent les corps mal lavés malgré la forte odeur d'eau de Javel.

— Et sinon, tu viens souvent ici ? chuchote Amanda à Ben alors que le garde les conduit vers une petite pièce sans fenêtre.

— Trop souvent à mon goût, répond-il, sans se rendre compte qu'elle plaisante.

— La détenue ne va pas tarder, leur annonce le garde.

— Serait-il possible d'avoir un autre siège ? demande Ben.

— Je vais voir ce que je peux faire.

Amanda écoute ses pas s'éloigner dans le couloir. Elle touche le dossier de l'une des deux vilaines chaises en plastique, posées de part et d'autre d'une petite table rectangulaire en bois.

— Tu crois que toutes les prisons emploient le même décorateur ?

— *Prisons et Jardins*, ironise Ben.

Elle fait les cent pas entre la table et le mur, rejette ses cheveux en arrière, déboutonne son manteau puis le reboutonne.

— Tu ne t'assois pas ?

Elle secoue la tête. Elle veut être debout quand sa mère entrera. Inconsciemment, elle redresse les épaules et se tient bien droite, convaincue que sa mère ne mettra pas longtemps à l'écraser.

— Ça va ?

Amanda sent sa bouche se dessécher, elle respire avec difficulté.

Elle lutte contre l'envie de fondre en larmes et de se taper la tête contre les murs.

— Je ne sais pas si je tiendrai le coup.

— Tu y arriveras.

— Je n'ai pas envie.

— Il y a des moments où il faut se forcer.

— Depuis quand as-tu acquis cette foutue sagesse ? rétorque-t-elle avant de baisser les yeux, honteuse.

Depuis que tu es partie, l'entend-elle répondre alors qu'il n'a pas ouvert la bouche. Elle fixe ses bottes tandis qu'il s'approche, sent son haleine chaude, sa légère hésitation avant qu'il ne la prenne dans ses bras et la serre contre lui.

— Ça va aller, tu verras.

— Je ne me sens pas très bien.

Mais elle se détend déjà à son contact et s'abandonne avec délices à son étreinte. Nous nous entendions si bien, songe-t-elle, la joue appuyée contre le cuir de son blouson.

N'est-ce pas la raison pour laquelle tu es partie ? l'entend-elle demander.

— Elle ne peut plus te faire de mal, Mandy, murmure-t-il doucement.

Elle le repousse avec violence.

— Ne m'appelle pas comme ça !

Il s'écarte à son tour, retire son blouson qu'il jette sur le dossier d'une chaise, puis ouvre sa mallette et fouille à l'intérieur.

— Excuse-moi.

— Je déteste les diminutifs.

— Je sais. Pardonne-moi. Ça ne se reproduira plus.

— Je ne voulais pas être aussi brutale.

Il ne dit rien, c'est inutile : son visage fermé est suffisamment éloquent.

— Pardonne-moi, insiste-t-elle.

— Pas de problème.

Il lui décoche son plus beau sourire d'avocat. Nous nous en tiendrons strictement à des relations d'affaires, dit ce sourire.

Amanda entend des pas dans le couloir, recule malgré elle et retient son souffle quand la porte s'ouvre. Un gardien se penche par l'entrebâillement.

— C'est vous qui avez besoin d'une chaise supplémentaire ?

Il la tend à Ben sans entrer.

Amanda relâche sa respiration, essuie une larme importune et éclate de rire. Ma mère est en prison, pour l'amour du ciel ! Elle ne peut plus me faire de mal.

Soudain, la porte s'ouvre à nouveau et Amanda se retrouve face à la femme qu'elle a passé sa vie d'adulte à fuir.

11.

Et que voit-elle ? Une petite femme dans un uniforme peu flatteur : un survêtement vert foncé gansé de rose vif. Elle paraît étonnamment jeune pour ses soixante-deux ans, malgré l'absence totale de maquillage. Son visage, entouré d'un nuage de boucles blondes, semble calme, sans marque d'inquiétude ni de remords. Ses yeux bleu pâle s'écarquillent imperceptiblement quand elle aperçoit Amanda. Un éclair de chagrin les traverse, mais si vite qu'Amanda se demande si ce n'est pas le fruit de son imagination, né d'un élan tout à fait déplacé.

Sa mère ne dit rien et Amanda doute : sait-elle qui elle est ? Serait-elle devenue folle ? Tu ne me reconnais pas, maman ? voudrait-elle lui murmurer, mais elle n'a plus de voix. Peut-être que sa mère non plus. Peut-être l'émotion de revoir sa seule enfant, après si longtemps, la rend-elle muette. À moins qu'elle ne soit embarrassée, ou même honteuse, étant donné les circonstances. Ou plus vraisemblablement n'a-t-elle rien à dire à cette jeune femme qu'elle semble à peine reconnaître. Et cela lui exigerait un effort dont elle la juge apparemment indigne.

— J'ai appelé Amanda pour lui dire ce qu'il s'était passé et elle est arrivée hier soir de Floride, explique Ben.

Sa mère va s'asseoir sur la chaise, au bout de la table, et ne répond pas.

Amanda a envie de se jeter sur elle et de la secouer jusqu'à ce que son regard d'une placidité cruelle manifeste un sentiment, n'importe lequel. Dis quelque chose ! a-t-elle envie de hurler. Son silence l'humilie plus que toutes les insultes, son indifférence la met hors d'elle. Tu me dois des explications. Pourquoi as-tu tué cet homme ? Pourquoi m'as-tu traitée si mal ? Pourquoi ne m'as-tu jamais aimée ?

— Je suis contente de te revoir, maman, finit-elle par articuler.

La dernière fois qu'elles se sont vues, c'était juste après l'enterrement de son père, auquel n'avaient assisté que la famille et de rares collègues et voisins. Il n'y avait pas d'amis pour la bonne raison que ses parents n'en avaient aucun. Les sautes d'humeur de sa mère et son comportement imprévisible les avaient fait fuir. Mais Edward Price ne semblait pas en avoir souffert ; il s'était consacré à sa malheureuse femme. Et il en avait été remercié par une crise cardiaque et une mort prématurée.

Après l'enterrement, Amanda et Ben avaient raccompagné sa mère à la maison. La vieille Mme MacGiver, leur voisine d'en face, leur avait envoyé un cake au citron et Amanda le découpait en tranches tandis que Ben préparait du café, lorsque sa mère, assise devant la table de la cuisine, les avait soudain foudroyés d'un œil assassin, comme si elle venait de s'apercevoir de leur présence.

— Ce n'est pas une fête, leur avait-elle jeté avant de vider d'une traite un grand verre de vodka.

— Personne n'a dit ça, avait répondu Amanda en faisant un terrible effort pour se contrôler. Je pensais que tu voudrais manger quelque chose, avait-elle ajouté en posant une tranche de cake devant elle.

— Eh bien, tu t'es trompée.

— Ça, au moins, c'est constant.

— Et il faut toujours que tu aies le dernier mot. C'est plus fort que toi !

— Voulez-vous une tasse de café, madame Price ? les avait interrompues Ben.

Elle l'avait transpercé de son regard comme s'il n'existait pas avant de fondre à nouveau sur sa fille.

— Tu as brisé le cœur de ton père, Amanda.

— Qu'est-ce que tu racontes ?

— Amanda...

Ben avait tenté muettement de la mettre en garde. Ne mords pas à l'hameçon. Trop tard ! Elle était déjà ferrée.

— Qu'est-ce que tu crois ? Il savait que tu étais une traînée.

— Bon, madame Price, je crois que vous en avez assez dit.

— Une traînée qui passe ses nuits à boire et à traîner avec un voyou en voiture de sport.

— Tiens, je croyais que tu t'en fichais !

— Il avait mis tant d'espoirs en toi. Il voulait que tu deviennes avocate. C'est ce qu'il aurait voulu faire, si ses parents avaient eu les moyens de l'envoyer à l'université. Tu ne le savais pas, hein ?

— Comment aurais-je pu ? avait-elle répondu en refoulant ses larmes. Il m'adressait si rarement la parole.

— Tu n'étais jamais là.

— C'est des conneries.

— Amanda...

— Il n'a jamais essayé de me parler. Et tout ça parce qu'il passait sa vie à s'occuper de toi. Il a tout laissé tomber, ses amis, ses passions, sa fille, pour s'efforcer de te satisfaire. Mais tu n'étais jamais contente, jamais, hein, maman ? Comment peut-on être heureuse quand on est dévorée par la méchanceté ? Quel est ton problème, maman ? Dis-le-moi !

— Pas étonnant que ton père ait fait une crise cardiaque avec une fille comme toi ! avait rétorqué sa mère en la dévisageant d'un œil aussi froid que l'acier, avant de se verser un nouveau verre de vodka.

— Comment vas-tu, Amanda ? demande-t-elle maintenant, d'une voix si tranquille qu'Amanda met quelques secondes à prendre conscience qu'elle a parlé.

— Bien.

Amanda est incapable de dire autre chose et son cœur cogne si fort qu'elle a l'impression d'être martelée de l'intérieur par une armée de poings minuscules.

Sa mère se tourne vers Ben et le salue d'un imperceptible signe de tête.

— Bonjour, Ben.

— Comment vous sentez-vous aujourd'hui, madame Price ?

— Je vais bien, merci.

— Vous avez pu dormir ? Vous n'avez pas eu d'autres problèmes avec vos compagnes de cellule ?

— Pourquoi poses-tu cette question ? s'enquiert Amanda.

— Une de ses codétenues, en manque de drogue, les a empêchées de dormir les nuits précédentes.

— Elle n'arrêtait pas de frotter et de nettoyer. Tu l'aurais vue ! Elle ne tenait pas en place. Elle a récuré la cellule de fond en comble. C'était assez angoissant.

— Plus angoissant que de tuer un homme à bout portant ? rétorque Amanda.

— Mais cette nuit s'est bien passée ? enchaîne précipitamment Ben, la suppliant du regard de se montrer plus coopérative.

— Oui, j'ai bien dormi.

— Tu as bien dormi ! explose Amanda. Tu es en prison, pour l'amour du ciel ! Tu as tué un homme. Cela devrait suffire à te tenir éveillée toute la nuit.

— Amanda, s'il te plaît ! insiste Ben.

— Ce n'est pas grave, le rassure Gwen. Elle a des raisons d'être bouleversée.

La sérénité apparente de sa mère ne fait que l'exaspérer.

— Mon Dieu. On croit rêver !

— Tu devrais t'asseoir, suggère Ben.

— Je n'ai pas envie.

Ben ramène son attention vers Gwen Price.

— On vous a donné vos médicaments ?

— Quels médicaments ? s'exclame Amanda.

— C'est juste pour mon ostéoporose, la rassure aussitôt sa mère. Ne t'inquiète pas.

— Qui a dit que je m'inquiétais ?

— Oui, on m'a bien donné mon médicament.

Seul un léger tressaillement au coin de sa bouche témoigne qu'elle a relevé le sarcasme de sa fille.

Elle est donc humaine, en fin de compte, constate avec satisfaction Amanda. Et même banale. Comme des milliers de femmes de son âge, elle souffre de la détérioration de ses os. Amanda est surprise qu'elle n'ait rien de plus dramatique. Les dieux auraient-ils oublié à qui ils avaient affaire ?

— Je suis désolée de t'avoir fait venir de si loin, dit sa mère.

— Et moi donc !

— Ce n'était pas nécessaire.

— Tu as tué un homme, maman.

Gwen Price étudie la pièce avec attention, même s'il n'y a rien à voir. Les murs gris sont nus. Aucun tapis ne recouvre le sol en béton.

— Tu n'es pas très bronzée pour quelqu'un qui vit en Floride, remarque-t-elle sans se retourner vers sa fille.

Amanda interroge Ben du regard. Que sommes-nous venus faire ici ?

Abonde dans son sens, répond-il tout aussi muettement. Laisse-toi porter par le courant.

Amanda ferme les yeux, voit sa mère assise sur le canapé du salon, son attention rivée sur le feu qui ronfle dans la cheminée, apparemment indifférente aux étincelles qui tombent à ses pieds. D'accord, décide-t-elle avant de rouvrir lentement les paupières. J'ai déjà interrogé des témoins plus coriaces. Parfois il vaut mieux les attaquer de biais, les prendre par surprise.

— Je n'aime pas rester allongée au soleil, réplique-t-elle.

— Un peu de soleil ne fait de mal à personne.

— Sans doute.

Ce n'est pas comme trois balles dans le cœur.

— Il paraît que c'est bon pour le moral et que les gens qui en sont privés pendant de longues périodes peuvent faire de graves dépressions.

— C'était de ça dont tu souffrais ?

— Amanda..., proteste Ben.

— Moi, je n'ai jamais supporté le soleil, continue sa mère. Avec ma peau claire, je brûle tout de suite. Mais tu as le teint de ton père. Tu dois bronzer facilement.

Amanda la dévisage avec stupéfaction. C'est sans doute la conversation la plus longue de sa vie qu'elle ait jamais eue avec elle.

— Alors, qui est cet homme que tu as tué, maman ? s'impatiente-t-elle, lasse de tourner autour du pot.

— Je ne veux pas en parler.

— Comment ça, tu ne veux pas en parler ?

— Madame Price, intervient Ben, nous ne pouvons pas vous aider si vous refusez de coopérer.

— Je ne veux pas de votre aide.

Amanda lève les bras au ciel.

— J'en étais sûre !

— Mais je vous suis néanmoins très reconnaissante.

— Toi, reconnaissante ! Laisse-moi rire.

— Je ne te demande pas de me comprendre.

— Tu ne veux pas que je te comprenne !

— Nous voudrions juste que vous nous disiez ce qu'il s'est passé, madame Price.

— J'ai tué un homme.

— Ça, nous le savions, soupire Amanda. En revanche, nous ignorons pourquoi.

— C'est sans importance.

— Si. On ne tue pas les gens sans raison. Même quand tu jetais tes stupides mauvais sorts, tu avais toujours un motif. Qui était cet homme ?

— Je ne sais pas.

— Quel lien avais-tu avec lui ?

— Aucun.

— Tu voudrais nous faire croire que tu as abattu un parfait inconnu, quelqu'un que tu n'avais jamais vu de ta vie ?

— Je ne veux rien vous faire croire du tout.

— Tant mieux, parce qu'on ne te croit pas.

— C'est bien.

— Non, ce n'est pas bien. Il y a des témoins qui prétendent que tu as passé la journée à attendre dans le hall de l'hôtel.

— C'est vrai.

— Pourquoi ?

— C'est un hôtel très agréable. Avec un hall ravissant.

— Quoi ?

— Amanda, calme-toi, essaie de la tempérer Ben.

— Tu veux dire que tu es allée là-bas parce que cet endroit te plaît ?

Sa mère hoche la tête.

— Et comme par hasard, tu avais un revolver chargé dans ton sac.

— Je l'ai souvent sur moi.
— Tu te promènes avec un revolver chargé ?
— Oui.
— Pourquoi ?
— Cette ville est dangereuse.
— Elle le serait moins si les gens ne se baladaient pas avec des armes.
Sa mère sourit presque.
— Ben, tout cela est-il vraiment nécessaire ?
— Si c'est nécessaire ! s'exclame Amanda.
— Je ne vois pas l'intérêt, vu que...
— Vu que quoi ?
— ... vu que je veux plaider coupable mardi.
Amanda se tourne vers son ex-mari.
— Tu vas la laisser plaider coupable ?
— Je le suis, rappelle sa mère.
— Pas si tu es folle.
— Tu crois que je suis folle ?
— Oui, folle à lier.
— Amanda...
— Je t'assure que j'ai toute ma tête. Je savais exactement ce que je faisais en tirant sur cet homme, et je savais que c'était mal. Cela ne suffit-il pas légalement à prouver que j'étais saine d'esprit ?
— Les gens sains d'esprit n'abattent pas des inconnus.
— Va savoir.
— Ben, tu n'as pas sérieusement l'intention de la laisser plaider coupable ?
— Crois-moi, ce n'est pas moi qui décide.
— Il n'a pas le choix. Et toi non plus d'ailleurs. J'ai tué un homme et je suis prête à en assumer les conséquences. Il n'y a rien de plus simple.
— Rien n'est jamais simple avec toi.
— Quoi qu'il en soit, c'est moi qui décide.
— Qui était John Mallins, maman ?
— Je n'en ai aucune idée.
— D'où le connaissais-tu ?
— Je ne le connaissais pas.

— Alors pourquoi l'attendais-tu ?

— Je ne l'attendais pas.

— Tu te trouvais par hasard dans cet hôtel avec un revolver chargé, répète Amanda pour ce qui lui semble la centième fois.

— Exactement.

— Et tu t'es levée de ton fauteuil, tu as traversé le hall et tu l'as abattu.

— Oui. De trois balles, je crois.

— Sans raison.

— Oui.

— Une envie subite ?

— Oui.

— Pourquoi ?

— Je ne sais pas. Peut-être que sa moustache m'a déplu.

— Sa moustache ?

— C'est une raison comme une autre.

— Ne te moque pas de moi.

— Je suis désolée, ma poupée, je n'en avais pas l'intention. C'est juste que...

Amanda titube, comme si elle avait été frappée.

— Ne m'appelle plus jamais comme ça.

Sa mère la dévisage d'un air sincèrement chagriné.

— Pardonne-moi.

— S'il vous plaît, intervient Ben. Nous nous égarons...

— Non, proteste Gwen, ma route est toute tracée et elle conduit droit en prison. Certes, je comprends votre curiosité et j'apprécie votre désir de m'aider, mais...

— Mais quoi ? explose Amanda. Tu as pensé à la famille de John Mallins, maman ? Tu ne crois pas que ses deux enfants méritent de savoir pourquoi tu as tué leur père ? Que tu dois à sa veuve une explication ?

— Je suis désolée pour eux, murmure Gwen, les yeux soudain remplis de larmes.

Bon sang, que se passe-t-il ? s'interroge Amanda, plus terrifiée par les larmes inattendues de sa mère qu'elle ne l'a jamais été par ses colères. Qui est cette femme ? Que va-t-elle encore nous inventer ?

— Qui était John Mallins, maman ? Pourquoi l'as-tu tué ?

Pas de réponse.

— La police va faire une enquête, tu sais. Ils iront au fond des choses.

Un éclair de peur traverse le visage de sa mère puis disparaît.

— Pas si je plaide coupable. Ils ont déjà mes aveux, l'arme du crime et une foule de témoins. Qui se souciera de savoir pourquoi je l'ai tué, du moment qu'ils tiennent un coupable ?

— Moi, je m'en soucie, dit doucement Amanda.

— Je suis désolée.

Amanda se frotte le front, lève les yeux au plafond, prend une longue et profonde inspiration.

— Bon, tu as gagné, lance-t-elle en se dirigeant vers la porte à grands pas. Nous perdons notre temps, Ben. Allons-nous-en.

— Madame Price, je vous en prie...

— Laisse tomber, Ben. Je refuse de jouer à ces jeux stupides. Elle ne changera plus d'avis. Si elle veut moisir en prison jusqu'à la fin de ses jours, libre à elle. Moi, ce n'est plus mon problème.

Sur ces mots, Amanda ouvre la porte.

— Amanda !

La voix de sa mère l'arrête net. Elle pivote, sans lâcher la poignée de la porte, dans son dos.

— Je ne pense pas t'avoir jamais dit combien tu es jolie.

Amanda ne sait pas si elle doit rire ou pleurer et s'enfuit en courant.

12.

— Tu as entendu ce qu'elle a dit ? explose Amanda, dès qu'ils sortent de la prison. Je n'arrive pas à croire qu'elle ait osé me dire ça !

— Amanda, marche moins vite.

— Cette femme est une sadique. Une sadique sans vergogne.

— Amanda, où vas-tu ?

Elle avance contre le vent et les flocons qui lui piquent les joues et s'accrochent à ses cils.

— Quel droit a-t-elle de me balancer un truc pareil ? *Je ne pense pas t'avoir jamais dit combien tu es jolie.* Merde, qu'est-ce qui lui prend ? Elle le sait bien qu'elle ne me l'a jamais dit. Elle m'a traitée d'inutile, ça c'est sûr. D'incapable, aussi. Sans compter les centaines de fois où elle m'a jeté que je lui pourrissais la vie ! Alors qu'est-ce qu'elle cherche, hein ? Qu'est-ce qu'elle cherche ? Tu peux me le dire ? conclut Amanda en se mettant à tourner sur elle-même. Mais où est passée cette putain de bagnole ?

Ben tend le doigt vers l'autre bout du parking.

— Bon sang, quelle idée d'aller se garer aussi loin ! tonne-t-elle en repartant comme une furie.

— Amanda, fais attention, ça glisse...

Il n'a pas fini sa phrase qu'elle sent son talon déraper sur une plaque de glace. Son corps est simultanément projeté en l'air et basculé en arrière ; elle a l'impression fugace de flotter sur un tapis volant, avant de s'étaler sur le trottoir comme une poupée désarticulée. *Ma poupée !* entend-elle chuchoter sa mère. Et elle fond en larmes.

Ben se précipite pour l'aider à se relever.

— Amanda, tu t'es fait mal ?

— Non, ça va.

Elle époussette la neige qui colle à son manteau tout en évitant son regard.

— Ça va super bien ! répète-t-elle.

— Tu es sûre ? Tu m'as fait une de ces peurs !

— Je te dis que ça va.

— Tu veux rentrer t'asseoir un moment ?

— Retourner là-bas ? Tu plaisantes ? Je veux quitter cet abominable endroit aussi vite que possible.

— D'accord, ajoute-t-il en la prenant par le coude pour la conduire avec prudence vers sa voiture. Fais attention.

— Saleté de bottes !

Il déverrouille la portière et l'aide à monter.

— Tu risques d'avoir des courbatures. Tu auras intérêt à prendre un bon bain chaud quand tu rentreras à l'hôtel.

Amanda acquiesce sans rien dire, et appuie sa tête contre la vitre, tandis que Ben sort du parking et s'engage sur Disco Road.

— Ça va ?

— Non.

— Tu crois que tu t'es cassé quelque chose ?

— Non. Et je n'ai pas non plus le cœur brisé, rassure-toi, au cas où tu aurais un penchant pour les clichés. Désolée, s'excuse-t-elle aussitôt, tu ne mérites pas ça.

— Tu es en colère. Je te comprends.

— Vraiment ? Et qu'est-ce que tu comprends ?

— Tu n'as pas vu ta mère depuis des années, et de la revoir aujourd'hui, dans de telles circonstances...

— Elle avait une sacrée bonne mine, tu ne trouves pas ? Surtout quand on songe à l'affreuse tenue verte qu'elle portait, et qu'elle n'est pas allée chez le coiffeur depuis plusieurs jours. Ce qui ne l'empêchait pas d'être toute pimpante. En plus, elle dort bien !

— Tu préférerais la voir souffrir ?

— Je voudrais la voir brûler en enfer.

— Parce qu'elle a tué un homme ou parce qu'elle t'a dit que tu étais jolie ?

— Oh, je t'en prie !

— Qu'est-ce qui t'a contrariée, Amanda ?

— Je n'en ai pas la moindre idée. Ce ne serait pas parce que ma mère est en prison pour meurtre, par hasard ?

— Ça, tu le savais déjà. Et tu devrais être satisfaite de la savoir derrière les barreaux. Ce n'est pas l'enfer, mais ça n'en est pas loin.

Amanda s'essuie le nez du revers de la main.

— As-tu eu l'impression qu'elle souffrait ? Moi, non. Et tu sais pourquoi ? Parce qu'elle ne souffre pas. Elle n'éprouve pas le moindre remords. Ça se voit dans son regard, dans son allure. As-tu remarqué comment elle se tenait ? Il émanait d'elle une sorte de calme. De sérénité. Comme si...

— Comme si... ?

— Je ne sais pas.

Les yeux d'Amanda suivent les battements des essuie-glaces qui balaient les flocons de neige.

— Comme si elle avait vaincu ses démons.

Ben se tourne vers elle.

— Tu veux dire que c'était John Mallins son démon.

— Je n'en sais rien.

— Nous reviendrons demain.

— Quoi ? Tu plaisantes, j'espère ? Pas question que je remette les pieds ici.

Amanda se penche pour se masser le genou.

— Tu as mal ?

— Je suis furieuse, rétorque-t-elle et, à son grand soulagement, il éclate de rire. Tu ne vas pas la laisser plaider coupable, mardi, n'est-ce pas ?

— Pas si je peux l'en empêcher.

Amanda secoue la tête de rage.

— Elle est folle, c'est évident.

— Tu l'as entendue. Elle savait ce qu'elle faisait et elle savait qu'elle agissait mal.

— On ne peut pas invoquer la folie passagère, alors.

— C'est difficile sachant qu'elle a passé l'après-midi à attendre sa victime avec un revolver chargé. Cela témoigne d'une certaine préméditation, tu ne crois pas ?
— Et la débilité mentale ?
— De quel type ?
— Débilitante ?
Cette fois, ils rient tous les deux.
— Tu crois que l'accusation sera prête à négocier ?
— Pourquoi ? L'affaire est bouclée.
— Ils n'ont pas de mobile.
— Ils n'en ont pas besoin.
— Et si j'essayais quand même ?
— Dans ce cas, il faudra que tu restes plus longtemps pour voir ce qu'on peut faire.
— Merde !
Elle se masse la nuque. Ben avait raison, elle sent déjà des courbatures.
— Tant pis ! On n'a qu'à la laisser plaider coupable, si c'est ce qu'elle veut. Je m'en fous !
Elle entend une sonnerie assourdie résonner dans la voiture. Ben plonge la main dans son blouson et en sort son téléphone portable.
— Allô ? répond-il en baissant les yeux pour écouter avec attention. Quand est-ce arrivé ?
Amanda observe l'intensité de sa concentration, en se souvenant que c'était l'une des qualités qu'elle appréciait le plus chez lui. Il donnait toujours l'impression à son interlocuteur d'être la seule personne qui comptait.
Elle perçoit soudain, avec un pincement de jalousie, l'écho ténu d'une voix féminine.
Décidément, revoir sa mère après tant d'années, et dans des circonstances aussi pénibles, l'a vraiment déstabilisée. Elle se sent d'une sensibilité à fleur de peau. Mais qu'éprouve-t-elle exactement ? De la colère, c'est indéniable. De l'impuissance, c'est sûr. De l'angoisse, évidemment. De la confusion, oui. De l'irritation, aussi. Et de la frustration, ce n'est rien de le dire !
En revanche, elle ne ressent ni pitié, ni compassion, ni élan.
Ça, pas question !

Je ne pense pas t'avoir jamais dit combien tu es jolie.

Comment as-tu osé ? Amanda se pétrit les muscles de la nuque jusqu'à en avoir les doigts endoloris. Comment as-tu osé me dire une chose pareille maintenant ? Que cherches-tu ? Que crois-tu ? Qu'il suffit que je revienne ici, que j'accepte de te revoir, pour que tout soit pardonné ? Et tu voudrais que je te plaigne parce que tu es enfermée dans le plus affreux endroit que j'aie jamais vu, que tu portes un horrible survêtement et que tu sembles si frêle sous l'épais tissu, et si... comment dire... si humaine ?

Mais nous savons tous que ce n'est pas vrai, maman, n'est-ce pas ?

Pas étonnant qu'avec une fille comme toi, ton père ait fait une crise cardiaque ! Ça ressemble plus à la femme que nous connaissions et détestions tant.

Je ne pense pas t'avoir jamais dit combien tu es jolie.

Non, tu ne l'as jamais dit.

— Et maintenant c'est trop tard, bon sang !

— Quoi ?

Ben remet son téléphone dans sa veste et lui décoche un regard interrogateur.

— Quoi ?

— Qu'est-ce qui est trop tard ?

— Quoi ? répète Amanda complètement perdue.

— Comment tu te sens ?

— Bien.

Il sourit.

— Bien ou super bien ?

Elle sourit malgré elle.

— C'était Jennifer qui t'appelait ?

— Oui, elle vient d'apprendre un détail plutôt intéressant.

— Ah bon ?

— Un nouveau témoin se serait présenté.

— Dans l'affaire de ma mère ?

— Connaîtrais-tu une certaine Corinne Nash ?

— Corinne Nash ?

Amanda répète le nom mentalement.

— Non, je ne crois pas.

— Ce serait une amie de ta mère.
— Impossible. Elle n'a jamais eu d'amie.
— Ça fait longtemps que tu es partie, Amanda.
— Certaines choses ne changent jamais.
— Si, parfois. Veux-tu que nous allions la voir ?
— Tu sais où elle habite ?
Ben s'engage sur la 401 en direction de l'est. Il ne dit plus rien.
Amanda sourit d'un air entendu. Parfois ça paie de coucher avec l'ennemi.

Ils arrivent avenue Whitmore, devant une vieille maison en assez mauvais état. Ses briques moutarde auraient besoin d'un bon coup de sablage, et les marches de béton qui conduisent au minuscule porche, et dont la neige a été dégagée, s'affaissent dangereusement. La vieille Caprice, garée dans l'allée, est trop large pour entrer dans l'étroit garage attenant. Les volets, comme l'encadrement des petites fenêtres qui donnent sur la rue, auraient grand besoin d'être repeints. Un heurtoir en bronze, qui représente une tête de lion, orne le centre de la porte en chêne. L'un comme l'autre mériteraient un bon coup de vernis.
— Tu connais ? demande Ben en s'arrêtant le long du trottoir.
— Non.
Il coupe le moteur.
— Laisse-moi parler, dit-il alors qu'Amanda descend de la voiture. Amanda...
Elle monte en courant.
— Je ne dirai pas un mot, répond-elle en martelant la porte.
— Oh, bravo ! Elle va croire que c'est la Gestapo.
— Je te laisserai parler.
— Qui est-ce ? demande une voix féminine.
Ben plaque sa main gantée sur la bouche d'Amanda.
— Je m'appelle Ben Myers. Je suis l'avocat de Gwen Price. Et j'aurais aimé vous parler quelques minutes.
La porte s'ouvre. Amanda repousse la main de Ben et recule, comme si elle avait peur d'affronter l'inconnue.

— Vous êtes l'avocat de Gwen ?

Corinne Nash a une voix aiguë, presque enfantine. Elle est habillée de façon très classique : une jupe marron et un twin-set beige. Ses pieds disparaissent dans des chaussons roses duveteux.

— Je vous en prie, entrez. Comment va Gwen ?

— Elle ne va pas trop mal.

L'arôme du café frais les enveloppe tandis qu'ils pénètrent dans le petit couloir. Corinne Nash referme la porte derrière eux.

— Si ça ne vous ennuie pas de vous déchausser...

Ils s'exécutent aussitôt et Amanda en profite pour étudier les lieux. Elle aperçoit des pièces très encombrées mais bien propres. Un salon sur sa gauche, une salle à manger sur sa droite avec une porte qui donne sur la cuisine dans le fond. Un escalier en bois couvert d'un tapis vert pâle mène à l'étage qui doit se composer de trois chambres, celle de la maîtresse de maison à peine plus grande que les autres, et sans doute une seule salle de bains. Les murs autour d'elle sont d'un vert insipide et les tapis qui couvrent le plancher sont à fleurs comme les rideaux.

— Je vous présente mon assistante, dit Ben alors qu'Amanda finit de se déchausser et relève la tête.

— Oh, mon Dieu ! s'exclame leur hôtesse.

Amanda recule contre la porte en voyant Corinne Nash se précipiter vers elle, la main tendue. Elle est grande, elle doit bien mesurer un mètre soixante-dix, et forte avec une ample poitrine et de larges hanches, ce qui rend sa voix de petite fille encore plus saugrenue. Quand elle était jeune, ça devait être une force de la nature, songe Amanda en tâtant la poignée dans son dos.

— Vous êtes Amanda, n'est-ce pas ?

Amanda reste deux secondes sans voix.

— Vous me connaissez ?

— Bien sûr que je vous connais. Je vous en prie, entrez.

Elle passe un bras autour des épaules d'Amanda et la guide vers le salon, bourré de meubles.

— Laissez-moi vous débarrasser de votre manteau. Je vous

en prie, asseyez-vous, ajoute-t-elle avec un geste vers le canapé devant la fenêtre et les deux fauteuils orange qui lui font face.

Il y a également un énorme fauteuil à rayures orange et vertes, avec un repose-pieds assorti devant la cheminée, de l'autre côté de la pièce, et une chaise Queen Ann, couverte d'un tissu brodé au petit point devant un piano droit. Sur le mur, au-dessus du piano, on aperçoit la peinture d'une femme nue, allongée sur un sofa, qui offre une ressemblance troublante avec la maîtresse des lieux.

— Puis-je vous offrir une tasse de café ? Je viens d'en faire.

— Avec plaisir, merci, répond Ben pour eux deux.

— Comment le prenez-vous ?

— Avec un peu de lait et du sucre, répliquent-ils d'une même voix.

— Comme votre mère, dit Corinne Nash en revenant avec trois mugs de café fumant et une assiette de petits gâteaux assortis qu'elle pose sur la table basse devant eux.

Amanda décide mentalement de ne plus boire que du café noir.

— Comment me connaissez-vous ? demande-t-elle alors que leur hôtesse s'assoit sur le plus proche des deux fauteuils.

— J'ai vu votre photo si souvent.

— Ma photo ? Quelle photo ?

— Mais celle de votre remise de diplôme de fin d'études secondaires ! Et aussi celle où vous regardez par la fenêtre. Il paraît que c'est votre père qui l'a prise à votre insu. C'est la préférée de votre mère. Et, évidemment, il y a aussi toutes celles prises quand vous étiez bébé. C'est stupéfiant, vous avez conservé le même visage. C'est comme ça que je vous ai reconnue. Avez-vous vu votre mère ? Elle est si fière de vous. Elle doit être tellement soulagée que vous soyez venue.

Amanda saisit le mug sur le plateau et le porte à ses lèvres pour ne pas hurler. *Mais de quoi parlez-vous ? Ma mère n'a jamais eu de photos de moi. Elle n'a jamais été fière de moi.* Elle se tourne vers Ben, pour l'appeler à son secours. Mais il a l'air aussi perdu qu'elle.

— Madame Nash, j'ai cru comprendre que vous étiez allée voir la police.

— Oui. Je suis navrée. J'ai longtemps hésité. Je ne voulais surtout pas causer du tort à votre mère, mais quand j'ai lu qu'elle avait tout avoué, j'ai voulu essayer de l'aider. Je suis navrée. J'espère que je n'ai pas aggravé les choses.

— Que leur avez-vous dit exactement ?

— Que j'étais avec Gwen, au Four Seasons, la première fois qu'elle a vu cet homme.

— Vous étiez avec elle quand elle a tué John Mallins ! s'exclame Ben.

— Non, pas le jour où elle l'a abattu. La veille.

— Je ne comprends pas. Vous voulez dire que ma mère se trouvait déjà au Four Seasons la veille du jour où elle l'a tué ?

— Oui. Nous sortions du cinéma et nous étions allées y prendre le thé. Ils ont un café charmant dans le hall et nous aimons beaucoup nous y retrouver l'après-midi. Ils ont des biscuits délicieux.

Elle prend l'assiette et leur en propose :

— Ceux-là sont moins bons, bien sûr.

Ben en goûte un.

— Délicieux. C'est vous qui les avez faits ?

— Oh, mon Dieu non ! Je serais incapable de cuisiner, même si ma vie en dépendait. Je n'ai jamais su. Mes petits-enfants s'en plaignent chaque fois qu'ils me rendent visite. Ils disent que toutes les grand-mères sont censées faire des gâteaux.

— Depuis combien de temps connaissez-vous ma mère ? reprend Amanda.

— Cinq ans, environ. Nous nous sommes rencontrées au cinéma. Nous étions seules toutes les deux et je ne sais comment nous avons engagé la conversation. Je crois que c'est moi qui l'ai abordée. Elle était plus timide. Au moins au début. Mais je crois que je l'ai eue à l'usure. En fait, nous avions beaucoup en commun. Nous étions toutes les deux veuves et anciennes alcooliques. Nos enfants étaient grands. Nous aimions l'une comme l'autre le cinéma et le théâtre. Et nous avons commencé à nous retrouver tous les quinze jours, puis une fois par semaine. Après le cinéma, nous allions toujours prendre le thé.

— Et c'est là que vous avez vu John Mallins ? intervient Ben, pour la ramener au vif du sujet.

— Oui. Nous quittions le bar quand ils sont entrés par la porte à tambour. Je les ai regardés se diriger vers les ascenseurs en riant et en se tenant par la main. Je me suis tournée vers Gwen et je lui ai dit un truc du genre « N'est-ce pas une famille charmante ? ». Mais on aurait dit qu'elle avait vu un fantôme. Elle tremblait si fort que j'ai cru qu'elle faisait une attaque, alors je l'ai fait asseoir et je lui ai proposé d'appeler un médecin. Elle m'a soutenu qu'elle allait bien, mais elle n'était pas dans son état normal, ça se voyait. Au bout de quelques minutes, nous sommes parties. Je l'ai appelée dans la soirée afin de prendre de ses nouvelles et elle m'a répondu qu'elle allait bien.

— C'est tout ce qu'elle a dit ? insiste Ben. Elle n'a fait aucune allusion à John Mallins ?

— Non, pas un mot. En fait, ce n'est que lorsque j'ai lu ce qui s'était passé dans les journaux, et que j'ai vu la photo de Gwen à côté de celle de cet homme, que j'ai fait le rapprochement.

— Et vous êtes sûre que l'homme que vous aviez vu la veille était John Mallins ? demande Amanda.

— Absolument. La police m'a posé la même question. Je suis très physionomiste. C'était le même homme, je suis formelle.

— Réfléchissez bien, madame Nash. Vous êtes sûre que ma mère ne vous a jamais parlé de John Mallins ?

— Jamais. Je n'arrive toujours pas à le croire.

— Quoi ?

— Qu'elle l'a tué. Comme je l'ai dit à la police, votre mère est la personne la plus gentille, la plus douce que je connaisse.

Amanda sent la tasse lui glisser des doigts. Elle n'a pas le temps de la rattraper qu'elle se renverse en éclaboussant le tapis à fleurs. Comme le sang de John Mallins.

13.

— A-t-elle réellement dit que ma mère était la personne la plus gentille et la plus douce qu'elle connaisse ? murmure Amanda tandis que Corinne Nash court à la cuisine chercher des serviettes en papier.

— Tout à fait.

Amanda secoue la tête d'incrédulité.

— Qui fréquentait-elle avant ? Hitler ?

Elle se laisse tomber contre le dossier du canapé.

— Prends un biscuit. Ils sont très bons.

Amanda en attrape un et l'avale presque tout rond, tandis que Corinne Nash revient à petits pas avec une poignée d'essuie-tout.

— Oh, non, donnez-moi ça ! proteste Amanda en la voyant s'agenouiller pour éponger la tache.

— Ne vous inquiétez pas, c'est terminé, répond la vieille dame en lui montrant les serviettes maintenant mouillées. Prenez un autre gâteau. Je vais refaire du café.

— Non, surtout pas. Ça ira. Je vous ai déjà donné assez de mal.

Corinne Nash la regarde en secouant la tête.

— Je parie que vous n'avez rien mangé de la journée. Comme votre mère.

Le sourire d'Amanda est tellement crispé qu'elle a l'impression que ses joues vont se craqueler.

— Je vous assure que je ne lui ressemble pas du tout, coasse-t-elle d'une voix étranglée.

— Ah bon ? Je vous trouve pourtant beaucoup de similitudes avec elle.

— Nous devrions y aller.

Ben se lève, prend Amanda par la taille et la guide vers la porte. Il ne la lâche pas tandis qu'elle glisse ses pieds dans ses bottes et resserre son manteau sur elle. Puis ils descendent l'escalier du perron.

— Attendez !

Amanda s'arrête sur l'avant-dernière marche et se retourne vers Corinne Nash.

— Vous n'auriez pas, par hasard, une clé de la maison de ma mère ? demande-t-elle d'une voix plus grave que d'habitude, pour ne plus avoir les mêmes intonations que sa mère.

— Il se trouve que si, se rengorge la vieille dame avec fierté. Nous avons échangé nos clés il y a un mois. Nous avons pensé que ça pourrait être très utile. On ne sait jamais, en cas d'urgence, par exemple. Comme aujourd'hui. Vous la voulez ?

— S'il vous plaît, répond Ben. Bien joué, ajoute-t-il quand Mme Nash disparaît dans la maison à la recherche de la clé.

— Je ne ressemble pas du tout à ma mère, grogne Amanda, ignorant son compliment. Comment a-t-elle pu dire une chose pareille ? Et toi, tu trouves que je lui ressemble ?

Mme Nash réapparaît alors et lui tend la clé.

— Tenez. Il faudra sans doute arroser ses plantes.

— C'est promis, dit Ben avant de la remercier à nouveau.

— Dites bien à votre mère que je prie pour elle ! leur lance Corinne Nash tandis qu'ils montent en voiture.

— Je n'y manquerai pas, marmonne Amanda.

La maison de Palmerston ressemble à sa propriétaire, vieillissante mais fière, imposante mais excentrique avec ses briques marron et sa porte jaune vif. La neige recouvre le chemin et les marches et personne n'a pris la peine de dégager l'étroite allée commune avec la maison d'à côté.

Je vous maudis, monsieur Walsh, entend Amanda, tandis que Ben se gare dans l'allée. *Vous mourrez avant la nouvelle année.*

Et comme par hasard, il était mort deux mois plus tard.

Au fil des ans, plusieurs familles s'étaient succédé dans la maison voisine. Amanda se demande qui y habite désormais, et si cela les fâcherait, comme ça fâchait sa mère, qu'une voiture bloque l'allée. Pourtant ça ne la dérangeait pas, elle ne sortait jamais, songe-t-elle et elle regarde Ben, en se souvenant du nombre de fois où la Corvette était restée à cet endroit précis.

— Tu es prête ? s'inquiète-t-il.

— Tu es sûr que cela ne peut pas être considéré comme une effraction.

En réponse, Ben montre la clé de la porte d'entrée.

— C'est toi qui as eu cette idée, n'oublie pas.

— Nous ne risquons pas d'interférer avec l'enquête de la police ?

— Vois-tu des scellés ?

Amanda relâche une longue bouffée d'air et la regarde s'étaler contre le pare-brise. Il a raison, évidemment. Pourquoi la police viendrait-elle perquisitionner cette maison ? Ils détiennent déjà l'arme du crime. Et si le mobile leur manque, ils ont bien mieux : une confession. Une fois de plus, Amanda expire douloureusement l'air de ses poumons et pousse la porte de la voiture.

— Attention au verglas, l'avertit Ben tandis qu'elle s'engage avec prudence sur le chemin, ignorant le bras qu'il lui offre pour l'aider à monter les marches couvertes de neige.

— Et qu'espères-tu découvrir ici ? s'enquiert-elle au moment où il tourne la clé dans la serrure.

— Aucune idée.

Il n'a pas ouvert la porte qu'Amanda a déjà échafaudé une demi-douzaine de bonnes raisons de repartir : ils se mêlent de ce qui ne les regarde pas ; sa mère sera furieuse quand elle le saura ; ce n'est plus sa maison ; elle n'y a pas remis les pieds depuis la mort de son père ; elle avait juré de ne jamais y revenir ; et le simple fait de poser le pied sur le perron lui donne la nausée.

Et la pire de toutes : ils pourraient bien découvrir quelque chose.

La porte s'ouvre. Ben franchit le seuil avec assurance.

— Tu entres ?

— Je ne sais pas si j'en suis capable.

— Tu veux m'attendre dans la voiture ?

Amanda secoue la tête, la seule partie de son corps qui semble encore capable de bouger. Ses membres sont paralysés. Elle a l'impression que, si elle avance un pied, il se cassera comme du verre.

Une bourrasque de vent glacial plaque son manteau contre son dos et la pousse doucement vers l'intérieur. Elle pénètre dans la petite entrée, les yeux rivés sur le lino à carreaux gris et blancs.

— On dirait que rien n'a changé, entend-elle Ben remarquer.

Lentement, à contrecœur, elle lève les yeux.

Et que voit-elle ? Le lino qui laisse la place au plancher sombre de l'étroit couloir, avec à gauche le salon et sa moquette grise, à droite le bureau lambrissé, au fond l'escalier, à côté de la cuisine, et une enfant en larmes qui dévale les marches et fuit d'une pièce à l'autre la colère maternelle.

Amanda déglutit et ignore la voix de sa mère qui lui rappelle de s'essuyer les pieds sur le morceau de moquette grise effilochée devant la porte.

— Faisons vite, d'accord ?

— Je prends le rez-de-chaussée et tu t'occupes des chambres ? propose Ben.

Amanda avance avec méfiance, comme si elle craignait qu'un cinglé armé d'un couteau ne surgisse de l'obscurité, en haut de l'escalier, comme dans *Psychose*. Ben commence déjà à fouiller les tiroirs de la cuisine. Que cherche-t-il exactement ? se demande-t-elle en contemplant les traces humides que laissent ses bottes sur les marches. Que faisons-nous ici ?

Son ancienne chambre se trouve sur la gauche du palier. Elle s'arrête quelques secondes sur le seuil, son regard parcourt le petit lit contre le mur rose pâle, la reproduction de *La Balançoire* de Renoir, accrochée au-dessus de son bureau, de l'autre côté de la pièce, la petite commode en bois qui tient juste en dessous de la fenêtre dominant l'allée commune. Une chambre de petite fille modèle. Sauf qu'elle n'a jamais été une petite fille modèle, loin de là.

Amanda entre dans la pièce, tourne lentement sur elle-même,

se sent rapetisser à chaque tour, telle Alice après avoir avalé la pilule mystérieuse. Elle entend des rires, sent de forts bras féminins la soulever en l'air tandis que ses petites jambes s'agitent de plaisir.

Qui c'est ma petite poupée ? entend-elle une femme glousser.

Et soudain le rire s'arrête, gelé en plein vol et lui retombe sur la tête comme des grêlons. La fillette s'effondre sur la moquette, telle une poupée brisée, les membres écartés.

Amanda se laisse tomber sur le lit, terrassée.

Adolescente, elle avait supplié ses parents de l'autoriser à refaire la décoration de la pièce. Ses amies avaient toutes des chambres sympas avec de grands lits et des papiers peints qui reflétaient leurs goûts, même s'ils étaient discutables. Elle en avait assez de tout ce rose, avait-elle protesté. Assez de ce fatras de petite fille. Il y avait longtemps qu'elle ne faisait plus collection d'animaux en savon et de presse-papiers en verre. Elle voulait des murs noirs comme Debbie Profumo. Et une chaîne stéréo dernier cri comme Andrea Argeris.

On lui avait répondu de parler moins fort, que sa mère se reposait.

En signe de protestation, elle avait cessé d'accrocher ses vêtements dans sa penderie ou de les plier dans sa commode. Elle avait tapissé ses murs de posters de Marilyn Manson et de Sean Penn, écouté du heavy metal, en faisant hurler sa radio toute la nuit, jusqu'au jour où son père, fou furieux, avait arraché la prise du mur et fracassé le poste en le jetant par terre.

— Qu'est-ce qui te prend ? avait-il demandé, les yeux rivés sur la boîte de pilules contraceptives qu'elle avait laissé traîner exprès sur son bureau. Tu sais bien que ta mère ne peut pas dormir avec un boucan pareil !

Elle avait aussitôt acheté un autre poste qu'elle avait fait hurler encore plus fort. Et elle était sortie de plus en plus tard, jusqu'à ce qu'elle finisse par ne plus rentrer du tout ou alors en claquant la porte. Puis elle s'était mise à coucher avec tous les mâles qu'elle croisait, faute d'attirer l'intérêt du seul homme qui comptait à ses yeux. Parce qu'il ne la regardait pas.

Il ne voyait que sa mère.

Du moins, c'était ce que Oprah aurait dit dans son émission, soupire Amanda, lasse de cette psychologie de bazar. Elle se relève et ouvre les tiroirs de sa commode, les uns après les autres, à la recherche de Dieu seul sait quoi.

Elle découvre des pulls qui appartiennent à sa mère, de vieux bijoux fantaisie, un foulard en soie, gansé de noir et décoré de papillons multicolores. Amanda froisse le tissu délicat entre ses paumes, le porte à son nez, inspire à la recherche du parfum de sa mère et n'en trouve aucun. Distraitement, elle noue le foulard autour de son cou lorsque son attention est attirée par le bureau. Elle écarte avec impatience les blocs de papier neufs et les agendas vierges. Dans le tiroir du bas, elle découvre une série de vieux magazines et commence à les feuilleter.

— Il n'y a rien là-dedans, grommelle-t-elle en les remettant en place, avant de repartir vers l'escalier.

Ne t'en va pas ! lance une petite voix derrière elle, et Amanda se retourne.

La seconde chambre n'est qu'à quelques pas. Son décor ne semble pas avoir beaucoup changé mais Amanda finit par remarquer qu'elle contient à présent un grand lit et que les murs sont d'un rose plus discret. Un bureau est dressé contre la fenêtre qui donne sur la rue, une commode est appuyée contre le mur, à côté de la penderie. Une autre reproduction d'un tableau de Renoir, un champ de fleurs cette fois, est accrochée au-dessus du lit. Amanda ne se souvient pas d'avoir jamais vu cette chambre occupée. Ses parents n'avaient jamais d'invités. Prise d'une impulsion subite, elle se dirige vers le placard, l'ouvre et titube en se couvrant les yeux, comme aveuglée par une lumière subite.

Le placard ne contient qu'un théâtre de marionnettes, posé à même le sol, avec deux pantins de bois soigneusement pliés en deux au milieu de la scène, comme s'ils s'exerçaient, les mains tenant la pointe de leurs pieds, les yeux clos comme s'ils dormaient, leurs fils étalés autour d'eux, comme s'ils s'étaient pris dans une toile d'araignée.

Amanda soulève le petit théâtre avec délicatesse et l'installe au centre du grand tapis gris. Elle s'assoit en tailleur à côté et d'une main tremblante soulève la première marionnette. Un garçon avec une grosse tête en bois sur laquelle est peinte une abondante chevelure noire. Aussitôt ses paupières s'ouvrent révélant deux globes vert fluorescent. Il a de grosses lèvres, un large sourire. Il porte une chemise en coton d'un blanc immaculé et un caleçon bleu dépasse de son jean bien repassé.

Amanda soulève la marionnette par ses fils et observe ses mouvements maladroits. Puis elle ramasse la seconde figurine, une fille aux joues rouges, aux grands yeux bleus avec de longs cheveux blonds bouclés, et la dresse face à son compagnon. Elle les manipule avec lenteur et regarde la fille faire une révérence tandis que le garçon la salue de la tête. Et les voilà qui se mettent à virevolter avec grâce autour de la scène.

— Comment ça se passe, là-haut ? lance Ben du rez-de-chaussée.

Dans un sursaut, les marionnettes se séparent, les mains en l'air, comme si quelqu'un les menaçait d'une arme.

— Ça va, réplique Amanda en lâchant les fils et les deux marionnettes s'écroulent l'une sur l'autre, comme si elles avaient été réellement abattues.

— Tu as trouvé quelque chose ?

— Non, et toi ?

— Moi, non plus. Je descends au sous-sol.

— J'ai presque terminé, répond-elle en contemplant d'un œil coupable les marionnettes.

Elle les démêle avec soin et les remet dans leur position initiale, au centre de la scène, le corps plié en deux, les yeux fermés. C'est mieux comme ça, leur dit-elle dans un chuchotement, avant de ranger le théâtre dans le placard et de refermer la porte.

Elle sent un mouvement derrière elle et se retourne à temps pour entrevoir le visage de sa mère révulsé de rage.

Qu'est-ce que tu fais là ? crie celle-ci en la secouant par les épaules, comme si elle était une marionnette, elle aussi.

J-je voulais j-juste jouer, bégaie la petite Amanda. *Je te demande pardon.*

Sors d'ici ! Sors d'ici tout de suite !

Amanda se précipite dans le couloir, et s'arrête au milieu du palier, les yeux remplis de larmes.

— Non. Tu ne me feras plus pleurer, maman, déclare-t-elle d'un ton décidé, en se tapotant les paupières.

Je ne pense pas t'avoir jamais dit combien tu es jolie.

— Va au diable !

— Tu m'as parlé ? crie Ben, deux étages plus bas.

Le gris terne du ciel a viré à l'ardoise quand Amanda pénètre dans la chambre de sa mère. Il fera bientôt nuit. Elle allume le lustre et se tourne vers le grand lit. La courtepointe à fleurs de son enfance a été remplacée par une simple couette blanche, assez semblable à celle qu'elle a dans sa chambre en Floride, s'aperçoit-elle avec un frisson. Mais, en dehors de ce détail, la chambre n'a pas changé : elle retrouve les murs d'un rose agressif, la moquette grise, les bibelots en cristal sur les étagères des deux renfoncements, de part et d'autre du lit. Plusieurs photos de son père trônent sur la commode devant la large fenêtre. Il affiche un sourire forcé que contredit son expression angoissée. Amanda prend l'un des clichés, passe le doigt sur le beau visage de son père, et le repose sur la commode entre deux portraits d'elle, bébé. Sur la table de chevet, du côté de sa mère, elle aperçoit les autres photos dont Corinne Nash a parlé : celle du jour de la remise des diplômes, et un ravissant cliché pris à son insu alors qu'elle regardait par la fenêtre du salon. De quand date-t-il ? s'interroge-t-elle.

Qu'est-ce que tu fais là ? demande brutalement son père. *Tu sais que tu n'as pas le droit de venir ici !*

— Désolée, papa, répond-elle à sa photo. Je me dépêche.

Elle écarte rapidement du bout des doigts les soutiens-gorge, culottes, pyjamas et chemises de nuit qui occupent les tiroirs de la commode.

— Attention, méfiance ! grommelle-t-elle alors qu'elle se retourne vers le placard. Tu sais ce qui t'est arrivé la dernière fois que tu as ouvert cette porte.

Trop tard, l'enfant rebelle qui sommeille en elle a déjà désobéi et elle aperçoit, bouche bée, la boîte à chaussures sur l'étagère du haut.

Doit-elle appeler Ben ?

Ne sois pas stupide, se rassure-t-elle. Le revolver ne doit plus y être. Elle l'a déjà pris !

Tandis qu'elle se met sur la pointe des pieds pour atteindre le carton, elle effleure les vêtements pendus sur les cintres – une robe en laine bleue, des pantalons habillés en bleu marine, noir et marron, deux chemisiers en soie dans les tons pastel, quelques jupes en biais, une veste en velours côtelé marron. Elle a l'impression qu'il est vide tandis qu'elle le soulève, et pourtant elle hésite à l'ouvrir.

Elle retire le couvercle et le jette par terre. La boîte ne contient qu'un vieux carnet de caisse d'épargne de la Toronto Dominion sur lequel ne reste que la somme ridicule de sept dollars soixante-quinze cents. Sa mère ne doit pas s'en servir tous les jours, pense-t-elle alors que quelque chose tombe à ses pieds. Ses yeux parcourent la moquette avant de repérer une petite clé. On dirait la clé d'un coffre, songe-t-elle tandis que les pas de Ben résonnent dans l'escalier. Et sans réfléchir, elle glisse dans sa poche le livret et la clé.

— Tu as trouvé quelque chose ? demande-t-il en entrant dans la chambre.

Amanda lui montre la boîte vide sans rien dire.

— Il n'y a rien non plus, en bas.

— Tant pis. On aura essayé.

Ses paroles retentissent dans le silence de cette fin d'après-midi tandis qu'ils se dévisagent dans la pénombre.

14.

— Prends un bon bain chaud, commande à dîner au service d'étage et dors bien, lui conseille Ben en s'arrêtant devant l'entrée de l'hôtel Four Seasons. Je t'appellerai demain matin.

Amanda se force à sourire. Elle s'apprêtait à lui suggérer d'aller dîner dans un endroit sympa. Je t'invite, allait-elle dire au moment où il lui coupe l'herbe sous le pied.

— Dis bonsoir à Jennifer de ma part, lance-t-elle avec un sourire entendu.

Puis elle descend de la voiture, pousse la porte à tambour et rentre dans le hall sans un regard en arrière. Elle fait semblant de fouiller dans son sac à la recherche de sa clé, glisse un œil furtif vers les vitres et constate que la Corvette est déjà repartie.

— Un bain chaud, le service d'étage et une bonne nuit de sommeil, répète-t-elle, de plus en plus irritée. Bonne idée ! Elle entre dans l'ascenseur, reste le doigt en suspens au-dessus du bouton du seizième étage, et appuie finalement sur celui du vingt-quatrième. Ça, en revanche, ce n'est pas une bonne idée, murmure-t-elle en sortant de l'ascenseur, quelques secondes plus tard. Qu'est-ce que je fais, maintenant ?

Elle tourne à droite, avance à pas lents, s'arrête devant chaque porte et tend l'oreille un bref instant, espérant surprendre à l'intérieur des bruits qui lui indiqueront derrière laquelle se trouve la suite.

Elle sait qu'elle commet une bêtise, qu'elle n'a rien à faire ici, que Ben sera hors de lui quand il l'apprendra. Il n'est pas trop tard. Elle peut encore rebrousser chemin et aller se faire couler un bon bain chaud. Ou même s'offrir un massage. Elle s'apprête à tourner les talons lorsqu'elle voit s'ouvrir une porte au bout du couloir. Un homme et une femme qui se tiennent par la taille en sortent.

Elle raye le numéro 2420 de sa liste invisible et sourit au couple quand il la croise. Ce qui ne lui laisse plus que le choix entre cinq chambres.

— Tu perds la tête, se sermonne-t-elle. Trop tard ! elle frappe déjà au 2410.

Personne ne répond.

Il est peu probable que Mme Mallins et ses enfants soient partis faire du tourisme. Une de moins. Amanda passe à la porte suivante. Sauf si elle les a emmenés dîner dehors afin de leur changer les idées. Non, décide-t-elle en frappant au 2412.

— Qui est-ce ? s'enquiert une voix féminine.

— Amanda Travis, répond-elle, prise au dépourvu.

— Qui ça ?

L'occupante de la chambre entrouvre la porte. Juste assez pour qu'Amanda voie qu'elle a au moins soixante-dix ans.

— Qui est-ce, Bessie ? demande un monsieur aux cheveux gris qui arrive derrière elle.

— Je suis désolée, murmure Amanda. Je me suis trompée de chambre.

L'homme lui rabat la porte à la figure.

— Qu'est-ce qui te prend d'ouvrir à n'importe qui ? semonce-t-il sa femme.

Amanda continue sa quête. Pas de réponse au 2414. Elle s'avance vers le 2416 lorsqu'elle entend un petit garçon à l'accent anglais crier :

— Maman, je crois qu'on a frappé à la porte.

La porte du numéro 2416 s'ouvre avant même qu'Amanda ne décide de ce qu'elle va faire. Une femme séduisante aux cheveux bruns mi-longs et aux yeux noisette perçants se tient devant elle. Elle mesure quelques centimètres de moins qu'elle et n'arbore aucun maquillage en dehors d'un soupçon de rouge sur ses lèvres. Son teint pâle est brouillé par les larmes. Amanda lui donne une quarantaine d'années. Elle est vêtue d'un pantalon et d'un pull noirs, assez semblables à ceux qu'elle porte sous son manteau.

— Madame Mallins ?

— Oui.

— Je m'appelle Amanda Travis.

— Êtes-vous de la police ? demande la jeune femme avec les mêmes intonations que son fils.

— Non, je-je suis avocate, bredouille Amanda. J'aurais voulu vous poser quelques questions.

Mme Mallins s'efface pour la laisser entrer. Amanda se retrouve au milieu d'un salon spacieux, élégamment décoré dans des tons de beige, de rouge et d'or.

Une jeune adolescente sort de l'une des chambres. Elle doit avoir dans les treize ans. Grande, mince, avec les cheveux bruns et les yeux perçants de sa mère.

— Qui est-ce, maman ?

— Madame est avocate auprès du procureur.

Amanda s'apprête à la corriger lorsqu'un garçon d'une dizaine d'années entre dans la pièce en courant.

— Que se passe-t-il ? demande-t-il en dévisageant Amanda d'un air méfiant.

— Maître Travis, voici mes enfants, Hope et Spenser.

— Bonjour, murmure Amanda sans oser en dire plus.

— Ça y est, on peut rentrer chez nous ? s'écrie le garçon. Ses cheveux bruns lui tombent dans les yeux qu'il a plus clairs que ceux de sa mère et de sa sœur, quoique tout aussi perçants.

— Je crains que ce ne soit pas encore possible.

Amanda voit la déception se peindre sur le visage de Spenser. Elle se tourne vers Mme Mallins.

— Pourrais-je vous parler en privé ?

— Bien sûr.

— Et notre dîner ? s'inquiète Spenser.

— Ta sœur va s'en occuper. Tu veux bien, ma chérie ?

— Bien sûr, répond Hope du même ton mesuré que sa mère.

Elle prend son frère par la main et l'emmène dans la pièce à côté. Il se retourne sur le seuil et décoche à Amanda un regard assassin.

Mme Mallins referme la porte derrière eux.

— Puis-je vous débarrasser de votre manteau ?

— Non, je vous remercie. Je suis très bien. Madame Mallins...

— Je vous en prie, appelez-moi Hayley.

— Madame Mallins...

— Vous avez du nouveau ? Vous avez les résultats de l'autopsie ?

Mme Mallins s'appuie sur le bras d'un fauteuil.

— Non, je ne les ai pas. Madame Mallins... Hayley... écoutez, je suis vraiment désolée. Il y a un malentendu.

— Un malentendu ?

Amanda prend une profonde inspiration.

— Je ne travaille pas pour le procureur.

— Vous n'êtes pas avocate ?

Amanda hésite. Que peut-elle révéler ?

— Si, mais pas auprès du procureur.

Elle marque un temps d'arrêt, attend que Hayley Mallins lui demande pour qui diable elle travaille et ce qu'elle fiche dans sa chambre. Rien ne vient.

— Je travaille avec Ben Myers.

— Ben Myers ?

— L'avocat de Gwen Price.

Le visage soudain blême, Hayley Mallins se laisse tomber dans le fauteuil. Elle ouvre et referme la bouche sans qu'aucun son en sorte. Ce n'est sans doute pas le moment de lui dire que je suis la fille de la meurtrière, décide Amanda, qui s'attend à se faire jeter dehors. Elle s'assoit néanmoins du bout des fesses sur le canapé et attend que son interlocutrice retrouve sa voix.

— Je ne vois pas en quoi je pourrais vous aider, murmure enfin Hayley Mallins après un long silence.

— Nous essayons de reconstituer avec précision ce qu'il s'est passé cet après-midi-là. Vous détenez peut-être des informations qui pourraient éclairer...

— Je ne vois pas en quoi je pourrais vous aider, répète-t-elle.

— Pourriez-vous me raconter ce qu'il s'est passé ? insiste Amanda.

— Je l'ignore. Je sais juste que mon mari a été abattu dans le hall de l'hôtel.

— Vous n'étiez pas avec lui quand c'est arrivé ?

— Non, je l'attendais ici, avec les enfants.
— Où était-il allé ?
— Pardon ?
— Vous dites que vous l'attendiez. Et j'aurais voulu savoir où il était allé.
— Pourquoi ? Quel rapport ?
— J'essaie simplement de replacer les faits dans leur contexte, madame Mallins. Votre voyage à Toronto avait-il un but précis ?
— Nous étions en vacances.
— Pourquoi avez-vous choisi Toronto ?
— Je ne comprends pas.
— On ne peut pas dire que ce soit la saison idéale, n'est-ce pas ? Vous avez des amis ici ?
— Non... Mon mari avait une affaire à régler.
— Vraiment ? Quel genre d'affaire ?
— Quelle importance ? Pourquoi me posez-vous toutes ces questions ?
— Je sais quelle horrible épreuve vous traversez, madame Mallins... euh... Hayley. Mais j'essaie de comprendre ce qui a pu se passer, s'il y avait le moindre lien entre votre mari et ma... ma cliente.

Amanda repousse ses cheveux derrière son oreille et s'éclaircit la voix.

— Non, aucun, déclare Hayley Mallins d'un ton catégorique.
— Dans quelle branche travaillait votre mari ?
— Il tenait un petit commerce. Cigarettes, bonbons, journaux. Ce genre de choses.
— À Londres ?
— Non. À Sutton.
— Sutton ?

Amanda essaie en vain de placer cette ville sur la carte des îles Britanniques et se maudit intérieurement d'avoir séché les cours de géographie au lycée.

— C'est une petite ville au nord de Nottingham. Au nord de Londres, précise-t-elle devant le regard vide d'Amanda.
— Et c'est pour ses affaires qu'il est venu à Toronto ?

— Non, admet Hayley après un silence. Pour des raisons personnelles.

— Personnelles ?

— Familiales.

— Il a de la famille ici ?

— Sa mère. Elle vient de mourir et John était venu régler sa succession.

— Sa mère était canadienne ?

Hayley semble désarçonnée par la question.

— Je suppose.

— Vous n'en êtes pas sûre ?

— Je ne la connaissais pas.

Amanda doit faire un effort pour ne pas trahir sa surprise.

— Depuis combien de temps étiez-vous mariée ?

— Vingt-deux ans.

— Vous vous êtes mariée très jeune.

— En effet.

— Votre mari est donc venu régler la succession de sa mère et il vous a tous amenés avec lui.

— Il n'aimait pas nous quitter.

— Il a fait manquer l'école aux enfants ?

— Non, les enfants suivent des cours par correspondance.

— Cela ne vous donne pas trop de travail ?

— Non, j'adore ça.

Amanda opine d'un air approbateur quoiqu'une telle dévotion à sa progéniture échappe à son entendement.

— Donc, en résumé, vous avez accompagné votre mari avec vos enfants à Toronto, pour prendre des petites vacances pendant qu'il réglait ses affaires.

— Exactement.

— Connaissez-vous le nom du notaire de sa mère ?

— Non.

— Personne ne vous a contactée depuis le meurtre ?

Hayley secoue la tête. Une mèche de cheveux noirs s'accroche à sa lèvre inférieure. Elle ne fait aucun geste pour la retirer.

— Depuis combien de temps étiez-vous à Toronto quand votre mari a été abattu ?

— À peine quelques jours.
— Votre mari avait-il reçu des visites ?
— Non.
— Avait-il donné des coups de fil ?
— Pas que je sache.
— Avait-il jamais mentionné le nom de Gwen Price ?
Le peu de couleur qu'avait retrouvé Hayley Mallins s'évanouit.
— Non.
— Il n'avait jamais parlé d'elle auparavant en Angleterre ?
— Non, jamais.
— Il ne l'aurait pas connue autrefois ?
— Mon mari n'a pratiquement jamais vécu à Toronto, affirme Hayley d'un ton soudain catégorique. Ses parents ont divorcé quand il était petit et il est parti vivre en Angleterre avec son père quand il avait quatre ans.
— Il n'est jamais revenu voir sa mère.
— Jamais.
Amanda hoche la tête. Qu'un enfant n'ait pas envie de voir sa mère, voilà enfin une chose qu'elle peut comprendre.
— Et vous êtes sûre qu'il n'a jamais parlé de Gwen Price ?
— Certaine.
— Pourtant elle l'a tué.
— Oui.
— Et vous ne voyez pas pourquoi ?
Hayley secoue la tête et déloge la mèche collée sur sa lèvre.
— Elle doit être complètement folle.
— Vous le croyez vraiment ?
— Je ne vois pas d'autre explication. On ne tire pas sur un inconnu.
— Où étiez-vous allés la veille de la mort de votre mari, madame Mallins ?
— Pardon ?
Amanda sait qu'elle a entendu sa question, que ce « Pardon ? » n'est qu'une façon de gagner du temps.
— Je vous demandais où vous étiez allés la veille de la mort de votre mari.
Hayley se concentre.

— Nous avons visité la tour CN puis le musée. Spenser voulait voir les dinosaures.

— Et ensuite vous êtes rentrés à l'hôtel ?

— Oui.

— La police vous a-t-elle dit que Gwen Price prenait le thé dans le hall de l'hôtel à ce moment-là ?

— Non. Comment le savez-vous ? C'est elle qui vous l'a dit ?

— Non. Malheureusement, notre cliente est trop perturbée. Elle refuse de parler.

Hayley frissonne, la respiration saccadée. Amanda craint soudain qu'elle ne fasse une attaque.

— Ça ne va pas, madame Mallins ? Voulez-vous un peu d'eau ?

— Je vais bien, affirme Hayley, malgré sa mine épouvantable. Mais où voulez-vous en venir exactement ?

Amanda met quelques secondes à formuler sa réponse.

— D'après un témoin qui vient seulement de se faire connaître, Gwen Price prenait le thé en bas, au bar, la veille, quand elle vous a vus entrer dans l'hôtel. Elle a paru bouleversée. Le lendemain, elle a passé la journée à attendre votre mari dans le hall. Et quand il est arrivé, elle a sorti un revolver et lui a tiré dessus.

— Eh bien, vous avez votre réponse ! lance Hayley tout en se levant pour arpenter la chambre. Elle a dû le prendre pour quelqu'un d'autre.

Serait-ce possible ? se demande Amanda. Sa mère perdrait-elle la tête ? Non. Elle ne donne vraiment pas cette impression.

— Elle ne vous a rien dit ? Sur ce qui l'a poussée à faire ça ?

— Rien.

Hayley secoue la tête et jette un coup d'œil vers la porte de la chambre.

— C'est tout ? Je dois retourner m'occuper de mes enfants.

— Comment réagissent-ils ? s'enquiert aussitôt Amanda afin de gagner du temps.

— Pas trop mal. Nous sommes tous sous le choc.

— Si je puis faire quoi que ce soit...

— Si seulement nous pouvions rentrer chez nous...

— Cela ne devrait plus tarder.

— Je ne comprends pas pourquoi il a fallu faire une autopsie.

Hayley croise les bras sur sa poitrine, coince ses mains tremblantes sous ses aisselles, et commence à se balancer d'avant en arrière.

— La raison de sa mort est évidente, reprend-elle. À quoi ça sert ?

— C'est sans doute une simple question de routine.

— Eh bien, je trouve cela barbare. Que mon mari ait été abattu ne leur suffit pas ? Faut-il aussi le découper en morceaux ? ajoute-t-elle dans un sanglot.

Amanda se lève d'un bond pour la prendre dans ses bras.

— Je suis vraiment désolée, lui dit-elle.

Vous ne pouvez pas savoir à quel point ! ajoute-t-elle en pensée.

Hayley sanglote contre son épaule, en bredouillant des paroles incohérentes qui se perdent dans l'épaisseur de son manteau. Et ce n'est qu'arrivée devant les portes de l'ascenseur qu'Amanda réussit à les reconstituer : « Mon Dieu, qu'allons-nous devenir ? Qu'allons-nous devenir ? »

15.

Amanda a la tête qui tourne et l'estomac qui proteste quand elle ouvre la porte de sa chambre. Elle se rue vers son bureau, arrache son manteau et le jette sur le lit tout en décrochant le téléphone.

— Il faut que je mange ! annonce-t-elle à la pièce vide tandis qu'elle compose le numéro du service d'étage, se débarrasse de ses chaussures et feuillette le menu.

— Bonsoir, madame Travis. Qu'y a-t-il pour votre service, ce soir ?

— Je prendrai un steak, saignant, avec une pomme de terre au four et tout le tralala, ainsi qu'une salade. Avec beaucoup de vinaigrette.

— Que voulez-vous boire ?

— Un verre de vin rouge.

— Nous vous apporterons tout cela dans une demi-heure environ.

Amanda raccroche, va à la salle de bains et ouvre le robinet d'eau chaude de la baignoire. Une demi-heure. Juste le temps d'une bonne trempette. Elle se déshabille en se demandant si elle doit appeler Ben pour lui raconter ce qu'elle a fait.

— Il ne va pas être pas content, déclare-t-elle à son reflet dans la glace.

Il lui dira sans doute qu'elle n'aurait pas dû aller voir Hayley Mallins sans lui.

— Je n'ai pas pu m'en empêcher ! se défend-elle. Il a bien fallu que je m'habitue à faire les choses sans toi.

Il n'avait qu'à ne pas être si bigrement pressé de rejoindre sa Jennifer...

Et qu'est-ce que cette maudite visite t'a appris ? l'entend-elle déjà ricaner.

Pas grand-chose, doit-elle admettre. Elle retourne, nue, dans la chambre, se laisse tomber sur le bord du lit et réfléchit à la façon la plus favorable de présenter les faits. Et la pauvre Mme Mallins n'en sait pas plus que nous. Elle n'a jamais entendu le nom de Gwen Price et n'a aucune idée de la raison pour laquelle elle a abattu son mari.

Elle se relève d'un bond et se met à faire les cent pas entre le lit et le bureau.

Hayley a un joli visage. Dans des circonstances plus heureuses et avec un peu de maquillage, elle devait même être belle. Quant à sa fille, on voyait déjà que ce serait une beauté. Et le petit garçon avec ses grands yeux tristes, un futur bourreau des cœurs. Pauvres enfants. Quelles vacances !

Sauf qu'ils n'étaient pas vraiment en vacances, n'est-ce pas ? Non. John Mallins était venu régler la succession de sa mère.

Prise d'une inspiration subite, Amanda s'agenouille et sort le gros annuaire de Toronto du tiroir de la table de nuit. Elle s'assoit sur la moquette et le feuillette jusqu'à la page des M, son regard glisse sur les Malcolm, Malia, et Malik, puis Mallin, Malling et Mallinos.

— Ah ! Mallins ! Nous y voilà !

Elle en compte six. Génial ! Et maintenant ?

D'après Hayley Mallins, son époux n'avait pas d'autre famille en dehors de sa mère. Il n'y a donc aucune raison de penser que les Mallins figurant dans l'annuaire aient le moindre lien de parenté avec lui.

Mais il avait fallu qu'elle insiste pour que Mme Mallins lui révèle la véritable raison de ce voyage à Toronto. Et si elle lui avait caché autre chose ?

Ou si elle ne savait pas tout ?

En tout cas, une chose était certaine : sa mère avait une raison de tuer John Mallins.

On ne tue pas un inconnu sans raison.

— Nous y voilà, répète-t-elle avec l'élégant accent anglais de

Hayley. Elle louche sur la liste de noms. A. Mallins ; Harold Mallins ; L. Mallins... Oh, mon Dieu ! Le bain !

Une vapeur épaisse se répand déjà dans la chambre quand elle se précipite pour arrêter l'eau qui déborde de la baignoire.

— Oh, non, pas ça ! gémit-elle en attrapant toutes les serviettes pour éponger le sol où les vêtements qu'elle a retirés servent déjà de serpillières. Oh, c'est génial ! Absolument génial !

Elle met dix minutes à réparer les dégâts. Puis elle essore son pantalon et son pull et les met à sécher sur la barre de la douche, mais ils doivent être fichus. N'achète-t-elle pas exclusivement des vêtements avec l'étiquette *Nettoyage à sec* ?

Elle se drape dans le peignoir en éponge blanc fourni par l'hôtel et retourne dans la chambre. L'annuaire gît ouvert sur la moquette.

— Je n'ai pas le temps de me lancer dans des investigations, je repars demain. Ou mardi au plus tard, marmonne-t-elle en rouvrant le livre et en regardant les pages retomber les unes sur les autres et les colonnes de noms se confondre en une masse grise. Autant qu'elle reste jusqu'à ce que sa merveilleuse mère plaide coupable et se retrouve enfermée jusqu'à la fin de ses jours.

C, H, L, M...

Malcolm, Malia, Mallinos...

On ne tire pas sur un inconnu.

Mallins.

Qui diable est John Mallins ?

La police n'a peut-être pas besoin de la réponse, mais elle, oui.

A. Mallins ; Harrold Mallins ; L. Mallins...

Elle décroche le téléphone, compose le premier numéro, en se demandant ce qu'elle va bien pouvoir dire à A. Mallins.

Vous êtes bien chez Alan et Marcy, annonce le répondeur. *Soit nous travaillons, soit nous promenons le chien, soit nous dînons dehors...*

Amanda coupe la communication et compose le deuxième numéro.

Vous êtes bien chez les Mallins. Nous ne pouvons prendre votre appel pour le moment mais si vous nous laissez un message détaillé avec votre nom et votre numéro de téléphone, nous vous rappellerons dès que possible.

Détaillé à quel point ? s'interroge Amanda en composant le troisième numéro.

— Allô ? répond une voix jeune et masculine à la troisième sonnerie.

— Bonjour, je m'appelle Amanda Travis et je...

— Ah ah ! Je vous ai bien eu, interrompt la voix. Vous êtes chez Lenny Mallins et ceci est mon répondeur. Si vous n'avez rien de mieux à faire, laissez-moi votre nom et votre numéro après le bip.

Voilà comment on finit par tuer des inconnus !

Amanda passe au quatrième nom, écoute un quatrième message, d'abord en anglais puis dans un français haché. Elle se demande soudain si tous les Mallins ne seraient pas à une grande réunion de famille. Peut-être à la veillée mortuaire de John Mallins, songe-t-elle en passant à R. Mallins, cinquième nom de la liste.

— Allô ? répond une voix féminine dès la première sonnerie.

Amanda ne dit rien, s'attendant à un éclat de rire. *Ha ha ! Je vous ai bien eu !*

— Allô ! Oh, allez-vous faire foutre !

On a raccroché. Amanda rappelle le numéro.

Et une fois de plus, on décroche immédiatement.

— Vous avez un problème ? demande la femme en guise de bonjour.

— Madame Mallins ?

— Mademoiselle.

— Je m'appelle Amanda Travis.

— Oui ?

— Je vous appelle au sujet de John Mallins, l'homme qui a été...

— Tiens, tiens !

— Pardon ?

— Je me demandais quand vous vous décideriez à m'appeler.

— Ah bon ?

— Vous avez mis le temps.

— Oui, acquiesce Amanda, décidant que c'est ce qu'elle a de mieux à faire. Accepteriez-vous de me recevoir ?

— Bien sûr, mais vous avez intérêt à arriver vite. Je pars aux Bahamas, demain matin, et j'ai encore tous mes bagages à faire.

— Vous partez ?

— Juste une semaine. Hé, ça fait six mois que j'ai réservé et je vais pas annuler parce que vous vous réveillez seulement ! Si vous voulez me parler, faut être là avant une demi-heure !

Et une fois de plus, elle lui raccroche au nez.

Le taxi dépose Amanda devant un grand immeuble en brique qu'il est virtuellement impossible de distinguer des autres immeubles de ce quartier populaire. Amanda règle la course, descend de la voiture et jette un coup d'œil à sa montre. Elle a encore cinq minutes devant elle. Pas mal, songe-t-elle en poussant la lourde porte vitrée qui donne dans le hall où est affichée la longue liste des occupants de l'immeuble.

Il lui a fallu cinq minutes pour s'habiller, encore cinq pour se coiffer et se maquiller, quatre à rester piquée devant le téléphone en hésitant à appeler Ben, une pour composer son numéro – *Vous êtes bien chez Ben Myers. Je suis absent actuellement mais si vous me laissez votre nom et votre numéro après le bip...* – une autre minute pour lancer un chapelet d'insultes, la plupart concernant une certaine Jennifer, et cinq enfin pour engloutir son dîner arrivé juste au moment où elle partait. Heureusement, une file de taxis attendait devant l'hôtel et le chauffeur lui avait assuré qu'il pouvait la conduire à sa destination en un clin d'œil.

— Ben me tuera, murmure-t-elle à présent en composant à l'Interphone le code correspondant à R. Mallins.

— Montez, crachouille une voix dans le haut-parleur. Appartement 1710.

La porte se déverrouille avec un grésillement et Amanda traverse le vieux hall délabré en direction des ascenseurs. Il s'écoule une éternité avant qu'une cabine ne s'ouvre et une autre éternité avant que le vieil appareil bringuebalant n'atteigne le dix-septième étage. Elle a maintenant dépassé d'une minute l'heure fatidique. R. Mallins va-t-elle ouvrir sa porte ?

Je me demandais quand vous vous décideriez à m'appeler.

Qu'est-ce que ça pouvait bien vouloir dire ?

Hé, ça fait six mois que j'ai réservé et je vais pas annuler parce que vous vous réveillez seulement !

Se réveiller pour quoi ?

Mais qu'est-ce qu'elle fiche là ? Ben la tuera ! À moins que R. Mallins ne la tue avant, songe-t-elle avec un gloussement.

La porte s'ouvre. Une femme entre deux âges, petite, ronde, avec des cheveux auburn bouclés, un nez aplati couvert de taches de rousseur et un sourire engageant, se tient sur le seuil, ses mains potelées sur les hanches.

— Vous êtes seule ! lance-t-elle en tendant le cou.

Amanda envisage de s'inventer un partenaire qui l'attend en bas mais il lui suffit de croiser les yeux marron clair de Mme Mallins pour comprendre que ce serait une mauvaise idée.

— Oui. Je suis seule.

— On ne me considère toujours pas comme une priorité, à ce que je vois ! C'est bon de voir qu'y a des choses qui changent jamais. Tenez, donnez-moi votre manteau. Vous pouvez garder vos bottes si vous voulez.

Amanda s'essuie les pieds sur un reste de tapis bleu, fait glisser son manteau de ses épaules et regarde Mlle Mallins le ranger dans un minuscule espace qui sert de placard.

— Je ne suis pas sûre de comprendre.

Amanda tourne la tête vers la longue fenêtre qui occupe presque la totalité du mur du fond. En apercevant les lumières de l'immeuble en face, elle imagine des gens installés devant un bon feu, en attendant leur émission de télévision préférée.

— Bon, que voulez-vous savoir ? Vous étiez encore au berceau quand toute cette merde est arrivée.

Amanda retient son souffle.

— De... de quelle merde parlez-vous ?

La femme éclate de rire en secouant la tête.

— Quoi ? Vous ne vous parlez jamais entre vous ? Bon, d'accord, je sais qu'on est assez parano dans la police, mais...

— Je ne suis pas de la police, corrige Amanda.

— Ah bon ?

— Je suis désolée si je vous ai donné cette impression.

Mlle Mallins croise les bras sur son impressionnante poitrine.

— Mais qui diable êtes-vous donc ?

— Je m'appelle Amanda Travis.

— Oui, vous l'avez déjà dit au téléphone. Mais vous n'êtes pas de la police ?

— Non, je travaille avec le cabinet d'avocats qui représente Gwen Price, la femme...

— ... accusée d'avoir tué John Mallins.

— Oui.

— Alors ça, c'est un peu fort ! s'exclame R. Mallins avec un sourire de satisfaction. Je vous en prie, asseyez-vous, poursuit-elle en montrant le canapé rayé bleu et vert qui fait face à un fauteuil bleu marine. Voulez-vous boire quelque chose ?

Amanda pense au verre de vin rouge qu'elle a laissé intact dans sa chambre. Pourvu que la femme de chambre ne le débarrasse pas. Elle a comme l'impression qu'elle en aura besoin quand elle rentrera.

— Peut-être un verre d'eau.

— C'est parti pour un verre d'eau !

Une demi-douzaine de pas et son hôtesse gagne la petite kitchenette défraîchie. Elle ouvre le robinet, prend un verre dans le placard au-dessus de l'évier et le remplit.

Amanda remarque que la poignée d'un placard a été remplacée par un bouton rouge vif, comme un nez de clown. R. Mallins revient au salon, lui tend le verre d'une main tout en lui faisant signe de s'asseoir sur le canapé, de l'autre.

Amanda obtempère aussitôt.

— Mademoiselle Mallins...

— Et si vous m'appeliez Rachel. Elle s'assied dans le fauteuil bleu et contemple Amanda avec un large sourire qui signifie « On va bien s'amuser ».

— Rachel, répète Amanda.

— Amanda.

Un sourire rusé lui remonte les joues.

— De quelle... merde parliez-vous exactement ?

— Vous êtes mignonne ! s'esclaffe Rachel.

Amanda serre les dents, « mignonne » n'ayant jamais été un qualificatif ni un état auquel elle ait aspiré.

— Alors vous ne savez vraiment rien ?

— Pas grand-chose, admet-elle.
— Juste ce qu'il fallait pour me retrouver.
— C'était facile. Je vous ai cherchée dans l'annuaire.
— Vous m'avez cherchée dans l'annuaire !
Rachel Mallins éclate de rire une nouvelle fois. D'un rire rauque et même sympathique.
— Puis-je vous demander pourquoi ?
— J'ai interviewé Hayley Mallins, la veuve de la victime...
Amanda hésite et décide qu'au point où elle en est, autant ne rien cacher.
— Elle m'a dit que la mère de son mari venait de décéder et que son mari était venu régler sa succession et donc...
— Donc ?
Rachel se penche en avant et croise les mains, pendue à ses lèvres. Amanda remarque qu'elle ne porte aucun bijou.
— Donc, bien que Mme Mallins ait prétendu le contraire, j'ai pensé qu'il se trouvait peut-être, à Toronto, d'autres Mallins apparentés à son mari.
— Vous avez pensé ça ?
— Oui.
— Et nous sommes nombreux ?
— Pardon ?
— Dans l'annuaire.
— Oh, non. Six, seulement.
— Seulement, répète Rachel, savourant le mot. Et vous nous avez tous appelés ?
— Vous étiez la cinquième sur la liste.
— Comme j'ai de la chance ! Comme *vous* avez de la chance !
— Vous voulez dire que vous êtes apparentée à John Mallins ?
— En effet.
Amanda sent sa respiration s'arrêter.
— Ce qui veut dire ?
— Ce qui veut dire que c'était mon frère.
Amanda manque de lâcher son verre.
— Pardon ?
— Je suis la sœur de John Mallins, lui apprend Rachel tandis

que son sourire s'efface de ses lèvres. Buvez une gorgée d'eau, Amanda. Vous êtes toute pâlichonne.

Amanda boit en essayant de rassembler ses idées, de réfléchir à la question suivante.

— Je ne comprends pas, avoue-t-elle, désorientée.

— C'est normal.

— Vous voulez dire que Hayley Mallins m'a menti quand elle m'a dit que son mari n'avait aucune famille ici.

— Oh, ça, je n'en sais rien.

— Qu'est-ce que vous ne savez pas ? Si elle mentait ou si elle ignorait votre existence ? insiste Amanda.

— Je ne sais absolument rien sur cette Hayley Mallins.

— Vous voulez dire que vous ignoriez que votre frère était marié ?

— Mon frère n'a jamais été marié. Vous pouvez en être sûre.

— Je ne comprends pas, répète une fois de plus Amanda, avec l'impression de jouer les perroquets.

— Eh bien, l'homme qui a été assassiné la semaine dernière à l'hôtel Four Seasons n'était pas mon frère.

— Je ne compr...

Amanda se mord la langue, repose son verre sur la table basse et se lève lentement. Elle a du mal à contenir sa colère.

— Écoutez, je ne sais pas à quoi vous jouez, Rachel, mais je n'aime pas qu'on se moque de moi. Alors si vous n'avez rien de mieux à faire pour occuper vos soirées que de torturer les avocats, je vous conseille de vous en trouver tout de suite un...

— Allons, allons, asseyez-vous. Je pensais que ça vous intéresserait de savoir la vérité sur John Mallins.

Amanda reste debout.

— Je vous écoute.

Rachel Mallins se lève à son tour et va à la fenêtre.

— Il faut que vous sachiez que cette histoire remonte à un sacré bout de temps. À vingt-cinq ans, exactement.

Elle sourit, mais cette fois sans conviction, comme au bord des larmes.

— De quoi parlez-vous ?

— Mon frère et moi appartenions à ce qu'on appelle aujourd'hui poliment « une famille dysfonctionnelle ». Ce qui veut dire que nos parents étaient tous deux de gros buveurs, et qu'ils ne se sont guère occupés de nous. Le résultat n'a pas été brillant. À trente ans, j'avais déjà été mariée et divorcée deux fois. C'est incroyable, non ?

— Ça arrive, répond Amanda quand elle retrouve sa voix.

— Si vous le dites. Vous êtes mariée ?

— Non.

— Vous êtes trop maligne pour ça. Ça se voit. Trop prise par votre carrière pour perdre votre temps en bêtises. Moi, j'ai pas eu de carrière. Quand j'avais quatorze ans, je rêvais d'être médecin. Enfin, au moins, je suis allée jusqu'en terminale.

Rachel essaie de sourire, mais ses lèvres ne consentent qu'à esquisser une moue amère.

— Johnny a plaqué l'école le jour de ses seize ans. Il a commencé à avoir de mauvaises fréquentations, à boire, à se droguer. Les conneries habituelles. Il arrivait pas à garder un boulot. Il s'est fait arrêter une demi-douzaine de fois, mais la police a jamais pu le coincer. Enfin, quoi qu'il en soit, la dernière fois que je l'ai vu, il se vantait d'avoir rencontré un type génial qui allait le prendre sous son aile, que tout allait changer et...

— Et ?

— Et il a disparu de la circulation.

— Comment ça, il a disparu ?

— Je ne l'ai jamais revu.

— Vous n'êtes pas allée trouver la police ?

— Bien sûr que si. Mais vous croyez qu'ils l'ont cherché ? demande Rachel avant de secouer la tête. Ça les intéressait autant que de venir me parler aujourd'hui.

Amanda essaie d'assimiler ce que Rachel vient de lui dire.

— Mais pourquoi voudriez-vous que la police s'intéresse à vous si vous dites que l'homme qui a été assassiné n'est pas votre frère ?

— Parce que cet homme ne s'appelait pas John Mallins.

Amanda hoche la tête comme si tout ce qu'elle venait d'entendre était logique, et se rassoit sur le canapé, impatiente de connaître la suite.

16.

— Un petit verre ne me ferait pas de mal, annonce Rachel en plaquant ses mains sur ses hanches. Et vous ?

— Bonne idée.

Amanda la regarde repartir vers la cuisine et s'accroupir dans un craquement de genoux devant le placard, près du réfrigérateur.

— Le problème quand on est petit et gros, c'est qu'on peut pas mettre les bouteilles en hauteur, faute de pouvoir les attraper. Et on se bousille le dos à chaque fois qu'on se baisse, marmonne Rachel dans un cliquetis de bouteilles. Du vin rouge, ça vous va ?

— Parfait.

Rachel lui décoche son sourire le plus avenant tout en cherchant un tire-bouchon dans le tiroir.

— Quand je me suis installée seule pour la première fois, loin de mes parents qui, soit dit en passant, avaient tous les deux quitté le plancher des vaches, je ne voulais pas voir une seule bouteille chez moi. Une vraie sainte-nitouche. Je m'étais juré de ne jamais boire ni fumer. Et je ne fume toujours pas.

Elle débouche la bouteille d'une main experte. Amanda s'aperçoit avec surprise qu'il s'agit d'un vin excellent.

— Donc, un soir, j'avais invité à dîner un garçon que je voulais impressionner. Dieu sait à quoi je pensais, car la seule chose que je savais faire, c'était le hachis parmentier. Heureusement, il aimait ça, ajoute-t-elle en éclatant de rire et sortant deux verres à vin. Bref, ce garçon avait apporté une bouteille et on ne pouvait pas l'ouvrir parce que j'avais pas de tire-bouchon. J'ai dû aller en emprunter un aux voisins.

Elle verse le vin et secoue la tête puis traverse le salon et tend un verre à Amanda.

— Au fait, reprend-elle, je ne suis pas alcoolique au cas où vous auriez peur de vous être fait piéger par une vieille poivrote.

— Je ne suis pas inquiète, ment Amanda alors que cette pensée vient juste de lui traverser l'esprit.

— Non, je me suis solennellement juré de ne jamais devenir comme ma mère.

Amanda hoche la tête. Enfin quelque chose qu'elle comprend.

— Donc je surveille de près ma consommation d'alcool. Juste un verre de vin par-ci par-là, dans les grandes occasions. On peut dire que c'en est une, non ?

— Je ne sais pas. Que fêtons-nous exactement ?

Rachel lève son verre.

— L'homme qui se faisait appeler John Mallins a enfin eu ce qu'il méritait. Tchin !

— Tchin !

Elles trinquent. Le silence envahit la pièce.

— Pourquoi dites-vous qu'il a eu ce qu'il méritait ? reprend Amanda.

— Parce qu'il est évident que ce salaud a tué mon frère.

Amanda ne voit pas en quoi c'est évident. Elle boit plusieurs gorgées avant de formuler la question à voix haute.

— Je vous ai dit que la veille de la disparition de mon frère, il m'avait annoncé qu'il avait rencontré un type qui allait changer sa vie. Eh bien, je suis sûre que ce type l'a tué. Et maintenant, vingt-cinq ans après, votre cliente l'a tuée à son tour.

Amanda essaie de suivre sa logique tortueuse.

— C'est un peu tiré par les cheveux.

— Pourquoi ? Vous ne trouvez pas louche que, vingt-cinq ans après la disparition de mon frère, un homme qui se fait appeler John Mallins, de l'âge que mon frère aurait aujourd'hui et qui lui ressemble un peu, surgisse brusquement dans la ville où il habitait ? Vous ne trouvez pas ça bizarre ?

— Il s'agit peut-être d'une coïncidence.

— Une coïncidence, mon cul ! Ce type a tué mon frère et usurpé son identité.

— Oh ! Attendez une minute ! Le simple fait que cet homme porte le même nom ne signifie pas qu'il l'a tué. Vous ne pensez pas qu'il pourrait y avoir plusieurs John Mallins ?

— Non. Vous avez vu l'annuaire. Il y en a à peine six dans une ville de trois millions d'habitants.

— Ça n'empêche pas qu'il puisse y avoir d'autres John Mallins ailleurs dans le monde. Le John Mallins qui a été abattu était originaire d'une petite ville d'Angleterre, au nord de Nottingham, précise Amanda, en se souvenant de la leçon de géographie que lui a donnée la veuve de la victime, un peu plus tôt.

— Et il est revenu régler la succession de sa mère, c'est bien ça ?

— Oui.

— Combien vous pariez que vous ne trouverez personne du nom de Mallins dans la rubrique nécrologique des dernières semaines ? Bon Dieu, vous pouvez même vérifier toute l'année pendant que vous y êtes !

— Même si c'est le cas, qu'est-ce que ça prouve ?

Rachel lève les mains au ciel et manque de renverser son verre.

— Merde, vous êtes toujours aussi entêtée...

— Bon sang, si vous pensez en toute sincérité que John Mallins est non seulement un imposteur mais aussi un assassin, pourquoi n'êtes-vous pas allée trouver la police ?

— Pour leur dire quoi exactement ?

— Ce que vous venez de me raconter.

Rachel secoue la tête.

— Les policiers sont encore plus entêtés que vous. Je suis allée voir ces salauds, il y a vingt-cinq ans, quand John a disparu. Je les ai suppliés de le rechercher, et vous savez ce qu'ils m'ont répondu ? « Ne vous inquiétez pas. Il reviendra. La mauvaise graine, ça revient toujours. »

Elle boit une longue gorgée de vin avant de reprendre :

— Ils n'ont pas voulu m'aider à l'époque, pourquoi m'aideraient-ils aujourd'hui ? Et ça ne me rendra pas Johnny. C'est trop tard.

Amanda finit son verre, en accepte un autre.

— Ne serait-ce pas possible, je dis bien possible, que l'homme abattu ait été votre frère ? Vous l'avez dit vous-même, vingt-cinq années se sont écoulées. On change énormément en un quart de siècle. On vieillit, on s'épaissit, la moustache transforme un visage.

— Il n'aurait pas disparu de la circulation sans raison.

— Peut-être en avait-il une. Vous disiez que c'était un bon à rien. Et s'il avait dû quitter la ville en catastrophe ? Et qu'il ait ensuite décidé de repartir de zéro. Et préféré ne rien vous dire. Il pourrait s'être installé ensuite en Angleterre, où il a ouvert un petit commerce, s'est marié, a eu des enfants...

— Impossible !

— Comment pouvez-vous en être aussi certaine ?

— Parce que mon frère était homosexuel ! lâche Rachel en se servant un deuxième verre de vin. Et je vous en prie, ne me racontez pas qu'il y a beaucoup d'homos qui se marient et ont des enfants, je le sais déjà. Tout comme je sais que l'homme que votre cliente a abattu n'était pas mon frère.

— Alors c'est un autre John Mallins.

Amanda sent soudain sa tête tourner. Pas étonnant, songe-t-elle en posant son verre par terre, nous tournons en rond.

Long silence.

— Combien vous pariez que la date de naissance qui figure sur son passeport est le 14 juillet ?

Amanda reste muette. Elle a le vague pressentiment que si elle relève ce pari, elle le perdra.

— Écoutez, vous dites que vous représentez la femme qui a abattu ce salaud. Pourquoi ne pas lui demander sur qui elle croyait tirer à bout portant ?

Et vous me trouvez têtue ? a envie de crier Amanda.

— Pour en revenir à ce type que votre frère a rencontré. Il n'a jamais mentionné son nom ?

— Il l'appelait Turk. Mais ce n'était qu'un surnom, j'ai cru comprendre.

— Je déteste les surnoms, marmonne Amanda.

— Moi aussi. En revanche, j'adore le vin. Je vous ressers ?

Amanda ramasse son verre vide et le lui tend.

— Merci, dit-elle avant de boire plusieurs petites gorgées rapides. Je vais vous laisser faire vos bagages.

— Oh, je ne vais nulle part. J'ai juste raconté ça pour que vous vous magniez le train.

Rachel se dirige vers le placard de l'entrée et en sort le manteau d'Amanda.

— Vous n'avez pas froid avec ça ? Il me paraît un peu léger.

Amanda l'enfile en pensant que cet adjectif pourrait assez bien définir sa vie, en ce moment.

— Non, ça va. Merci encore pour le vin, dit-elle en s'éloignant dans le couloir.

— Amanda ! lance Rachel alors qu'elle arrive devant les ascenseurs. Vous me direz si j'avais raison pour le 14 juillet, d'accord ?

La porte d'une cabine s'ouvre et Amanda disparaît à l'intérieur.

Son retour à l'hôtel lui réserve deux satisfactions. Un, la femme de chambre a complètement nettoyé la salle de bains, changé les serviettes et rangé la chambre. Deux, son verre de vin est toujours là.

Elle boit la seconde en admirant la première et hésite à appeler Ben. Il ne sera pas content quand elle lui racontera sa dernière escapade. *Tu as fait quoi ?* l'entend-elle déjà hurler. *Tu as fait quoi ?* Elle avait déjà mal agi en allant voir Hayley Mallins sans sa permission, mais son dernier exploit, aller seule interviewer une femme qui n'était sans doute qu'une alcoolique, battait tous les records. Avait-elle perdu la raison ? Elle aurait pu se faire tuer, bon sang ! Ne lui avait-il pas dit de dîner dans sa chambre, de prendre un bon bain et de se coucher ?

— J'ai essayé, murmure-t-elle en finissant son vin.

Elle s'assied sur le rebord de la baignoire pour ouvrir le robinet d'eau chaude. Elle retire son pull en gloussant et retourne dans la chambre d'un pas chancelant. Bientôt elle est nue, debout devant le téléphone. Et aussi assez éméchée, reconnaît-elle.

Vous êtes bien chez Ben Myers. Je suis absent actuellement mais si vous me laissez votre nom et votre numéro après le bip, je vous rappellerai dès que possible. Merci. N'oubliez pas d'attendre le bip !

C'est bien Ben d'imaginer qu'elle ne sait pas comment fonctionne un répondeur.

— Eh bien, bonjour Ben Myers, commence-t-elle sans attendre le signal et avant d'éclater de rire. Eh bien, bonjour Ben Myers, reprend-elle une fois que le bip a enfin retenti. J'appelle... Pourquoi j'appelle déjà ? Ah oui, je voulais m'excuser parce que j'ai été vilaine. Je n'ai pas fait ce que tu m'avais dit. J'ai oublié ce que c'était, mais c'est pas grave. Avec un peu de chance, je le retrouverai avant que tu me rappelles. Tu as entendu ? Rappelle-moi. C'est important.

Elle rit en entendant le bip la couper au milieu du dernier mot. Quel malpoli ! bredouille-t-elle en raccrochant. M'a même pas laissé le temps de lui dire de transmettre mes amitiés à Jennifer. Transmets mes amitiés à Jennifer ! crie-t-elle en direction du téléphone et, au même moment, elle entend un clapotis dans la salle de bains. Oh, non !

Elle court en titubant jusqu'à la baignoire et n'a que le temps de plonger la main dans l'eau bouillante et d'arracher la bonde pour empêcher l'eau de déborder une nouvelle fois.

— Merde ! C'est chaud !

Elle agite son bras rougi jusqu'au coude, afin d'atténuer la sensation de brûlure, puis attend que le niveau ait assez baissé pour refermer la bonde et rajouter de l'eau froide.

— J'en connais une qui a trop bu, marmonne-t-elle en montant dans la baignoire, tandis qu'une petite voix lui chuchote que cela lui arrive un peu trop souvent ces derniers temps. C'était une grande occasion, se défend-elle, se remémorant les paroles de Rachel. *L'homme qui se faisait appeler John Mallins a enfin eu ce qu'il méritait.*

L'homme qui se faisait appeler John Mallins, répète-t-elle en silence et elle attrape le savon et se le passe distraitement sur la poitrine avant de s'apercevoir qu'elle a oublié de le sortir de son emballage. Elle éclate d'un rire de plus en plus aigu, déchire le papier et le regarde flotter à la surface de l'eau tandis que le savon coule au fond. Et si Rachel avait dit la vérité ? Et si l'homme abattu par sa mère était un imposteur qui avait tué le véritable John Mallins afin de lui voler son identité ?

Qu'est-ce que ça change ? Peu importe que l'homme abattu par sa mère s'appelle John Mallins ou Tartempion. Dans les deux cas, il est mort ! décrète Amanda avant de récupérer le savon et de se le passer n'importe comment sur le corps.

Sauf que si ce n'était pas John Mallins, qui était-ce ?

Et répondre à cette question ne risquait-il pas de soulever une foule d'autres interrogations ?

Comme pourquoi sa mère l'avait-elle abattu, par exemple.

Il se faisait appeler Turk. Mais ce n'était qu'un surnom, j'ai cru comprendre.

— Je déteste les surnoms, chuchote Amanda dans le gant de toilette qu'elle se plaque sur le visage.

L'éponge mouillée se colle à sa bouche et ses narines comme un masque mortuaire.

Ma poupée, entend-elle crier. *Ma poupée. Ma poupée.*

Amanda arrache le gant de son visage, se relève péniblement et sort de la baignoire. Elle se dirige vers le téléphone de la chambre en laissant derrière elle une traînée d'eau.

— Le Metro Convention Hotel, demande-t-elle à l'opératrice. Jerrod Sugar, dit-elle, ensuite à la réceptionniste.

Il décroche à la seconde sonnerie.

— Jerrod Sugar, ici, Amanda Travis. Votre jour de chance est arrivé.

Elle est réveillée à deux heures du matin par des coups à sa porte.

Elle croit d'abord que le bruit fait partie de son rêve : elle est seule au milieu d'une vieille barque qui s'enfonce dans la mer. Tandis qu'elle écope frénétiquement, elle voit les requins tourner autour de l'embarcation, l'un d'eux disparaît sous la coque fragile et cogne contre le fond. Une fois. Deux fois...

Amanda s'assoit dans son lit. Elle regarde le réveil sur la table de nuit. Qui diable peut frapper à deux heures du matin ? Y aurait-il le feu ? N'aurait-elle pas entendu l'alarme dans son sommeil ?

Elle sort du lit, s'enroule dans son peignoir et s'approche de la porte. Chaque pas résonne douloureusement dans sa tête. Elle met la chaîne de sécurité et entrebâille le battant.

— Qu'est-ce que c'est ? demande-t-elle d'une voix enrouée.

— Amanda, bon sang, qu'est-ce qu'il se passe ?

— Ben ? s'étonne-t-elle tout en détachant la chaîne et sortant dans le couloir. Qu'est-ce que tu fais là ? Il est arrivé quelque chose ?

— C'est à toi de me le dire.

Amanda le dévisage. Il porte un jean et un gros pull en laine irlandais, ses cheveux en bataille sont saupoudrés de neige, et son visage accuse un mélange d'épuisement et d'angoisse. Plus autre chose. De la colère, s'aperçoit-elle, et elle agrippe la poignée de la porte derrière elle.

— C'était quoi ce message que tu as laissé sur mon répondeur ?

— Quel message...

— Tu ne te souviens pas ?

Amanda fait un effort pour rassembler ses idées.

— Je ne me rappelle pas exactement ce que j'ai dit. Tu me réveilles...

— Tu as bu ?

— Non, je dormais profondément.

— J'ai travaillé toute la soirée sur l'affaire que je défends demain matin. Je tombe de fatigue. J'allais me mettre au lit quand j'ai décidé d'écouter mon répondeur...

— Tu n'es pas sorti avec Jennifer ?

— Et tu avais l'air si... comment dire...

— Si quoi ?

— Si désespérée, finit-il par lâcher et elle recule, comme giflée par ce mot. Tu m'as fichu la trouille de ma vie.

— Je t'assure que je vais très bien.

— Bon, écoute, là n'est pas la question...

Amanda sent des larmes inattendues lui monter aux yeux. Elle baisse la tête, contemple ses orteils et lutte pour contrôler sa voix.

— Je suis désolée de t'avoir fait peur. Ce n'était pas mon intention. Je suis sincèrement navrée. Tu ferais mieux de rentrer vite te coucher, je te verrai demain matin.

Ben repousse la mèche qui lui tombe sur le front et ferme les yeux d'exaspération.

— Tu es sûre que ça va ?

— Oui, très bien.

— Pourquoi m'as-tu appelé ?

— Quoi ?

— Tu as dit que c'était important.

— Ça pouvait attendre demain.

— Tu as dit que tu avais été vilaine, Dieu seul sait ce que ça peut signifier ! Et que tu n'avais pas fait ce que je t'avais dit. Mais qu'as-tu fait exactement ?

Amanda jette un regard par-dessus son épaule vers sa chambre et ce simple mouvement accroît le douloureux martèlement dans sa tête. Qu'est-ce qui m'arrive ? Qu'ai-je encore fait ?

— Allons parler de ça à l'intérieur, continue Ben. On ne va pas se disputer dans le hall.

— Non. Vraiment. Je pense que tu ferais mieux de rentrer, proteste Amanda mais Ben pousse déjà sa porte et appuie sur l'interrupteur avant qu'elle ait pu l'arrêter.

— Qu'as-tu encore fait, Amanda ? demande Ben alors que la chambre s'illumine.

Un frémissement. Un bruissement de draps qui se froissent. Une silhouette fantomatique qui s'assoit au milieu du lit, pâle et hagarde.

— Seigneur ! s'exclame Jerrod Sugar, en s'abritant les yeux de cette lumière intempestive. Qu'est-ce que c'est ?

Amanda voit deux taches rouges apparaître sur les joues de Ben tandis qu'il crispe les mâchoires et serre les poings.

— B-bon. Très bien. D'accord, bredouille-t-il en se balançant maladroitement d'un pied sur l'autre. Désolé de vous avoir dérangés. Je me suis trompé.

Il éteint les lumières, ressort de la chambre et claque la porte derrière lui.

Amanda ne bouge pas.

— Qu'est-ce que c'est ? répète Jerrod Sugar.

Amanda reste immobile quelques secondes, puis regrimpe

dans le lit. Le claquement de la porte résonne dans sa tête comme un coup de fouet.

— Rien.

Elle remonte les couvertures sur ses oreilles pour ne plus rien entendre et ferme les yeux.

17.

Le tribunal de Toronto, connu sous le nom de nouveau tribunal, bien qu'il ait plus de trente ans, se situe au coin de University Avenue et Armory Street. On l'appelle le nouveau tribunal pour le distinguer de l'ancien, situé dans l'ancien hôtel de ville, à l'intersection de Bay Street et Queen Street. Le nouvel hôtel de ville, dont la construction fut achevée en 1965, se trouve juste de l'autre côté de la rue et consiste en deux imposants bâtiments de granit gris en forme de croissant, tournés l'un vers l'autre. Il s'enorgueillit d'une sculpture extérieure, fort controversée, de Henry Moore, qui ressemble à un poulet de bronze décapité, et d'une immense patinoire publique où les sportifs s'exhibent dès onze heures du matin.

Amanda se souvient soudain de ces détails lorsque le taxi la dépose à la mauvaise adresse.

— Vous m'avez dit le nouvel hôtel de ville, soutient le chauffeur avec un fort accent anglais.

— J'ai dit le nouveau tribunal.

— Le tribunal se trouve dans l'ancien hôtel de ville.

— Non, celui-là c'est l'ancien tribunal. Je voulais aller au nouveau.

— C'est pas là.

Le chauffeur fait un demi-tour totalement illégal sur Bay Street et repart dans la direction d'où ils sont venus.

C'est ma faute, songe Amanda, en appuyant sa tête toujours douloureuse contre la vitre sale, le regard perdu sur le défilé monotone des immeubles sous le ciel gris. J'aurais dû faire plus attention. Et pas que pour ça, ajoute-t-elle tristement, au souvenir de la débâcle de la nuit précédente.

— Comment ai-je pu me fourrer dans un pétrin pareil ?

— Quelque chose ne va pas, madame ? s'inquiète le chauffeur.

Elle le voit plisser ses yeux noirs dans le rétroviseur, comme s'il craignait qu'elle ne change encore d'avis.

Eh bien, ma mère est en prison, j'ai une terrible gueule de bois, j'ai couché avec un quasi-inconnu. Et mon ex-mari me prend pour une traînée. Enfin mon ancien ex-mari, corrige-t-elle en étouffant un rire. À ne pas confondre avec mon nouvel ex-mari. Enfin, qu'importe ce qu'il pense !

— Non, répond-elle au chauffeur. Tout va bien.

Elle relève les épaules et se redresse sur le siège ; le vinyle de la banquette crisse sous son manteau. Quel droit Ben a-t-il de la juger, d'abord ? N'a-t-elle pas déjà assez de problèmes comme ça ? Bon, elle était ivre. Et alors ? Elle a le droit. Tout comme elle a le droit de coucher avec qui elle veut. Même si elle n'en a pas envie.

Bon sang, Ben Myers ! Quel besoin avais-tu de venir à mon secours en pleine nuit, tel un chevalier blanc sur son fidèle destrier ?

— Je ne t'ai rien demandé ! proteste-t-elle à voix haute, et le chauffeur surpris fait un tel écart sur la gauche qu'elle manque de s'affaler sur le côté.

— Le nouveau tribunal, annonce-t-il en se garant devant le bel édifice en pierre grise.

Amanda prend quelques instants pour se stabiliser avant de descendre de la voiture.

— Qu'est-ce que je fais ici ? demande-t-elle, la bouche dans le col de son manteau.

Et comment Ben réagira-t-il en la voyant ? Mieux que la nuit dernière, espère-t-elle. Elle inspire une grande goulée d'air froid, entre dans le hall et sort de son sac la feuille de papier sur laquelle elle a noté le numéro de la salle d'audience. Salle 204. Elle franchit le détecteur de métal, emprunte l'escalator et regarde le rez-de-chaussée s'éloigner en dessous d'elle.

À l'arrivée, elle croise le chemin d'une beauté blonde et

glaciale vêtue de la longue robe noire que portent les avocats canadiens pour plaider. Serait-ce Jennifer ? s'interroge-t-elle à la vue des jambes galbées qui apparaissent sous la robe tandis que l'inconnue se dirige d'un pas assuré vers la salle 201. Est-ce vous ? Et pourquoi n'étiez-vous pas avec Ben, hier soir ? Ça m'aurait évité de culpabiliser pour Jerrod Sugar. Quoique je ne voie pas pourquoi je culpabiliserai. Je peux coucher avec qui je veux. On ne va tout de même pas m'accuser de tromper un homme qui n'est plus mon mari depuis huit ans !

Amanda voit un homme entre deux âges, prostré sur un banc dans le hall, et revoit malgré elle le regard effaré de Jerrod Sugar quand il a aperçu Ben debout au pied de son lit. Elle sent encore dans sa paume les battements fous de son cœur quand elle a plaqué sa main sur sa poitrine afin de le retenir après le départ de Ben. Mais il s'était éclipsé, prétextant qu'il était trop secoué pour pouvoir se rendormir. Et même la promesse de nouveaux ébats n'avait pu le persuader de rester. Il était désolé, avait-il protesté, en sautant dans ses vêtements, mais il avait une grosse semaine devant lui, il essaierait de l'appeler avant de quitter Toronto, ils pourraient peut-être se revoir en Floride, au revoir, c'était super, merci d'avoir pensé à moi.

Tout le plaisir était pour moi, songe Amanda, qui se dirige vers la salle d'audience tambour battant. Quoique ça n'avait pas été un plaisir. Pas vraiment. Elle essaie de se souvenir de la dernière fois où elle a aimé faire l'amour, et sursaute lorsque le visage de Ben surgit à son esprit.

— Oh, non ! Tu ne vas pas remettre ça ! peste-t-elle, en entrant dans la salle 204.

La salle d'audience moderne n'a rien d'exceptionnel. Un juge en robe trône au milieu d'un nombre impressionnant d'assesseurs à l'air blasé. Un policier assis dans le box des témoins fixe celui des jurés encore vide, sur sa gauche. Quelques spectateurs occupent les bancs de bois, derrière les avocats. La procureur adjointe, une jeune femme ingrate au teint cireux et aux cheveux en bataille, fouille avec une affectation outrée dans ses dossiers. Elle affiche un air constipé avec autant de fierté que si elle portait une rivière de diamants. Amanda secoue la tête d'un air entendu et s'assoit derrière une femme âgée qui égrène un rosaire de ses doigts tremblants. Elle tend le cou pour apercevoir Ben qui parle à voix basse à une jolie fille assise à côté de lui, au banc de la défense. Il lui tapote la main, puis s'étire, regarde machinalement derrière lui et écarquille les yeux en l'apercevant.

Que fais-tu là ? semble-t-il demander.

Puis il ramène son attention sur le devant du tribunal en entendant la procureur adjointe hausser le ton.

Elle parle d'une voix nasillarde et désagréable. Et chaque fois que ses yeux se posent sur la jolie et jeune accusée, ils se plissent de fureur contenue. Ce qu'elle dit derrière son discours hautement juridique c'est « Je vais te faire voir, toi avec tes longs cheveux de soie et ta belle petite robe sur ton petit corps parfait ! Espèce d'enfant gâtée qui croit que la vie n'est qu'une partie de plaisir ! Tu vas voir, je suis là pour te ramener à la dure réalité ».

Amanda essaie de suivre l'affaire, mais abandonne au bout de dix minutes de verbiage insupportable. Elle sursaute quand Ben se lève afin d'émettre une objection. Il est presque aussi beau dans sa robe d'avocat qu'il l'était dans son pull irlandais, constate-t-elle tandis que le juge lui accorde son objection. Que se serait-il passé entre eux si Jerrod Sugar ne s'était pas trouvé dans son lit ?

Qu'aurait-elle voulu qu'il se passe ?

Rien.

Elle avait déjà donné, non ?

En fait, elle se sent fragile parce qu'elle est de retour dans sa ville natale après une longue absence. Et le hasard a voulu qu'elle côtoie à nouveau l'homme qu'elle a aimé : les souvenirs qu'elle a refoulés remontent malgré elle. En de telles circonstances, il est normal qu'elle se sente à nouveau attirée par lui. Il devait ressentir la même chose et c'est pour cela qu'il s'était précipité à son hôtel, hier soir, alors qu'un simple coup de fil aurait suffi à le rassurer.

Elle ferme les yeux et essaie d'oublier le choc et la consternation qui se sont dessinés sur le visage de Ben à la vue de Jerrod Sugar dans son lit.

Le juge annonce une suspension de séance d'une heure pour le déjeuner. Amanda consulte sa montre et constate avec surprise qu'il est presque midi et demi. Elle se lève tandis que le juge quitte la salle d'un pas théâtral, et regarde Ben abandonner sa cliente pour aborder la procureur adjointe.

— Allons, Nancy, l'entend-elle intercéder de sa plus belle voix. Pourquoi vous acharner sur elle ? C'est une bonne petite qui a simplement eu le tort de fréquenter un mauvais garçon. C'est sa première infraction. Donnez-lui juste du travail d'intérêt général.

— Vous perdez votre temps, maître, rétorque-t-elle, les lèvres pincées.

— Un travail d'intérêt général et tout le monde y trouvera son compte.

Elle se contente de rassembler ses papiers en fronçant ses sourcils épais, et quitte la salle.

— Quelle femme charmante ! déclare Amanda, alors que l'écho des talons des lourdes chaussures de la procureur adjointe résonne dans le hall.

— Que viens-tu faire ici ? demande Ben sans la regarder.

— Ta secrétaire m'a dit que c'était là que je te trouverais.

— Maître Myers ?

La femme au rosaire s'approche, sans lâcher son chapelet.

— Est-ce que je peux emmener Selena déjeuner dehors ?

— Maman, pour l'amour du ciel, range ton chapelet.

— Oui, mais soyez là sans faute dans une heure, réplique Ben et la femme passe un bras autour des épaules de sa fille et l'entraîne hors de la salle.

— Comme ce doit être dur pour elle ! soupire Amanda en les suivant des yeux. Et toi ? Je peux t'emmener déjeuner ? hasarde-t-elle, voyant qu'il ne répond pas.

— Je n'ai pas très faim. Merci quand même.

— Ben...

— Écoute, si c'est pour hier soir, dit-il, croisant pour la première fois son regard, tu n'as pas à t'excuser. Ce que tu fais de ta vie ne concerne que toi.

— Là, je suis d'accord avec toi. Et rassure-toi, je n'avais aucune intention de m'excuser.

Il paraît surpris et même un peu désappointé.

— Que viens-tu faire ici ?

— Pourrais-tu savoir si John Mallins est né un 14 juillet ?
— Pour quoi faire ?
— Juste une intuition.
— Une intuition bizarre, même de ta part.
— C'est juste que la femme que j'ai vue hier soir m'a dit...
— Quelle femme ?

Il plisse les yeux. Y avait-il aussi une femme dans ton lit ? semblent-ils demander.

Amanda lui résume rapidement son entrevue avec Rachel Mallins, et voit défiler sur son visage la curiosité, l'incrédulité, l'admiration et la colère.

— Je t'en supplie, dis-moi que c'est une plaisanterie ! lance-t-il quand elle a terminé.

— Je sais que je n'aurais jamais dû y aller comme ça. Tu n'as pas besoin de me le dire. Mais je ne pense pas qu'elle m'ait raconté des histoires. Je me suis rendue à la Bibliothèque d'ouvrages de référence, ce matin, à la première heure, continue-t-elle, avant qu'il puisse l'interrompre. J'ai passé en revue tous les avis de décès du mois dernier, à Toronto, et je n'ai trouvé aucun Mallins.

— Pourquoi y en aurait-il ?

— Parce que Hayley Mallins m'a dit que son mari était venu à Toronto régler la succession de sa mère.

— Hayley Mallins ? Quand lui as-tu parlé ?
— Je suis allée la voir quand tu m'as déposée à l'hôtel.

Ben secoue la tête, dépassé par les événements.

— Décidément, tu as eu une soirée très active.

— Je n'avais rien prévu de tout ça. Tu peux me croire. Tout s'est en quelque sorte enchaîné.

— Qu'est-ce qui s'est enchaîné exactement ?

Amanda lui décrit sa visite à Hayley Mallins.

— Je n'en reviens pas qu'elle ait accepté de te parler.
— J'ai dû la prendre par surprise.
— On peut dire que tu as le don.

Il la dévisage quelques secondes avant d'ajouter :

— Très bien, j'accepte ton invitation à déjeuner.

Ils prennent un consommé de brocoli au café d'un hôtel voisin.

— Cette procureur adjointe a l'air d'une vraie salope à roulettes ! déclare Amanda et elle éclate de rire alors qu'un souvenir lointain lui remonte brusquement à la mémoire.

— Qu'y a-t-il de si drôle ?

Amanda secoue la tête comme pour chasser ce souvenir, mais il s'accroche.

— Quand j'étais petite, commence-t-elle malgré elle, je me souviens que ma mère traitait une voisine de salope à roulettes. Du coup, j'avais une peur bleue de cette bonne femme. Je faisais des détours incroyables pour ne pas passer devant chez elle. Imagine ! Non seulement c'était une salope, mais en plus elle était à roulettes !

Amanda rit de sa naïveté d'enfant.

— Nancy n'est pas si méchante que ça, en réalité, sourit Ben.

— Non ?

— Elle fait juste son boulot. Tu connais les procureurs.

Pas aussi bien que toi, pense Amanda qui essaie de s'imaginer sa petite amie Jennifer.

— Rien ne leur fait plus plaisir que d'enregistrer des condamnations sur leurs registres.

— Condamner pour le plaisir de condamner, plaisante Amanda. Ta cliente est coupable ?

— Juste d'être jeune et idiote. Tout le monde y trouverait son compte si on lui faisait faire cinquante heures de travail d'intérêt général plutôt que de lui infliger une peine de prison.

— Ça semble mal parti.

— Seulement parce que les pouvoirs en place sont encore plus stupides qu'elle.

— Tu crois que tu as une chance ?

— C'est gagné d'avance. Je vais les coincer sur le vice de forme. Du coup, elle sera carrément libre.

— Ah, la justice !

— Voilà ce qui arrive quand on en veut trop.

Jennifer en veut-elle trop ? songe Amanda.

— Tu sais que tu es très séduisant dans ta robe.

— Toi aussi.

La douceur de son sourire finit de dissiper la tension qui restait entre eux.

— Je suis désolé d'avoir fait irruption comme ça, hier soir. J'ai eu une réaction un peu possessive, je le crains.

— Juste un peu. De toute façon, c'est moi qui devrais te présenter des excuses.

— Je croyais que tu n'étais pas venue pour ça.

— Non. Je dis seulement que je devrais.

Il éclate de rire.

— Tu m'as pris au dépourvu. Je ne savais pas que tu connaissais encore du monde ici.

— Je ne connais personne.

— C'était quelqu'un que tu as rencontré hier soir ?

— Non, dans l'avion.

Ben avale cette dernière information avec le reste de son pain.

— Il était un peu vieux pour toi, non ?

— J'aime les hommes plus âgés.

— Je ne m'en étais pas aperçu !

— Mon second mari était plus âgé.

— Et comment était-il ?

C'est au tour d'Amanda de rire.

— Je ne sais pas. Je n'ai jamais réussi à réellement le connaître.

— Comment se fait-il ?

Amanda lève les yeux au ciel. Elle n'a aucune intention de s'engager sur ce sujet.

— Sans doute que ça ne m'intéressait pas. En fait, il était très beau. Riche. Cultivé. Et même gentil. Ça me suffisait.

— Et quand cela ne t'a-t-il plus suffi ?

— Quand il a voulu qu'on fasse un bébé.

— Tu n'aimes pas les bébés ?

— Quelle horreur ! Je voulais être son bébé à lui. Sinon, pourquoi aurais-je épousé un homme de vingt-cinq ans mon aîné ?

Elle s'arrête, contemple la salle bondée, et se demande s'il s'y trouve une autre femme qui parle de son second mari au premier.

— Tout était parfait, au début, comme d'habitude. Il m'a payé mes études de droit, m'a acheté tout ce que mon petit cœur pouvait désirer, m'a emmenée partout où j'avais envie d'aller. Il était toujours très agréable. Il était fier de m'exhiber. J'adorais ça. Et puis il a commencé à dire que maintenant que j'avais fini mes études, nous pourrions songer à fonder une famille. Et là j'ai bondi ! Une famille ! Quelle idée ! Je ne sais même pas comment on met un bébé au monde, ai-je plaisanté. Mais il était sacrément sérieux. Il voulait vraiment des enfants. Moi pas. Alors il a dit qu'il était temps que je résolve mes problèmes avec ma mère, et que tant que je ne l'aurais pas fait, je ne serais qu'une adolescente attardée. Ce à quoi j'ai rétorqué un « Va te faire foutre » d'une impressionnante maturité. Enfin, peu importe ce que nous nous sommes jeté à la figure, c'en était fini de notre mariage.

— Pourtant tu as conservé son nom.

— Quel nom voulais-tu que j'utilise ? Je n'avais jamais été heureuse en Amanda Price. Et je pouvais difficilement redevenir Amanda Myers, non ?

Elle achève sa soupe et fait signe au serveur de remplir sa tasse à café avant de reprendre :

— En outre, Sean était un homme bien. Ce n'était pas sa faute si j'avais des « problèmes ».

Amanda porte la tasse de café brûlant à ses lèvres et souffle sur le nuage de vapeur.

— Et Mlle Jennifer et toi, où en êtes-vous ? Pas de berceau à l'horizon ?

Il hausse les épaules.

— Tout est possible.

Mauvaise réponse, pense Amanda et elle plonge son couteau dans le beurre, prend un petit pain dans le panier et le tartine.

— Tu as déjà plaidé contre elle au tribunal ?

— Plusieurs fois.

— Qui l'a emporté ?

— Je crois que nous nous tenons.

— Tu veux dire qu'elle a, disons, deux coups d'avance sur toi ?

— Trois.

Ils éclatent de rire.

— C'est chouette de se retrouver, dit-il.

— Oui.

— Mais ça ne veut pas dire que je te pardonne ton coup de tête d'hier soir.

Amanda sourit, et se retient d'ajouter « si l'on peut dire » mais elle voit au pétillement dans ses yeux qu'il a eu la même idée.

— Tu crois que j'ai mis le doigt sur un indice ?

— Lequel ?

— Si seulement je le savais.

Ils rient de nouveau et avec de plus en plus d'aisance, constate Amanda.

— Peut-être que si nous récapitulions...

Ben pose sa cuillère à soupe pour l'écouter avec attention.

— Donc la semaine dernière, ma mère prend le thé au Four Seasons avec son amie Corinne Nash, quand elle aperçoit John Mallins et sa famille. D'après Corinne, elle a l'air d'avoir vu un fantôme. À l'évidence, elle a reconnu quelqu'un dans cet homme. Tu es d'accord, jusqu'ici ?

Ben hoche la tête.

— Le lendemain, elle retourne à l'hôtel, attend que John Mallins apparaisse et décharge son revolver sur lui. Donc non seulement elle le connaissait, mais elle le haïssait assez pour le tuer.

Amanda s'arrête quelques secondes afin de rassembler ses idées et de les classer dans un ordre plus ou moins cohérent.

— Maintenant, d'après Hayley Mallins, son mari serait venu à Toronto régler la succession de sa mère. Pourtant aucune rubrique nécrologique ne mentionne le nom de Mallins parmi les personnes décédées récemment, ce qui apporte un certain poids aux allégations de Rachel Mallins qui prétend que ce John Mallins était un imposteur. Un homme connu autrefois sous le nom de « Turk », et qui aurait assassiné son frère, le véritable John Mallins, il y a vingt-cinq ans, afin d'endosser son identité. Tu me suis toujours ?

— Je suis pendu à tes lèvres. Mais Hayley Mallins t'a dit que son mari avait été emmené par son père en Angleterre, à quatre ans, après le divorce de ses parents.

— C'est du moins ce qu'il lui a raconté.

— Ou c'est peut-être la vérité.

— Ce qui signifierait soit que ma mère s'est trompée, soit qu'elle est folle à lier.

— Qu'en penses-tu ?

— Il faut découvrir qui était ce « Turk ».

18.

Amanda raccompagne Ben au tribunal après le déjeuner, le regarde faire renvoyer l'affaire pour vice de forme, et éprouve un plaisir infini devant la moue de dépit de la procureur adjointe, qui ne fait que l'enlaidir davantage.

— Bravo, maître Myers ! murmure-t-elle en regardant Selena et sa mère sauter au cou de Ben pour le féliciter, avec une forte envie de les imiter.

— C'était du gâteau.

Elle sourit, et trouve son arrogance encore plus dangereusement séduisante qu'il y a dix ans.

— Et maintenant ?

— Il n'y a plus qu'à espérer qu'elle reste sur le droit chemin.

— Je parlais de nous.

Elle glousse nerveusement et s'éclaircit la voix.

— Enfin de ce qu'on fait cet après-midi.

— Eh bien, je ne sais pas ce que tu as comme projet, mais moi, je dois retourner au cabinet.

Ben jette une liasse de papiers dans sa mallette et se dirige vers l'ascenseur d'un pas vif. Elle s'élance pour le rattraper.

— Et ma mère ?

— Quoi ?

— Je croyais qu'on allait la voir.

— Impossible aujourd'hui.

— Mais elle ne doit pas passer en audience demain ?

— Nous aurons tout le temps demain matin.

Ils descendent en silence par l'escalator. Amanda s'apprête à lui demander pourquoi il est soudain si pressé, lorsqu'il lui indique un couloir sur leur gauche.

— Salle 102. Essaie d'être là à huit heures moins le quart, si tu peux.

— Attends !

Elle court pour rester à sa hauteur tandis qu'il fonce vers la sortie. Un courant d'air glacial lui fouette le visage quand il pousse la porte et elle laisse échapper un cri, autant de surprise que de douleur.

Ben s'arrête.

— Ça ne va pas ?

— Tu ne pourrais pas faire quelque chose pour le temps ?

— Qu'est-ce qui t'arrive ? Tu n'aimes pas ce petit moins quinze ?

— Pourquoi suis-je allée vivre en Floride, à ton avis ?

— Je ne sais pas. Et toi, tu le sais ?

Amanda ignore le sous-entendu.

— Je crois qu'il vaut mieux que je reste quelques jours de plus.

— C'est une bonne idée, approuve-t-il, d'une voix aussi piquante que l'air extérieur.

Sa voix d'avocat, pense-t-elle, celle qu'il réserve à ses clients.

— Et si on dînait ensemble ce soir ? propose-t-elle d'un ton qui se veut détaché, comme si cette idée venait de surgir à son esprit et soulagée que le claquement de ses dents masque le tremblement de sa voix.

— Impossible.

Et, sans dire pourquoi, il part à grandes enjambées dans University Avenue.

— Ben ! Il faut vraiment qu'on parle de ma mère, s'empresse-t-elle d'insister, comme si Gwen était la raison de son invitation.

— Mais qu'y a-t-il de plus à dire ?

Amanda l'attrape par le bras et le force à s'arrêter.

— Tu ne vas pas la laisser plaider coupable, dis-moi ?

— Bien sûr que non.

— Comment vas-tu l'en empêcher ?

— C'est juste une audience pour sa libération sous caution,

Amanda. Elle n'aura pas à annoncer la ligne de défense qu'elle choisit avant vendredi.

Amanda éprouve un sentiment proche du soulagement sans comprendre pourquoi.

— Bon, au moins, ça nous donne un peu de temps.

— En tout cas, le temps de t'acheter autre chose, si tu as l'intention de rester.

— De quoi parles-tu ?

— D'un autre manteau.

Il lui sourit et traverse la rue juste avant que le feu ne passe au rouge, et lui fait au revoir par-dessus son épaule, sans se retourner.

Amanda passe les heures suivantes à explorer les magasins du Eaton Center, une gigantesque galerie marchande de trois étages, en plein cœur de Toronto, et tombe en arrêt devant une parka noire, dans la vitrine d'une petite boutique au niveau principal. Elle entre.

— Puis-je vous aider ? propose une jeune femme avant même qu'Amanda n'ait eu le temps de faire le tour des rayons.

Son badge précise qu'elle se nomme Monica.

— Vous n'avez pas froid ? ne peut s'empêcher de lui demander Amanda en contemplant son ventre nu qui sort de son pantalon taille basse. Bien que la jeune femme n'ait que cinq ans de moins qu'elle au grand maximum, Amanda a l'impression qu'une génération les sépare. Depuis quand se sent-elle si vieille ?

Monica secoue la tête et ses boucles blondes qui balaient son visage cachent ses yeux gris.

— On meurt de chaud ici. Vous cherchez quelque chose en particulier ?

— Le manteau dans la vitrine...

— La parka noire ?

Amanda opine et suit la vendeuse à travers les portants couverts de vêtements jusqu'aux parkas doublées de polaire, au fond du magasin. Elle enlève son manteau, le laisse tomber par terre, se tourne vers Monica qui l'aide à enfiler la parka, puis s'admire dans la glace en pied, appuyée contre le mur noir.

— Vous aimez le rouge ? s'enquiert Monica.
— Le rouge ?
— Elle vous va très bien en noir, c'est évident, mais en rouge elle est fabuleuse. Vous devriez l'essayer.
— Ça ne me tente pas.
— Faites-moi confiance.
Amanda sourit. Depuis quand des cheveux blonds bouclés et un jean taille basse seraient-ils des gages de confiance ? Cependant, dans la seconde qui suit, elle échange sans hésiter la parka noire contre la rouge.
— Je le savais ! s'exclame Monica. Vous êtes superbe. Le rouge vous va à merveille.
Amanda s'examine dans le miroir, agréablement surprise par ce qu'elle voit. Envolée la pauvre petite épouse abandonnée par son ex-mari au coin d'une rue froide et ventée. Une superbe vamp en rouge l'a remplacée !
— Je la prends.
— Génial ! s'exclame Monica en applaudissant d'enthousiasme, comme une petite fille. Vous faut-il autre chose ?
— Je ne sais pas. Vous avez des idées ?
— J'ai un magnifique pull violet.
— Violet ?
— Faites-moi confiance.
Une demi-heure plus tard, Amanda regarde avec stupéfaction la jeune fille enregistrer ses différents achats. Que fera-t-elle de tous ces vêtements d'hiver en Floride ?
— Récapitulons. Un pull en mohair violet, un pull col cheminée en cachemire bleu, un pantalon bleu marine, des gants en cuir noir et, bien sûr, une fabuleuse parka rouge. Comment souhaitez-vous payer ?
Amanda sort sa carte bancaire et la lui tend.
— Cela ne vous ennuie pas que je mette la parka tout de suite ?
— Elle est à vous, répond Monica avec un sourire qui révèle deux rangées de dents parfaites. Attendez que j'enlève les étiquettes.
Elle les retire d'une main experte puis pousse la parka sur le comptoir.

— Je mets votre ancien manteau dans un sac ?
— Non, ce n'est pas la peine. Je vous le laisse.
— Pardon ?
— Donnez-le à quelqu'un qui en a besoin.
— Vous êtes sûre ?
— Certaine.
— Eh bien, c'est très gentil à vous... mademoiselle Travis, dit-elle en lisant son nom sur la carte avant d'enregistrer la vente. Vous avez acheté des articles magnifiques. Je suis sûre que vous les apprécierez.
— Merci.
Amanda enfile son nouveau manteau et se love dans sa douce chaleur. Qui a besoin de Ben Myers ? pense-t-elle en se dirigeant vers la sortie du magasin et en remontant le capuchon rouge sur sa tête.
— Excusez-moi, mademoiselle Travis ?
Amanda se retourne, en serrant les revers de sa parka, comme si elle craignait que Monica ne veuille la reprendre.
La vendeuse lui tend un livret bancaire et une petite clé.
— On dirait la clé d'un coffre, remarque-t-elle.
— Mon Dieu !
Amanda se rend compte qu'elle les avait complètement oubliés.
— Heureusement que j'ai vérifié les poches.
— Heureusement.
— Vous êtes sûre que vous laissez le manteau ?
— Oui, oui.
— Très bien. Encore merci.
— Merci à vous.
— Bonne journée.
Je ne sais pas si elle sera bonne, songe Amanda en quittant le magasin, mais elle se présente déjà nettement mieux.

Il est presque quatre heures lorsque Amanda arrive à l'adresse indiquée sur le livret, à une bonne demi-heure de taxi du centre-ville.
— Où sommes-nous ? demande-t-elle au chauffeur en remarquant que le compteur affiche déjà quatorze dollars soixante-

quinze, soit sept dollars de plus que ce qui reste sur le compte de sa mère.

Elle lui tend un billet de vingt dollars. Ce voyage commence à lui coûter cher.

— North York, réplique-t-il avec un fort accent d'Europe de l'Est.

Pourquoi sa mère a-t-elle choisi une agence de la Toronto Dominion aussi éloignée de chez elle, alors qu'il y en a à tous les coins de rue ?

— Vous devriez vous dépêcher, continue le chauffeur. Ça ferme dans deux minutes.

— Gardez la monnaie ! s'écrie-t-elle en voyant plusieurs personnes quitter l'établissement.

Elle descend de la voiture et fonce vers la porte au moment où une employée sort, un trousseau de clés à la main.

— Je ne serai pas longue, lance-t-elle à la jeune femme aux cheveux si crépus qu'ils la grandissent de plusieurs centimètres.

— Prenez votre temps, lui répond celle-ci avec l'accent chantant de la Jamaïque, avant de verrouiller la porte derrière elle.

Amanda jette un regard autour d'elle en réfléchissant à ce qu'elle doit faire. Soulagée, elle constate que l'agence est relativement grande et moderne, et qu'une demi-douzaine de clients est encore là. Que ce soit l'heure de la fermeture jouera peut-être en sa faveur. Les caissiers sont occupés à arrêter leurs comptes et à fermer leur caisse. Ils regarderont sans doute de moins près la signature qu'elle exécutera afin d'obtenir l'accès au coffre. Surtout que ce ne sera pas la première fois qu'elle imitera la signature de sa mère. Des années de lycée à falsifier les carnets de notes et les feuilles d'absence en ont fait une experte en la matière...

Voilà à présent que tu imites la signature de ta mère pour ouvrir son coffre, entend-elle chuchoter Ben d'un ton de reproche. *Tu sais que tu pourrais être radiée du barreau pour moins que ça.*

Elle retire ses gants tout neufs, s'aperçoit que ses mains tremblent tandis qu'elle s'approche des caissiers.

— J'aurais besoin d'aller à mon coffre, dit-elle à une employée qui feuillette une liasse de chèques de l'autre côté du comptoir.

— Je m'occupe de vous dans une seconde, répond celle-ci sans lever les yeux.

Parfait, songe Amanda. J'adore votre attitude. Ni sourire ni question pour savoir qui je suis. Ni salutation. Juste l'air de me faire une grande faveur en me conduisant à ce satané coffre.

L'employée pousse un soupir de découragement et passe une main lasse dans ses cheveux courts.

— Je n'y comprends rien, marmonne-t-elle.

Il n'y a pas que vous, compatit silencieusement Amanda, en se balançant d'un pied sur l'autre, bien au chaud dans sa parka douillette.

— Comment ça ? Je ne peux pas encaisser ce chèque ? s'exclame derrière elle une cliente indignée, la faisant sursauter.

— C'est un chèque hors place, madame Newton, explique la caissière. C'est le règlement de la banque.

— Je suis cliente ici depuis plus de trente ans ! Vous n'étiez même pas née !

— Oui, je suis désolée mais...

— Je veux parler au directeur !

Amanda fixe les empreintes de pas mouillés qui se croisent sur le sol dallé sombre. Ma mère est cliente depuis aussi longtemps et je ne pourrais jamais passer pour elle. Et si l'une de ces employées la connaissait de vue ? Ou qu'elle ait lu dans le journal le récit du meurtre et reconnu son nom ? Que fera-t-elle ? Me jettera-t-elle dehors ou appellera-t-elle la police ? La seule chose qui soit sacrément sûre, c'est que Ben sera furieux quand il l'apprendra !

La caissière exaspérée laisse tomber sa liasse de chèques sur le comptoir et lève la tête vers elle avec un sourire las.

— Vous voulez aller au coffre ?

Elle pousse vers Amanda une carte à signer.

Encore une chose sacrément sûre : il est trop tard pour reculer.

Amanda signe le nom de sa mère et retient son souffle pendant que l'employée compare la signature à celle qui est enregistrée.

— Par ici.

Elle fait passer Amanda de l'autre côté du comptoir et la

conduit vers l'imposante salle des coffres, au fond de la banque. Soudain, elle s'arrête et dévisage Amanda.

Amanda sent sa respiration se bloquer dans sa gorge comme si la femme l'étranglait. Dis-lui que c'est une erreur, que tu n'es plus toi-même ces derniers temps. Elle pense à John Mallins, ou à l'homme qui se faisait passer pour John Mallins, et retient un rire. Il n'était plus lui-même, lui non plus. Ça devait être contagieux.

— Oh, votre manteau ! s'écrie la caissière.

— Mon manteau ?

— Il est sublime. Je l'adore. Où l'avez-vous acheté ?

— Euh... dans une petite boutique du Eaton Center.

— Il est fabuleux. J'adore la couleur.

Elle ouvre la porte de la salle et recule afin de laisser Amanda entrer la première.

— Merci.

— Je ne peux pas porter de rouge, malheureusement. Ça ne me va pas.

Elle utilise sa clé, puis celle d'Amanda et retire une boîte métallique.

— Vous pouvez l'emporter là-bas, dit-elle en montrant une petite cabine protégée par un rideau. Enfin, vous connaissez la routine.

La longue boîte rectangulaire pèse une tonne dans les mains d'Amanda.

— Merci. Je ne serai pas longue.

— Pas de problème.

C'est ce que vous croyez. Amanda attend qu'elle soit partie avant d'entrer dans l'isoloir et de refermer le rideau de velours mauve. Elle fixe quelques secondes la boîte en acier, comme si la force de son regard pouvait lui permettre de deviner son contenu.

Allez ! Ouvre ! Qu'est-ce que tu attends ? lui souffle une petite voix.

J'attends que les flics débarquent pour m'arrêter.

Dans ce cas, autant leur donner une bonne raison de le faire !

Elle ouvre la boîte. Et recule contre le rideau, prise de vertige.

— Doux Jésus !

Elle passe les doigts sur les liasses de billets de cent dollars bien rangées. Que fait sa mère avec tout cet argent ? Il y a au moins cent mille dollars, calcule-t-elle rapidement. En liquide. Alors qu'il n'y a que sept dollars soixante-quinze sur son compte ! Qu'est-ce que c'est que ce cirque ?

Elle entend brusquement des pas et un léger toussotement derrière le rideau.

— Excusez-moi, tout va bien ? chuchote la caissière.

Amanda referme la boîte d'un coup sec, attend quelques secondes le temps de reprendre ses esprits, puis rouvre le rideau, un sourire plaqué sur ses lèvres.

— Je suis désolée, murmure l'employée. Normalement, nous n'aimons pas déranger nos clients, mais il y a longtemps que vous êtes là et...

Amanda consulte sa montre et voit avec stupeur que vingt minutes se sont écoulées.

— Je suis confuse. Je ne m'étais pas rendu compte qu'il était si tard.

— C'est juste que nous voudrions fermer.

— Je comprends.

Amanda lui tend la lourde boîte et la regarde la remettre avec précaution dans son casier, tout en priant le ciel de ne pas s'évanouir ici.

— Vouliez-vous réaliser une autre opération aujourd'hui ? demande la caissière en la raccompagnant vers le centre de la banque.

— Non. Ça suffira pour cet après-midi, répond Amanda qui marche dans un brouillard.

La jeune femme avec les clés la reconduit vers la sortie.

— Joli manteau, répète-t-elle en ouvrant le verrou.

Amanda attend de l'entendre refermer la porte dans son dos avant de s'asseoir au bord du trottoir et d'enfouir son visage entre ses mains.

— Comment ça, je dois partir demain ?

— En principe, vous auriez même dû libérer votre chambre ce matin, explique le jeune réceptionniste du Four Seasons, avec un sourire empreint de patience.

— Mais j'ai décidé de rester jusqu'au week-end.

— J'aimerais sincèrement pouvoir vous aider, croyez-moi, mais d'après nos registres, vous n'aviez réservé que jusqu'à hier soir. Nous pouvons encore vous loger cette nuit, malheureusement, je crains que nous ne soyons complets demain.

— Vous n'avez vraiment plus rien ?

— Hélas, non. Mais je peux me renseigner dans les hôtels des environs...

— Non, ça ira. Je vous remercie.

Les idées se bousculent dans sa tête tandis qu'elle regagne l'ascenseur. Sa mère possède cent mille dollars en coupures de cent dollars qui dorment dans un coffre à l'autre bout de la ville ; elle devrait appeler Ben pour lui parler de sa découverte ; et aussi prévenir son cabinet qu'elle ne reviendra pas avant la semaine prochaine ; sa mère possède cent mille dollars en coupures de cent dollars qui dorment dans un coffre à l'autre bout de la ville ; elle doit trouver un autre hôtel ; son nouveau manteau est merveilleusement chaud ; à partir d'aujourd'hui, le rouge sera sa couleur préférée, c'est décidé ; sa mère possède cent mille dollars en coupures de cent dollars qui dorment dans un coffre à l'autre bout de la ville...

19.

Amanda arrive au tribunal à sept heures quarante-cinq précises, le lendemain matin. Il y a déjà foule dans les couloirs : des avocats aux costumes mal coupés, la mine harassée, qui courent d'un bout à l'autre du hall, s'arrêtent pour bavarder en vitesse avec des confrères ou conférer avec des clients ; des policiers en uniforme qui forment des petits groupes de couleur bleue jettent des regards suspicieux aux jeunes vêtus de baggy qui passent en traînant les pieds ; des parents nerveux qui attendent sur les bancs de bois, les larmes aux yeux, en tentant de se rassurer mutuellement.

Amanda sent tous les yeux braqués sur elle tandis qu'elle arpente le hall à la recherche de Ben. Je détonne... comme une tomate bien mûre, constate-t-elle en baissant la fermeture Éclair de sa parka et en remontant son sac de voyage sur son épaule. Elle aperçoit un banc vide, s'assoit, pose son sac par terre et ferme les yeux. Elle n'a pas bien dormi la nuit dernière, ce qui n'a rien de surprenant avec tout ce qui la préoccupe. Après avoir tenté de se convaincre que c'était normal que son excentrique de mère ait tant d'argent caché dans un coffre, à l'autre bout de la ville, elle avait dû reconnaître qu'il y avait une sacrée nuance entre excentrique et cinglée. Et il fallait qu'elle soit définitivement cinglée pour avoir caché tout cet argent. D'ailleurs que faisait-elle avec cent mille dollars ? Et quel rapport pouvait-elle bien avoir avec John Mallins ? Si c'était John Mallins... Et sinon, qui diable était-il ? Et cela avait-il de l'importance, alors qu'Amanda ne savait même pas où elle allait dormir ce soir ?

Qu'est-ce qu'elle fiche là ? Elle soupire dans le col de sa nouvelle parka, au souvenir du billet d'avion qu'elle a annulé à la première heure ce matin, et du frisson de plaisir presque audible dans la voix de sa secrétaire quand elle l'a prévenue qu'elle ne reviendrait pas au cabinet avant la semaine prochaine.

— Qu'est-ce que ça vous a fait de le revoir, après tout ce temps ? avait demandé Kelly d'un ton conspirateur.

— De qui parlez-vous ? avait-elle sèchement répondu, dans l'espoir que cela suffirait à faire taire sa curiosité.

— Ben Myers, avait insisté sans vergogne la jeune femme.

— Ça m'a fait bizarre.

Mais au moment même où elle prononçait ce mot, Amanda savait que ce n'était pas le bon. Si, en effet, la situation dans laquelle ils se retrouvaient, Ben et elle, pouvait être qualifiée de bizarre, revoir Ben et passer à nouveau du temps en sa compagnie lui semblait plus que naturel. Leur malaise initial avait laissé place à une relation confortable, d'abord parce qu'ils se connaissaient parfaitement, et ensuite parce qu'ils se respectaient mutuellement, qu'ils le veuillent ou non. En deux mots, elle se sentait bien avec lui.

— Je rentrerai ce week-end, avait-elle ajouté en repoussant cette idée quelque peu dérangeante d'un geste de la main.

Qu'est-ce qui me prend ? se demande-t-elle à présent en rouvrant les yeux, car elle a entendu des pas approcher. Elle les referme en voyant un inconnu se laisser tomber sur le banc à côté d'elle. Qu'est-ce qui me prend d'être obsédée par un mari que j'ai plaqué il y a huit ans ? Lui ne doit pas perdre son temps à penser à moi. Ça, c'est sûr ! Il a son cabinet, sa clientèle et sa Jennifer. *Pas ce soir*, avait-il répondu à son invitation à dîner, sans se donner la peine de s'expliquer. Et pourtant, il la regardait d'une drôle de façon...

— Ah, non ! Tu ne vas pas recommencer !

— Pardon ? sursaute l'homme assis à côté d'elle. Vous m'avez parlé ?

— Quoi ? Oh, non. Excusez-moi.

Il hoche la tête nerveusement. Quelques secondes plus tard,

ils sont rejoints sur le banc par une femme vêtue d'une énorme veste en duvet qui se glisse entre eux.

— Joli manteau, dit-elle à Amanda.

Amanda la remercie d'un sourire, puis consulte sa montre. Il est déjà huit heures moins cinq et Ben n'est toujours pas là. Elle aurait dû l'appeler à son retour à l'hôtel, hier soir, pour lui raconter son expédition à la banque et sa surprenante découverte. Pourquoi ne l'a-t-elle pas fait ? Parce qu'elle savait qu'il serait furieux ? Parce qu'elle avait omis de lui parler de la clé du coffre ? Parce qu'elle s'était rendue à la banque sans lui ? Parce qu'elle avait imité la signature de sa mère et ouvert son coffre en se faisant passer pour elle ? Parce qu'elle craignait d'entendre de la désapprobation dans sa voix ?

Ou parce qu'elle avait peur de ne pas entendre sa voix du tout ?

Car il avait des projets, hier soir. Des projets qui ne la concernaient pas.

Était-ce pour cette raison qu'elle n'avait pas appelé ?

— Qu'est-ce que tu fais avec ce sac ?

Elle rouvre les yeux et voit Ben, vêtu d'un manteau gris anthracite sur un costume bleu marine, qui contemple le sac de voyage à ses pieds.

— Je croyais que tu avais décidé de rester jusqu'à la fin de la semaine.

Amanda se lève d'un bond.

— L'hôtel m'a fichue dehors. Tu es en retard.

— Désolé, répond-il sans s'expliquer. C'est un nouveau manteau ?

— Il te plaît ?

— Superbe couleur, lance-t-il en attrapant son sac avant de la prendre par le coude et l'entraîner. Ta mère est dans une cellule en bas. Ils devraient l'amener par cet escalier dans quelques minutes, ajoute-t-il en montrant des portes au fond du hall.

— J'ai quelque chose à te dire avant, commence Amanda alors qu'un homme entre deux âges les croise en bougonnant.

— Sam ! lui lance Ben. Tout va bien ?

L'homme pivote sur lui-même.

— Mon honorable client a pété les plombs hier soir, déclare-t-il en continuant à s'éloigner à reculons. Et il a à moitié étranglé le pauvre bougre qui partage sa cellule. Les conneries habituelles. Et toi ?

— Les conneries habituelles, réplique Ben en se tournant vers Amanda.

— Eh bien, c'est flatteur ! s'exclame-t-elle.

Il sourit, les yeux plissés.

— Tu disais ?

Amanda hésite.

— As-tu une idée de l'endroit où je pourrais dormir dans les jours qui viennent ? J'ai déjà appelé plusieurs hôtels. Ils sont tous complets.

— Je ne vois pas où est le problème.

— Ah bon ?

— La solution est évidente.

— Ah bon ?

J'ai toujours eu du mal à voir les évidences, songe-t-elle, prenant cette allusion pour une invitation implicite à venir chez lui, et se demandant aussitôt si c'est une bonne idée. Elle ne veut pas se lancer dans une histoire à laquelle elle n'a aucune intention de donner suite. Certes, une aventure ne lui déplairait pas, mais Ben n'est pas homme à s'en contenter, il l'a déjà prouvé.

— Tu as déjà la clé, ajoute-t-il, interrompant le flot de ses réflexions.

— Quoi ? Comment le sais-tu ?

— Comment ça ? J'étais là quand elle te l'a donnée.

— De qui parles-tu ?

— De Corinne Nash.

— Corinne Nash ?

— Amanda, tu es sûre que ça va ?

— Tu parles de la clé de la maison de ma mère ! s'écrie-t-elle, comprenant enfin où il veut en venir.

— De quelle clé veux-tu que je parle ?

— Je ne peux pas habiter là-bas.

Il l'attrape par le coude et l'arrête au milieu du hall.

— De quelle autre clé croyais-tu que je parlais ?

— J'ai trouvé la clé de son coffre.

— Quoi ? Où ça ?

— Dans une boîte à chaussures, au fond de son placard.

La confusion, puis la compréhension et de nouveau la confusion se lisent sur le visage de Ben.

— Et tu ne m'en as pas parlé parce que...

— Parce que je l'ai mise dans ma poche et je l'ai complètement oubliée.

Ce qui n'est pas tout à fait un mensonge. Elle l'avait bien mise dans sa poche. Et elle l'avait bien oubliée.

— Pourquoi ai-je le pressentiment que l'histoire ne s'arrête pas là ?

— Parce que je suis allée à la banque hier et j'ai ouvert le coffre.

— Tu plaisantes, j'espère ?

— Et tu ne croiras jamais ce que j'ai découvert.

— Je n'arrive déjà pas à croire que tu aies pu faire une bêtise pareille !

— J'ai découvert de l'argent, Ben.

— Tu as enfreint la loi, Amanda.

— Cent mille dollars, Ben.

— Quoi ?

— Cent mille dollars en coupures de cent dollars. D'où peuvent-ils sortir, à ton avis ?

Ben secoue la tête.

— Je n'en ai pas la moindre idée.

— Ah, la voilà !

Amanda indique du menton sa mère qui apparaît en haut des marches avec un groupe de détenues, toutes vêtues de l'horrible survêtement vert gansé de rose vif. La policière qui les accompagne les débarrasse avec prudence de leurs menottes.

— Non, mais je rêve, elle sourit ! murmure Amanda.

— Elle est riche, plaisante Ben en lui faisant franchir les portes à glaces biseautées qui mènent à la salle où l'on fait attendre les prisonnières.

— Ben Myers, annonce-t-il à la policière en lui tendant sa pièce d'identité. Je suis l'avocat de Gwen Price. Voici Amanda Travis. Nous aimerions rester quelques minutes en privé avec notre cliente.

Ce qui n'est pas tout à fait un mensonge, pense une fois de

plus Amanda, tandis que la policière les conduit vers un endroit à l'écart, où elle pourra néanmoins les surveiller. Ben est bien l'avocat de Gwen Price. Elle est bien Amanda Travis.

— Tu es ravissante, lui dit sa mère dont le visage s'est nettement éclairé en la voyant. Cette couleur te va merveilleusement bien.

Amanda ouvre la bouche pour répondre mais aucun mot n'en sort.

— Comment allez-vous, aujourd'hui, madame Price ? s'enquiert Ben.

Gwen Price se frotte les poignets, encore rouges de la marque des menottes.

— Je vais bien, merci, Ben. Heureusement que je ne suis pas claustrophobe. Déjà qu'on étouffe dans leur maudit fourgon capitonné, en plus on était affreusement serrées. Il y a quelque chose qui te tracasse, ma chérie ? demande-t-elle à Amanda.

— Moi ? Qu'est-ce qui pourrait me tracasser ?

La voix d'Amanda trahit son incrédulité. Elle pense au vieux film *L'Invasion des profanateurs*, où des extraterrestres prennent possession du corps des gens pendant leur sommeil. Trop tard, dit-elle silencieusement à l'extraterrestre qui la regarde à travers les yeux de sa mère. Tu arrives trop tard.

— Nous aimerions passer plusieurs choses en revue, madame Price.

— Je n'ai vraiment rien à dire de plus, Ben. Je veux juste plaider coupable.

— Il ne s'agit que de l'audience pour votre libération sous caution. Nous sommes là pour essayer de vous sortir de prison, au moins jusqu'au procès.

— Mais il n'y aura pas de procès. J'ai l'intention de plaider coupable.

— Ce qui fait partie des sujets dont nous voudrions discuter.

— Non, c'est inutile.

— Maman ! intervient Amanda.

— Oui, ma chérie.

Ma chérie ? Qui est cette femme ?

— Que fais-tu avec cent mille dollars, dans un coffre, à North York ?

Le teint de sa mère vire au gris.
— Quoi ?
— J'ai trouvé l'argent, maman.
— Je ne vois vraiment pas de quoi tu parles.
— Je ne te crois pas.
— Ça, je m'en fiche complètement.

Enfin ! Voilà la femme que j'ai toujours détestée, songe Amanda.

— J'ai trouvé la clé dans la boîte à chaussures au fond de ton placard. C'est d'ailleurs la même boîte que celle dans laquelle j'avais...
— Qui t'a permis de fouiller dans mes affaires ?
— Qu'est-ce que tu fais avec tout cet argent ?

Pour toute réponse, sa mère se tourne vers la fenêtre au fond du hall, et fait bouffer ses cheveux sur sa nuque.

— Qu'est-ce que cet argent fait caché au fond d'un coffre, à l'autre bout de la ville ?

Amanda sent Ben lui presser l'épaule afin de l'inciter à parler moins fort.

— J'ai le droit de mettre mon argent où bon me semble.
— Et que fera la police quand elle le découvrira, à ton avis, maman ?
— Ça ne les regarde pas plus que toi.
— Où l'as-tu trouvé ?
— Qu'est-ce que ça peut faire ?
— Cet argent a-t-il un rapport quelconque avec la raison pour laquelle tu as tué John Mallins ?

Sa mère ignore sa question et s'adresse à Ben.

— Ben, vous ne croyez pas qu'il faudrait y aller ?
— Quelqu'un t'a-t-il payée pour tuer cet homme ?

La question choque Amanda autant qu'elle semble choquer sa mère. L'imagine-t-elle sérieusement en tueur à gages ?

— Bien sûr que non, s'esclaffe Gwen Price. C'est ridicule.
— Moins ridicule que d'abattre un homme sans raison.
— Personne ne m'a payée.
— Alors d'où sort cet argent ?

Sa mère se contente de soupirer.

Amanda lève les yeux au ciel et écarte les bras en signe d'impuissance.

— Tu es incroyable !

— Et tu te mets dans tous tes états pour rien. Je vous en prie, si on y allait, qu'on en finisse.

— On nous appellera quand le moment sera venu, dit Ben.

— Qui est Turk, maman ?

De gris, le teint de sa mère vire au livide, comme si elle avait été brusquement vidée de son sang. Elle écarquille les yeux, ouvre la bouche et vacille. Elle essaie de parler, mais aucun son ne sort.

— Qui est-ce, maman ?

Le regard de sa mère se raffermit. Elle prend une profonde inspiration, puis une autre et réussit à sourire.

— Pardon ? Quel nom as-tu dit ?

— Turk.

Amanda sent qu'il est inutile d'insister, qu'elle a joué sa dernière carte et épuisé tous les éléments de surprise. Le choc passé, sa mère a repris le contrôle. Elle n'a plus aucune révélation à espérer.

— Je ne crois pas avoir connu qui que ce soit de ce nom-là.

— Je suis sûre que si.

Sa mère fronce les sourcils et feint de réfléchir.

— Non, franchement, ma chérie.

Amanda serre les poings. Si elle m'appelle encore une seule fois ma chérie...

— Je ne te crois pas.

— Tu as le droit.

— Non seulement je suis persuadée que tu le connais, mais je pense que c'est lui que tu as abattu dans le hall du Four Seasons, murmure Amanda d'une voix rauque.

Sa mère tente de rire, mais sa gorge serrée ne laisse sortir qu'un coassement.

— Et moi, je crois que tu as lu trop de romans d'aventures quand tu étais petite.

— Comment pourrais-tu savoir ce que je lisais ?

La voix rageuse d'Amanda résonne entre les murs et se répercute dans le couloir.

— Amanda..., la met en garde Ben.

— C-comment oses-tu... comment oses-tu prétendre savoir la moindre chose sur moi ? bégaie Amanda, les yeux soudain remplis de larmes qui ruissellent sur ses joues et vont se perdre dans le col cheminée bleu de son nouveau pull en cachemire.

— Je suis désolée, s'excuse sa mère, les yeux baissés.

— Amanda, intervient doucement Ben. Ce n'est ni l'endroit ni le moment...

— Il y a un problème ? s'inquiète la policière qui fait signe à un collègue d'approcher...

— Non, tout va bien, merci, la rassure Ben.

— Tout est de la merde ! contre Amanda à mi-voix.

— Vous êtes sûrs que ça va ?

Le regard inquisiteur de la policière passe de l'un à l'autre.

— Je crois que nous avons terminé, dit Gwen.

— Au contraire, nous ne faisons que commencer, riposte Amanda.

— Encore quelques minutes, dit Ben aux deux policiers qui s'éloignent tout en leur faisant comprendre qu'ils les tiennent à l'œil.

— C'est une jolie fille, vous ne trouvez pas ? remarque Gwen, comme si c'était le plus naturel des enchaînements.

— De qui parles-tu, maman ?

— De la policière. Elle s'appelle Kolleen, avec un K. On ne penserait jamais qu'elle est flic sans son uniforme.

— Madame Price...

— C'est vrai, on imagine toujours les policiers en grosses brutes avec des cous de taureau. Pourtant cette femme est moins grande que toi, Amanda, continue Gwen sans regarder sa fille, et toute mince, pas vraiment musclée. Cependant on sent qu'elle est forte. Elle doit être ceinture noire de karaté, ou un truc du genre.

— Je me fiche de Kolleen comme d'une guigne, riposte Amanda, furieuse de ne pouvoir arrêter le flot continu de larmes qui ruissellent sur ses joues.

— Et moi je me fiche de ce Turk comme d'une guigne, rétorque sa mère.

— Mais tu sais qui c'est.

Gwen Price s'approche doucement d'elle, sourit avec tristesse et, d'une main douce, essuie les larmes sur son visage.

— Je suis désolée d'avoir été une si mauvaise mère, Amanda, murmure-t-elle, ses yeux, eux aussi, remplis de larmes.

Amanda repousse sa main d'un geste brusque et recule comme si elle avait reçu un coup de poing.

— Mais qui diable es-tu ?

La porte de la salle 102 s'ouvre et un homme très grand s'avance dans le hall.

— Gwen Price ! appelle-t-il d'une voix étonnamment aiguë pour sa corpulence, en balayant les prisonnières du regard.

— C'est moi ! répond Gwen d'une voix enjouée.

Puis, se tournant vers Ben :

— Alors, maintenant, on peut y aller ?

20.

La salle d'audience ressemble à celle de la veille, remarque Amanda en suivant Ben et sa mère à l'intérieur. Peut-être un peu plus petite, un peu moins bondée. Les mêmes visages sérieux, la même atmosphère étouffante.

— As-tu l'intention de me faire témoigner ? demande-t-elle à Ben tandis qu'ils s'assoient au premier rang des spectateurs.

— Tu plaisantes ? Tu l'as dit toi-même, si je te présente à la barre, elle est bonne pour la peine capitale.

— Je t'en prie. Je serai sage.

— Qu'est-ce que vous mijotez tous les deux ? s'enquiert sa mère alors que son nom, à nouveau, est appelé.

Ben la conduit vers le banc de la défense à l'avant de la salle, tire sa chaise et attend qu'elle s'assoie.

— Je vous écoute, maître, dit le juge.

Amanda note distraitement sa grosse tête, ses cheveux clairsemés et ses traits curieusement rassemblés au centre de son visage, comme s'il avait été coincé entre les portes d'un ascenseur.

— Votre Honneur..., commence Ben.

— Je plaide coupable ! interrompt Gwen en se levant.

— Pardon ?

Les sourcils du juge se rejoignent au-dessus de son nez protubérant. Il étudie Gwen avec un mélange d'amusement et d'incrédulité.

— Asseyez-vous, dit Ben.

Gwen reste debout.

— Je veux plaider coupable, Votre Honneur.

— Quoi qu'il en soit, il s'agit juste aujourd'hui d'une audience de libération sous caution pour déterminer si vous...

— Je ne veux pas être libérée sous caution, Votre Honneur, insiste Gwen.

— Maître, voulez-vous que je vous laisse un instant vous entretenir avec votre cliente ?

— C'est inutile, Votre Honneur. Je ne veux pas être libérée. Je suis coupable et je dois aller en prison.

— Votre Honneur, supplie Ben. Avec l'indulgence de la cour, si je pouvais requérir une suspension d'audience de cinq minutes...

— Je ne veux pas de suspension, persiste Gwen. J'exige qu'on me remette sous les verrous.

— On dirait que votre cliente a déjà pris sa décision, maître Myers.

— Votre Honneur, ma cliente est très dépressive en ce moment.

— C'est faux, proteste Gwen.

— Asseyez-vous, Gwen, dit Ben d'une voix brusque, excédée.

Gwen hausse les épaules et se rassoit sans rien dire.

— Maître, votre cliente est accusée de meurtre, reprend le juge. Elle dit qu'elle est coupable. Si elle veut retourner en prison, je suis d'avis qu'on la laisse faire.

— Votre Honneur, malgré la nature odieuse du crime dont elle est accusée, Mme Price ne risque pas de s'enfuir, pas plus qu'elle ne représente une menace pour la société...

— J'ai tué un inconnu, soutient Gwen. Vous ne croyez pas que ça représente une menace suffisante ?

— Maman, pour l'amour du ciel !

Amanda bondit de son siège et se dirige vers l'avant de la salle.

Le juge abat son marteau et un greffier s'avance pour l'arrêter.

— Voici la fille de l'accusée, Votre Honneur, s'empresse de la présenter Ben. Elle est avocate en Floride et a laissé ses affaires en cours afin d'être au côté de sa mère jusqu'à ce que tout cela soit résolu. Elle est prête à rester avec sa mère et à s'occuper d'elle...

— Je n'ai pas besoin qu'on s'occupe de moi, proteste Gwen, le visage rouge d'inquiétude.

— Il faut vous taire, la semonce le juge. Vous n'arrangez pas votre cas avec vos interventions.

— Justement, Votre Honneur. Je ne veux rien arranger. Je veux plaider coupable. Je veux aller en prison.

— Ça me convient, proclame le juge en abattant son marteau. Libération sous caution refusée. Huissier, emmenez la prévenue.

— Merci, Votre Honneur.

Gwen Price sourit largement tandis que le garde s'approche pour la conduire hors de la salle.

— Je passerai vous voir plus tard, dit Ben.

— Ce n'est pas la peine, lance Gwen par-dessus son épaule. J'étais ravie de te revoir, Amanda. Bon retour en Floride.

— Merde ! jure Amanda à mi-voix.

Le juge secoue la tête l'air de dire « décidément, j'aurai tout vu », puis il éclate de rire.

— Bonne chance, maître Myers, lance-t-il à Ben avant de faire signe à l'huissier d'appeler l'affaire suivante.

— Qu'est-ce qu'on fait maintenant ? s'exclame Amanda en suivant Ben dans le couloir.

— Nous n'avons plus le choix.

— Nous avons mis le doigt sur quelque chose, Ben. C'est pour ça qu'elle était si pressée d'en finir. Tu as vu sa tête quand j'ai parlé de Turk. Elle avait déjà entendu ce nom-là.

— Et alors ?

— Alors, quoi ?

— Qu'il s'appelle John Mallins, Turk, ou William Shakespeare, quelle importance ? Un homme est mort et ta mère ne pense qu'à en endosser la responsabilité. Tu l'as vue devant le juge. Elle est déterminée coûte que coûte à aller en prison. Et, en toute franchise, je ne vois pas comment nous pourrions l'en empêcher. Elle ne veut pas de notre aide. Son petit numéro d'aujourd'hui l'a prouvé.

— Alors que fait-on ?

— Amanda, tu ne m'as pas écouté.
— Si, mais je ne suis pas d'accord.
— Je ne vois pas ce qu'on pourrait faire d'autre.
— Il existe toujours une solution.
— Sauf quand les autres prennent la décision à notre place.
— Que veux-tu dire ?
— Tu m'as très bien compris. Je dis qu'il est temps que tu repartes en Floride. Je te rappelle que tu ne voulais pas venir. Il a fallu pratiquement que je te traîne ici.
— Et maintenant que je suis là, toi, tu veux jeter l'éponge ? Tu es prêt à laisser ma mère pourrir en prison jusqu'à la fin de ses jours ?
— Il y a quelques jours, tu lui souhaitais pire que ça.
— Beaucoup de choses ont changé depuis.
— Lesquelles, Amanda ?
Je ne pense pas t'avoir jamais dit combien tu es jolie.
— Je ne sais pas.
Tu es ravissante. Cette couleur te va merveilleusement bien.
— Je n'y comprends plus rien.
Je suis désolée d'avoir été une si mauvaise mère, Amanda.
— En tout cas, je ne peux pas repartir en Floride, Ben. Je viens juste d'acheter tous ces vêtements. Quand veux-tu que je les mette, là-bas ?
— Quoi ?
Amanda se met à tourner sur elle-même de frustration.
— Ma mère a quelque chose qui ne va pas, Ben. Elle est différente et tu le sais.
— Elle a tué un homme, Amanda. Il y a de quoi être perturbée.
— Ou peut-être qu'elle l'était déjà. Et si elle avait une tumeur au cerveau ? Nous n'y avons pas pensé. Tu pourrais lui faire passer une IRM ?
Ben soupire et jette un œil avide vers la sortie. Quelle idée ai-je eu de me mêler de ça ? interroge ce soupir.
— Je peux soumettre la demande à la cour. Mais ça m'étonnerait que ta mère accepte, et sans sa permission...
— ... qu'elle ne donnera pas...
— ... nous avons les mains liées.

— Merde !

Le juron, plus fort qu'elle ne le voulait, résonne jusqu'au bout du couloir.

Ben regarde nerveusement autour de lui.

— Bon, écoute. Si nous allions boire un café ?

Sans attendre sa réponse, il l'attrape par le coude, la pousse vers la sortie et la conduit au bar de l'hôtel en face, où ils ont déjeuné la veille.

— Nous devons découvrir qui est ce Turk, déclare Amanda quelques minutes plus tard, avant de mordre dans un muffin aux myrtilles. C'est lui la clé du mystère.

— Et comment comptes-tu procéder ?

— Aucune idée.

Un sourire se dessine sur les lèvres d'Amanda tandis qu'elle fixe son ex-mari.

— Pourquoi souris-tu ?

— C'est juste que je n'ai pas l'habitude de te voir en costume.

— Et quel est le verdict ?

— Ça te va bien.

Ben secoue la tête.

— Qui l'eût cru ? dit-il, une fois de plus.

— Qui l'eût cru ? répète-t-elle en écho. Qu'est-ce qui t'a décidé à devenir avocat, à propos ?

— En toute sincérité ?

— Si tu crois que je peux le supporter.

— J'en ai toujours rêvé.

— Quoi ? Tu ne me l'avais jamais dit.

— C'était trop embarrassant. Tu imagines, moi, le type même du révolté, à la grande époque du rebelle sans cause, il n'était pas question que je devienne avocat comme mon père. Le Ciel m'en préserve ! Mais qu'est-ce que je voulais vraiment, tout au fond de moi ?

— Devenir avocat comme papa.

— Exactement.

— Comment va ton père ?

— En grande forme. Il est à Paris. En voyage de noces, pour être plus précis.

— En voyage de noces ?

— Ma mère est morte il y a cinq ans. D'un cancer.

— Je suis vraiment désolée. Je l'ignorais.

— Comment pourrais-tu l'avoir appris ? On ne peut pas dire qu'on ait gardé le contact, ces dernières années.

Amanda boit une gorgée de café brûlant qui lui anesthésie le palais et voudrait que cet engourdissement lui gagne tout le corps.

— Tu t'entendais bien avec elle ?

— Oui, nous nous étions rapprochés, au fil des années.

— Tu veux dire après mon départ ?

— Plus ou moins.

— Elle ne m'appréciait pas beaucoup, si mes souvenirs sont exacts.

— Elle trouvait surtout que nous étions trop jeunes.

— Ah, la sagesse des mères ! soupire Amanda avant de secouer la tête. Je n'arrive pas à croire que j'ai dit une chose pareille.

— Peut-être qu'elles en savent effectivement plus que nous. Peut-être qu'il vaut mieux la laisser faire ce qu'elle veut, ajoute Ben, revenant sans transition à la mère d'Amanda.

— Non, je ne peux pas.

— Tu risques d'aggraver les choses, Amanda.

Elle émet un rire saccadé qui déchire l'air comme une machette.

— Alors qui ton père a-t-il épousé ? Quelqu'un que je connaissais ?

— Oui, figure-toi, aussi extraordinaire que ça paraisse.

Ben finit sa tasse et fait signe à la serveuse de revenir le servir avant de reprendre :

— Tu te souviens de Mme MacMahon ? La prof d'histoire, en terminale ?

— Tu plaisantes ?

— Son mari est mort à peu près au même moment que ma mère. Des amis mutuels les ont présentés, il y a un an et... que veux-tu que je te dise ? La suite...

— Ne m'en dis pas plus.

Ils rient, cette fois librement.

— Pourrais-je habiter chez toi ?

La question a jailli de la bouche d'Amanda sans qu'elle ait réfléchi à ses ramifications ou à ses implications.

— Quoi ?

— Juste quelques jours. Le temps de savoir où l'on va. Je ne sais pas, Ben. Ça me paraît tomber sous le sens.

— Pas moi.

— Je ne te suggère pas de dormir ensemble, embraie-t-elle précipitamment. Je pensais prendre le canapé du salon. Et j'essaierai de rester dans mon coin si Jennifer...

— Tu ne peux pas venir habiter chez moi, Amanda.

Elle opine en silence. Il a raison. Évidemment.

— Je peux demander à une des secrétaires de mon cabinet de te trouver une chambre dans un hôtel des environs. Il y a peut-être de la place ici, ajoute-t-il avec un geste de la tête vers la réception de l'hôtel qu'on aperçoit de l'autre côté des portes vitrées du café.

— Non, ça ira. Je suis une grande fille. Je peux me débrouiller toute seule.

— Ça ne serait pas raisonnable que tu dormes chez moi.

— Bien sûr. Je comprends. Tu as raison. C'était une idée absurde.

— Quoique assez intéressante, admet-il après un silence.

— C'est ce que je pensais.

— Nous pourrions peut-être...

— Ben ! intervient une voix de femme.

Amanda sent un tissu la frôler, respire un fort parfum aux senteurs de citron, et voit une séduisante brune en manteau vert foncé se pencher vers Ben et l'embrasser sur la joue.

— C'est déjà fini ton audience au tribunal ? demande-t-elle d'une voix rauque et grave.

— Et très mal fini.

— Le juge a refusé la libération sous caution ?

— Il n'a pas pu faire autrement.

Elle sourit comme si elle comprenait et pose son regard pénétrant sur Amanda. Elle a les yeux de la même couleur que mon café, songe Amanda, qui devine aussitôt qu'il s'agit de Jennifer.

— Jennifer, je suis ravi de te présenter Amanda Travis, dit

Ben pendant qu'elle note distraitement les yeux sombres, le long nez aquilin, les lèvres corail. La fille de Gwen Price.

— Et l'ex-femme de Ben, ajoute Amanda en lui tendant la main. Au cas où il aurait oublié de le mentionner.

— Il n'a pas oublié, rétorque à sa grande déception Jennifer, avant de lui serrer la main avec vigueur. Je suis désolée de faire votre connaissance en de telles circonstances.

— C'est un mauvais moment à passer. Voulez-vous vous joindre à nous ?

Jennifer se retourne vers deux confrères qui l'attendent près de la porte.

— Je vous rejoins dans quelques minutes, leur lance-t-elle en rapprochant une chaise de la petite table pour deux. En fait, ça tombe bien qu'on se croise, Ben. J'ai les réponses aux questions que tu m'as posées hier soir.

Elle jette un regard oblique à Amanda.

— Nous sommes allés à une soirée mortelle, il vous l'a dit ?

— Juste que ça ne valait même pas la peine d'en parler, répond Amanda avec un sourire.

— Ils ont reçu le rapport final de l'autopsie de John Mallins.

— Et alors ? demandent Ben et Amanda d'une seule voix.

— Il y a un certain nombre de résultats assez intéressants.

— Comment ça ? murmure Ben.

— Qu'entendez-vous par « intéressants », s'enquiert Amanda simultanément.

— Quoiqu'ils ne soient pas encore définitifs et doivent être vérifiés.

— En quoi sont-ils intéressants ? répète Amanda.

— Eh bien, pour commencer, M. Mallins serait plus âgé qu'on ne le croyait.

— De combien d'années ?

— De dix ou quinze ans, à en croire ses organes internes.

Ben se tourne vers Amanda.

— Ce qui lui ferait à peu près...

— ... le même âge que ma mère, termine Amanda.

— Est-ce important ? insiste Jennifer.

Ils haussent les épaules.

— Ce n'est pas fini. Il aurait eu recours à la chirurgie esthétique.

— De quel genre ?

— Il se serait fait refaire le nez. Plus un lifting. Cela remonterait déjà à un certain temps.

Amanda met les coudes sur la table et pose sa tête entre ses mains. Qu'est-ce que ça signifie ? Que John Mallins était traqué ou qu'il était coquet ? Qu'il essayait de sauver les apparences ou de changer son apparence ?

— Il voulait paraître l'âge de son passeport, comprend-elle soudain.

Le passeport qu'il a volé au véritable John Mallins, après l'avoir tué afin d'endosser son identité. Seigneur, qui était cet homme ?

— Ce qui nous amène à la question suivante, poursuit Jennifer.

— Laquelle ? s'écrient Ben et Amanda.

— Tu m'avais demandé de vérifier sa date de naissance, répond Jennifer un peu décontenancée.

— Oui ?

— Eh bien, tu avais raison. D'après son passeport, il est né, en effet, un 14 juillet.

— Merde ! s'exclame Amanda, qui en a les bras qui tombent.

— Merde ! lâche en écho Ben en se renfonçant contre le dossier de sa chaise.

— Mais comment le saviez-vous ?

Ni Ben ni Amanda ne répliquent.

— Qu'est-ce que c'est que cette histoire ?

Même silence.

— Eh bien, j'adorerais rester à bavarder avec vous...

Les yeux de Jennifer vont de l'un à l'autre. Elle repousse sa chaise et se lève.

Aussitôt Ben bondit sur ses pieds.

— Merci.

— Pour quoi exactement ?

— Je ne sais pas.

Jennifer lui caresse la joue avec une tendresse qui fait tressaillir

Amanda. Puis elle se tourne vers elle et lui serre à nouveau la main.

— J'ai été ravie de vous rencontrer, Amanda. J'espère que tout va s'arranger.

— Moi aussi.

Amanda la regarde se mettre sur la pointe des pieds et embrasser Ben sur les lèvres.

— Tu m'appelles plus tard ?

— Naturellement.

Elle se dirige vers la porte en ne laissant qu'une senteur de citron derrière elle.

21.

— Arrêtez-vous là. C'est parfait.

Le chauffeur se gare au coin de Bloor et Palmerston. Amanda lui tend un billet violet tout neuf de dix dollars et lui dit de garder les quatre dollars de monnaie. Quelle importance ? pense-t-elle en descendant du taxi dans dix centimètres de neige fraîche. Ces billets de toutes les couleurs ne font vraiment pas sérieux : bleu pour les cinq dollars, violet pour les dix, vert pour les vingt, rose pour les cinquante, et marron pour les cent.

Elle met son sac à main en bandoulière sur une épaule, son sac de voyage sur l'autre, et descend la rue bordée de chênes géants et de ravissants réverbères désuets. La neige épaisse qui enrobe les branches des arbres leur donne des airs de saules pleureurs. Amanda se représente ces mêmes branches au printemps, couvertes de bourgeons prêts à éclater, et sent un sourire détendre son visage.

Le printemps a toujours été sa période préférée de l'année : la transition progressive des températures glaciales vers un climat plus clément quand l'hiver relâche à contrecœur son emprise ; les premières bouffées d'air chaud qui n'apparaissent fin mars que pour se faire dissiper par les bourrasques de neige du début avril ; la neige qui finit par être diluée par la pluie, la pluie qui lave les jonquilles jaune vif et les tulipes d'un rouge lumineux dont les pousses tendres et pourtant résistantes percent le sol détrempé, avides de soleil.

Ce changement de saison est sans doute l'unique chose qui

lui manque en Floride, où seule la menace des cyclones marque une variation climatique notable. Les palmiers ne perdent jamais leurs palmes ; le soleil brille avec une monotone régularité. Le temps est peut-être plus humide en juillet, plus frais en janvier, mais c'est l'été permanent.

C'est d'ailleurs une des raisons qui l'ont poussée à s'installer là-bas, se rappelle Amanda en plantant délibérément son talon dans une plaque de glace qui se fend comme du verre avant d'exploser. Que lui arrive-t-il ? Depuis quand regrette-t-elle les changements de saison ? Certes, à une époque, elle appréciait la première petite brise revigorante qui dissipait la chaleur étouffante du mois d'août. Et elle s'émerveillait devant ces soudaines tempêtes de neige de novembre qui recouvraient Toronto d'un tapis blanc. Mais l'expérience lui avait appris que les petites brises avaient la fâcheuse habitude de se transformer en blizzard et la neige virginale virait vite à la boue. Bref, les saisons vieillissaient mal.

Non, elle était désormais chez elle en Floride, et ne voudrait la quitter pour rien au monde. On y avait tout, songe-t-elle, avant de faire glisser son sac de voyage, le temps de s'étirer afin de dissiper la raideur dans sa nuque. Puis elle le remet en bandoulière et reprend son chemin. On y avait le soleil, même si elle l'évitait avec une ferveur quasi religieuse ; l'océan, même si elle allait rarement à la plage et ne nageait jamais dans ces eaux dangereuses. Vous pensez avec les requins, les poux de mer et les courants invisibles, sans parler des déversements d'hydrocarbures qui souillent le sable et vous goudronnent le dessous des pieds ; les centres commerciaux, même si on y retrouvait les mêmes magasins qu'ailleurs. Bon sang ! L'Eaton Center les valait largement ; la culture avec le Kravis Center et le Royal Poincianna Playhouse, d'accord. Le quartier des théâtres de Toronto arrivait tout de suite après celui de New York, et alors ? On y trouvait également de superbes expositions, notamment avec la merveilleuse galerie Norton, sans compter la myriade de petites galeries plus charmantes les unes que les autres, quoique si on lui montre encore une grenouille en céramique, elle risque de hurler. C'est vrai, quoi ? Comment osait-on appeler ça de l'art ?

— Qu'est-ce qui m'arrive ? s'interroge-t-elle à voix haute dans un nuage de buée. J'adore les grenouilles en céramique.

Et le plus important : en Floride, il n'y avait pas sa mère.

Ni Ben !

N'était-ce pas d'abord pour cette raison qu'elle était partie y vivre ?

Amanda continue à marcher le long de Palmerston en direction de Harbord, en se demandant pourquoi elle n'a pas dit au chauffeur de la déposer directement devant la maison de sa mère.

— Parce que certaines choses doivent se faire en douceur, murmure-t-elle dans le col de son manteau. Seuls les fous se précipitent.

Elle sourit à un monsieur âgé qui avance sur le trottoir verglacé.

— Sacré hiver, grommelle-t-il en la croisant.

— Vous avez sacrément raison, acquiesce-t-elle.

Et tant qu'on y est – sacré Ben, sacrée mère et sacrée Jennifer ! Pour qui se prenait-elle celle-là, avec sa jolie coupe de cheveux bien nette et son teint de lys ? À planter ce baiser préemptif sur la joue de Ben ? Sans parler de ce baiser sur les lèvres parfaitement superflu, juste avant de partir, l'air de dire « Il est à moi, maintenant ». *Tu m'appelles plus tard ?* Qui voulait-elle épater ? Certainement pas Ben. Et lui qui avait répondu *Naturellement !* Comment pouvait-il être naïf à ce point ? Ne voyait-il pas que derrière les dehors calmes, compétents de Jennifer se cachait... quoi ? Un intérieur calme et compétent ? Et alors ? Qui pouvait rechercher le calme et la compétence quand il pouvait avoir la compétence et la pagaille ? Qu'est-ce qui était le plus drôle, enfin ? Bon sang ! Ben ne pouvait pas être amoureux de cette fille !

Allez savoir !

Amanda donne un coup de pied dans un tas de neige qui se disperse comme du talc. Et même s'il est amoureux de Jennifer ? Quelle différence y a-t-il ? Le fait qu'ils aient été brièvement mari et femme, autrefois, quand ils étaient beaucoup trop jeunes, et ne savaient pas encore ce qu'ils attendaient de la vie et encore moins avec qui ils souhaitaient la passer, ne lui octroie aucun droit résiduel sur ses affections. De toute façon, elle n'a aucune envie de le revendiquer. C'est juste une réaction. Due aux circonstances. Dès qu'elle regagnera la Floride, ces sentiments ridicules se dissiperont. C'est parce qu'elle se sent perdue et vulnérable, et qu'elle n'a pas l'habitude que les hommes lui disent non. *Tu ne peux pas venir habiter chez moi, Amanda*, avait-il déclaré. Quoiqu'il ait semblé sur le point de changer d'avis. *Nous pourrions...* avait-il commencé juste au moment où la calme et compétente Jennifer était entrée en scène.

Nous pourrions quoi ?

Elle ne le saura jamais. Amanda s'arrête devant la maison de brique à la porte jaune vif. Il y a tant de choses qu'on ne saura jamais, pense-t-elle en se dirigeant vers les marches du perron couvertes de neige. Elle monte avec précaution, cherche le béton du bout de sa botte. Saurons-nous jamais qui était John Mallins, pourquoi il s'était fait refaire le visage, et qui était ce Turk, même s'il est évident que ma mère le sait ?

Je suis désolée d'avoir été une si mauvaise mère, Amanda.

Que diable cela signifie-t-il ?

Amanda s'immobilise devant la porte comme si elle attendait qu'on lui ouvre. Il n'est pas trop tard. Elle peut encore tourner les talons, héler un autre taxi, revenir vers le centre-ville, trouver un hôtel, n'importe lequel, même le Metro Convention Center, peut-être même rappeler Jerrod Sugar, lui demander s'il apprécierait sa compagnie une nuit ou deux.

Ben voyons ! Surtout après leur dernière rencontre ! Bien qu'en toute franchise elle n'ait gardé aucun souvenir de cette nuit, à part la façon dont elle s'est terminée. Elle avait trop bu ; il était trop pressé ; tout s'était fini trop vite. Ou pas assez vite, corrige-t-elle en souriant au souvenir de l'arrivée impromptue de Ben, de ses coups à sa porte en pleine nuit, de son entrée fracassante dans la chambre, des lumières qu'il avait allumées. Et ensuite, son expression médusée quand il s'était aperçu qu'elle n'était pas seule, la surprise dans ses yeux cédant la place à... quoi ? De la colère ? De la déception ? Du regret ?

Que se serait-il passé cette nuit-là si Jerrod Sugar ne s'était pas trouvé dans son lit ?

— On ne le saura jamais, répète-t-elle en fouillant dans son sac à la recherche des clés de la maison. Pourquoi s'était-elle laissé convaincre de venir s'installer ici ? D'accord, c'était stupide de payer un hôtel quand cette maison était vide. Et cela lui fournirait une occasion d'explorer plus tranquillement les affaires de sa mère. Après tout, leur fouille précédente avait été plutôt sommaire, et à la lueur de ce qu'ils avaient découvert ces dernières vingt-quatre heures, ce ne serait peut-être pas du luxe d'entreprendre des recherches plus approfondies. « On ne sait jamais. Tu pourrais découvrir autre chose », avait dit Ben avant de la mettre dans un taxi en promettant de l'appeler plus tard.

Appelle-moi plus tard.

Naturellement.

— Putain de naturellement ! marmonne Amanda en poussant la porte et en titubant sur le seuil comme si elle se tenait au bord d'un dangereux précipice.

Alors, qu'est-ce que tu attends ? entend-elle crier sa mère à l'étage. *Entre ou sors. Mais ne reste pas plantée là à laisser s'engouffrer le froid.*

C'était à l'intérieur qu'il faisait glacial, se souvient Amanda en posant son sac dans le couloir avant de refermer la porte du talon de sa botte.

Soudain son père se précipite vers elle, un doigt sur la bouche. *Qu'est-ce qui te prend ?* chuchote-t-il. *Tu sais bien que ta mère se repose.*

— Elle passe son temps à se reposer, proteste Amanda aujourd'hui exactement comme elle le faisait à cette époque, ses yeux perdus sur le souvenir de son père qui lui tourne le dos et l'abandonne pour aller soigner sa mère. Sauf quand elle tue les gens, ajoute-t-elle dans un éclat de rire qui s'envole en spirale dans la maison vide, et réveille de nouveaux cris de sa mère, de nouvelles supplications de son père.

Elle jette ses bottes au loin, accroche sa parka neuve dans le placard, puis entre au salon où elle passe une main distraite sur le canapé jaune et gris qui occupe une grande partie de la petite pièce. On retrouve le même imprimé sur les deux fauteuils qui encadrent la cheminée. Une cheminée rarement utilisée, se souvient Amanda en admirant l'imposante plante, à l'autre bout du salon. Elle se rappelle alors que Corinne Nash a dit de penser à arroser.

Elle se laisse tomber dans un fauteuil et regarde dehors à travers les délicats voilages. Enfant, elle avait interdiction de venir dans cette pièce et encore moins d'y jouer. Non, elle n'avait droit qu'au sous-sol où le peu de bruit qu'elle faisait ne risquait pas de déranger sa mère. Elle détestait cet endroit froid, humide et sinistre, même avec toutes les lumières allumées. Et son père avait beau répéter qu'elle n'avait rien à craindre, parfois les ombres l'effrayaient.

Un jour, elle avait découvert, jetée derrière la chaudière, une boîte qui contenait de vieilles marionnettes à main. Elles étaient si poussiéreuses qu'elle avait éternué en les enfilant. Elle les avait donc remontées à la cuisine et les avait lavées avec soin dans l'évier. Du coup celui-ci était très sale et sa mère serait furieuse quand elle s'en apercevrait. Il ne fallait surtout pas la mettre en colère ni la contrarier d'aucune manière, ne cessait de lui répéter son père. Mais il était au travail, sa mère dormait et elle verrait bien que les marionnettes étaient beaucoup plus jolies à présent qu'elles étaient propres. À part leurs cheveux qui ne ressemblaient plus à rien. Ils avaient besoin d'une bonne coupe. Et elle savait où sa mère rangeait ses ciseaux. Mais pas question de les couper ici, à la cuisine où elle risquait de l'entendre. Et c'était trop moche au sous-sol pour travailler correctement. Heureusement, il y avait le salon. Avec le tapis pour étouffer ses pas et la lumière des fenêtres pour l'éclairer. Elle ne serait pas longue. Et peut-être que, lorsqu'elle montrerait à sa mère comme elle avait bien nettoyé les vieilles marionnettes, réussirait-elle enfin à la faire sourire. Elle pourrait même monter un petit spectacle et sa mère rirait aux éclats comme autrefois. Car il y avait eu une époque où elle riait, s'était-elle souvenue en portant les marionnettes au salon pour y improviser un salon de coiffure. Elle avait donc coupé les cheveux et les fils jaunes s'étaient éparpillés sur le tapis gris, comme des paillettes d'or. Oui, maintenant, elle pourrait rendre le sourire à sa mère.

Loin de rire, sa mère avait hurlé en jetant les marionnettes à travers la pièce avec une telle fureur que l'une d'elles avait été décapitée, et ses cheveux fraîchement coupés, disséminés dans toutes les directions.

Qu'est-ce que tu as fait ? avait sangloté sa mère. *Qu'est-ce que tu as fait ? Qu'est-ce que tu as fait ?*

Je voulais juste les faire belles, avait sangloté la petite fille avant de s'enfuir, en se tenant le ventre, pliée en deux, comme si elle avait reçu un coup de poing.

— Qu'est-ce que j'avais fait ? demande Amanda maintenant, en se levant d'un bond. Je n'avais rien fait de grave ! Bon sang, j'avais six ans ! J'étais une enfant. Plus pour longtemps d'ailleurs !

Non, elle ne peut pas rester là. Elle retourne dans l'entrée, renfile ses bottes, et au moment où elle s'apprête à prendre son manteau dans le placard, le revers de sa main effleure quelque chose de froid et dur. Elle écarte les vestes et les manteaux de sa mère et découvre une pelle toute neuve, au manche rouge vif, avec l'étiquette encore accrochée. Elle n'a jamais servi. Non, sa mère était trop occupée à tirer sur les gens pour déblayer la neige de son escalier.

— Seigneur ! Autant faire quelque chose d'utile.

Amanda retire le prix, 19,95 dollars, sort sur le perron en laissant la porte ouverte derrière elle, glisse la pelle sous la neige qu'elle jette dans le jardin, pelletée après pelletée. En quelques minutes, le palier est dégagé et elle s'attaque aux marches. L'allée est plus difficile, la neige plus compacte et Amanda glisse à plusieurs reprises sur la glace. Le temps qu'elle atteigne le trottoir, elle a le visage humide de transpiration et le dos raide. Elle a mérité un bon bain chaud. Les conseils de Ben lui reviennent. *Prends un bon bain, commande-toi à dîner au service d'étage et au lit.* Voyons donc ! Mais qu'est-ce qu'elle fiche ici ?

— Excusez-moi ! lance une voix de l'autre côté de la rue.

Amanda lève la tête et aperçoit une jeune femme, vêtue d'un manteau en raton laveur et coiffée d'un chapeau de fourrure noir, debout sur le trottoir d'en face.

— Pardon ? Vous m'avez parlé ?

La femme regarde des deux côtés avant de traverser la rue. Amanda estime qu'elles ont le même âge, même si elle ne voit que ses joues rondes et son petit nez retroussé tout rouge comme celui d'un clown.

— Je suis désolée de vous ennuyer, mais ma grand-mère vous

a aperçue par la fenêtre et cela l'a mise dans tous ses états. Elle a absolument voulu que j'aille voir qui balayait la neige devant chez Gwen Price.

Amanda contemple la maison puis la jeune femme debout devant elle et soudain les années s'effacent de son visage, et laissent place à une petite fille souriante et grassouillette, aux bonnes joues rouges et aux grands yeux marron.

— Sally ?

L'étonnement remplace la curiosité.

— On se connaît ?

— Je suis Amanda. Amanda Tra... Amanda Price.

Ce nom sonne bizarrement sur ses lèvres comme si c'était celui d'une étrangère.

— Amanda ! Amanda ! Oh, mon Dieu, Amanda ! Comment vas-tu ?

— Je vais bien. Enfin, c'est relatif... Tu sais ce qui est arrivé à ma mère...

— Oui. Je n'arrive pas à le croire. Comment va-t-elle ?

— Elle tient le coup. Et toi, comment ça va ?

— Bien.

— Et ta grand-mère ?

— Elle n'est pas très brillante.

— Qu'est-ce qui ne va pas ?

— Tout.

Amanda revoit Mme MacGiver, avec ses cheveux gris et ses mains aux veines saillantes. Elle lui semblait déjà très vieille, quand elle était petite.

— Je suis désolée.

— Que veux-tu y faire ? Elle a quatre-vingt-six ans.

— Fait-elle toujours de la pâtisserie ?

Amanda se souvient du gâteau au citron qu'elle a apporté après la mort de son père.

— Plus beaucoup. Elle passe son temps dans sa chambre à regarder la télé. Mais tu crois qu'elle envisagerait de vendre sa maison pour aller dans une maison de retraite, ce qui nous simplifierait la vie ?

La question reste en suspens, le silence qui la suit suffit comme réponse.

— Tu vis chez elle ?

— Oh, non. Je suis juste passée voir si elle avait besoin de quelque chose. C'est là qu'elle t'a vue et qu'elle m'a envoyée aux nouvelles.

— Tant mieux. Ça m'a donné le plaisir de te revoir.

— À moi aussi. Et je suis sincèrement navrée pour ta mère. Que lui est-il arrivé ? Elle était dépressive ou quoi ?

Ou quoi ? répète mentalement Amanda, lorsqu'elle aperçoit une silhouette voûtée, en chemise de nuit de flanelle et en chaussons bleus, qui descend l'escalier de la maison d'en face à toute vitesse.

— Oh, mon Dieu. Sally, ta grand-mère... Madame MacGiver, attendez ! Il y a des voitures...

Un conducteur donne un coup de Klaxon et pile tandis que la vieille dame quitte le trottoir sans regarder, les deux pieds enfoncés dans la neige.

— Ça va pas ! crie le chauffeur par sa fenêtre.

— Doucement, vous ! rétorque-t-elle en donnant un coup de poing sur le capot de la voiture.

Puis elle repousse à grands gestes sa petite-fille qui essaie de la ramener et s'approche d'Amanda en plissant les yeux, gênée par le soleil.

— Qui êtes-vous ?

— Mamie, pour l'amour du ciel ! Rentre à la maison. Tu vas attraper la mort, par ce froid.

— Je vous connais, continue la vieille dame, ses yeux bleus rivés sur Amanda.

— Mamie, il faut que tu rentres.

Sally tente de la tirer par le bras mais sa grand-mère résiste.

— Je suis Amanda Price, dit une fois de plus Amanda qui ne s'habitue toujours pas à ce nom. La fille de Gwen.

— Mets au moins ça, soupire Sally qui retire son manteau pour le glisser sur ses épaules.

— J'ai horreur du raton laveur, grommelle la vieille dame.

— Pitié, mamie, ce n'est vraiment pas une espèce en voie d'extinction.

— En ce qui me concerne, rien ne pourrait me faire plus plaisir. Je déteste ces sales bêtes.

Amanda éclate de rire devant l'absurdité de la situation.

— Je suis ravie de vous revoir, madame MacGiver, mais Sally a raison. Il fait trop froid pour vous promener en chemise de nuit et en chaussons.

— Je suis gelée, renchérit Sally qui commence déjà à claquer des dents.

Mme MacGiver s'avance vers Amanda et lève la main vers son visage.

— C'est toi, ma poupée ?

Amanda sent l'air se figer dans ses poumons tandis que la vieille dame lui caresse la joue puis agite les doigts en l'air comme si elle manipulait une marionnette.

— Ma poupée ! glousse-t-elle. Ma poupée, ma poupée ! Qui c'est ma petite poupée ?

— Bon, maintenant ça suffit. Tu vas finir par me faire peur, mamie. Elle a des moments d'absence, explique Sally en guise d'adieu tout en faisant retraverser la vieille dame. J'étais ravie de te revoir, Amanda.

Une fois en haut des marches, Sally lui lance un dernier geste d'adieu, pousse gentiment sa grand-mère à l'intérieur et referme la porte derrière elle.

Amanda essaie de chasser la scène de son esprit. Pourtant même une fois que ses deux voisines ont disparu, qu'elle-même a regagné la maison de sa mère, et refermé derrière elle la porte d'entrée puis la porte de son ancienne chambre où elle se réfugie sous les couvertures, le nom continue à résonner dans le silence. *Ma poupée !* chuchotent les murs tandis qu'elle rabat le dessus-de-lit rose à froufrous sur ses oreilles.

Ma poupée, ma poupée. Qui c'est ma petite poupée ?

22.

Bizarrement, elle s'endort pour ne se réveiller qu'à huit heures du soir.

— Ce n'est pas possible !

Elle repousse les draps et plisse les yeux dans l'obscurité afin de lire l'heure à sa montre, tapote d'un geste impatient le cadran avant de la porter à son oreille pour écouter si elle fait tic-tac. Il doit y avoir une erreur. Ce n'est pas possible. Elle allume la petite lampe de chevet à fleurs blanches et roses et regarde à nouveau. Impossible. Pourtant il fait nuit dehors et un croissant de lune brille au milieu d'un tapis d'étoiles. Serait-il réellement huit heures du soir ? A-t-elle réellement dormi tout l'après-midi ?

Amanda descend à la cuisine en allumant les lumières sur son passage et compare sa montre à la grosse pendule blanche accrochée au mur, près de la cuisinière. Il n'y a que trois minutes d'écart.

— Je le crois pas ! déclare-t-elle à la pièce vide tandis que son estomac se met à protester bruyamment. Elle ouvre la porte du réfrigérateur, aperçoit un gros pack de jus d'orange et un plus petit de lait écrémé, ainsi que des œufs, deux pommes Granny Smith et une vieille laitue desséchée qu'elle s'empresse de jeter à la poubelle, sous l'évier.

— Rien à manger ! Comme c'est étonnant !

Un coup d'œil dans le congélateur. Elle écarte quelques sacs de maïs et de haricots congelés avant de découvrir un paquet de macaronis au fromage derrière un sac de beignets.

— Dieu soit loué ! dit-elle à voix haute.

Son estomac manifeste son approbation par un nouveau gargouillement tandis qu'elle glisse le sac dans le micro-ondes. Quelques minutes plus tard, debout devant le four, elle mange les pâtes couvertes de fromage directement dans leur boîte et les engloutit jusqu'à la dernière, sans laisser la moindre particule de sauce.

— Fini ! annonce-t-elle fièrement avant de faire descendre ce dîner avec un grand verre d'eau du robinet.

Et si elle en profitait pour arroser les plantes ? Il n'y a rien de plus déprimant qu'une maison remplie de plantes desséchées. Elle prend un pichet, le remplit d'eau tiède et monte sur une chaise pour atteindre la rangée de jardinières au-dessus des placards avant de se diriger vers le salon et la salle à manger.

C'est drôle, songe-t-elle en retournant à la cuisine remplir son pot. Elle n'aurait jamais cru que sa mère avait la main verte. Mais ses plantes ont miraculeusement tenu le coup, avec leurs feuilles lustrées et bien vertes, si parfaites qu'on dirait des fausses. Mais ce sont des fausses ! s'aperçoit-elle quelques minutes plus tard, en voyant l'eau qu'elle verse déborder d'un pot en porcelaine bleu marine et inonder le manteau de la cheminée.

— Mon Dieu, elles sont toutes artificielles ! Je n'arrive pas à le croire.

Elle court chercher à la cuisine de l'essuie-tout, éponge l'eau, puis retourne examiner les pots qu'elle a déjà arrosés afin d'essuyer d'éventuels débordements. Elle n'arrête pas de regarder par-dessus son épaule comme si elle craignait que sa mère ne descende lui reprocher sa stupidité.

Une fois qu'elle a terminé, elle s'assoit en tailleur sur le tapis du salon en se demandant quand elle a cessé de faire la différence entre le vrai et le faux. Ne dit-on pas que la réalité dépasse parfois la fiction ? Mais depuis quand a-t-elle du mal à les distinguer l'une de l'autre ?

Sans doute depuis le jour où sa mère s'est mise à tuer des inconnus dans les halls d'hôtel.

Quoique l'homme qui se faisait appeler John Mallins ne soit pas un inconnu pour sa mère, elle en est certaine.

Elle contemple la minuscule entrée en songeant qu'elle devrait téléphoner à Ben. Il doit se demander ce qu'elle est devenue. N'avait-elle pas promis de le contacter dès qu'elle serait installée ? Elle s'approche de l'endroit où elle a laissé tomber ses sacs, il y a plus de huit heures, et récupère son téléphone portable. Elle le lâche aussitôt. Bon sang, il connaît son numéro ! Il n'a qu'à l'appeler s'il veut lui parler ! Mais apparemment il n'en a pas éprouvé le besoin, constate-t-elle après avoir repris son téléphone afin de consulter sa messagerie.

Que faire maintenant ?

Elle a déjà dormi tout l'après-midi, mangé son repas congelé et arrosé les plantes artificielles. Que reste-t-il ?

— Et si je prenais un petit digestif ?

Elle va à quatre pattes jusqu'au meuble où sa mère range les bouteilles, dans la salle à manger, mais n'y trouve qu'une douzaine de vieux verres en cristal et quelques grands compotiers. Tu n'as même pas une petite liqueur ? interroge-t-elle la maison vide, avant d'aller fouiller les placards de la cuisine. Depuis quand sa mère avait-elle cessé de boire ? Et n'aurait-elle pas pu garder quelques bouteilles au cas où elle aurait de la visite ? Et c'était quoi, toutes ces tisanes ? Bof, finalement, pourquoi pas ? Elle boit trop, ces derniers temps, décide-t-elle en remplissant la bouilloire électrique.

Elle est surprise que cette tisane à la pêche et à la framboise soit bonne. Elle la sirote tout en passant en revue les différents tiroirs de la cuisine. Elle trouve, dans le premier, quelques fiches de cuisine découpées dans des journaux, maintenant jaunies par le temps, et tachées de graisse. Et notamment une recette de consommé frais d'avocat qui lui met l'eau à la bouche, et une autre d'un soufflé aux canneberges et à l'orange qui semble divin, ainsi qu'une série de recettes de poulet toutes plus originales les unes que les autres. Amanda les feuillette en essayant d'établir un lien entre ces fiches qui ont été, à l'évidence, souvent utilisées, et sa mère, qui servait rarement autre chose que du congelé et pour qui le dessert se limitait à ouvrir une boîte de salade de fruits, quand elle y pensait.

Dans les tiroirs suivants, elle trouve des ustensiles de cuisine, des couverts en Inox, des torchons en coton, des sets de table représentant d'appétissantes baies violettes et rouges et des serviettes en papier blanches bordées de bleu et de rose. Un tiroir déborde de notices d'appareils ménagers, avec leurs garanties. Un autre croule sous les baguettes chinoises et les couverts en plastique récupérés dans les restaurants. Un carnet d'adresses est posé sur une grosse enveloppe kraft dans le tiroir, sous le téléphone. Amanda le feuillette et comme elle s'y attend, la plupart des pages sont vierges. Pas de Mallins au *m*. Pas de Turk au *t*. En revanche Corinne Nash est notée à la fois au *c* et au *n*. Prise d'une inspiration subite, elle va au *a*, et découvre avec stupeur AMANDA écrit en grosses lettres en travers de deux pages. En dessous, elle découvre tous les numéros de téléphone qu'elle a eus depuis qu'elle est partie, comme si sa mère l'avait suivie de place en place, et d'homme en homme, jusqu'à son numéro personnel actuel et ceux de son cabinet, en Floride. Et pourtant sa mère ne l'a jamais appelée une seule fois. Amanda claque la langue d'agacement et rejette le livre dans le tiroir qu'elle s'apprête à refermer lorsqu'elle décide de voir ce que contient l'enveloppe.

— Je perds mon temps, marmonne-t-elle en se souvenant que Ben a déjà fouillé ces tiroirs en vain.

Mais c'était avant qu'elle ne rencontre Rachel Mallins, avant qu'ils n'aient entendu parler de Turk, avant l'étonnant rapport d'autopsie. Il est fort possible que Ben, ignorant ce qu'il cherchait, soit passé à côté d'un indice. Elle ouvre l'enveloppe, l'incline pour voir ce qu'elle contient.

Ce sont des bulletins de notes ! Elle s'assied sur le banc du petit coin repas et les étale sur la table. ÉCOLE PUBLIQUE DE PALMERSTON. Nom : Amanda Price. Légende des abréviations : A = excellent, B = bien, C = moyen, D = médiocre, E = insuffisant. Puis une liste de notes : A en lecture, rédaction, écriture, orthographe et maths. A en éducation civique et attention, mais seulement C en participation en classe.

Amanda est une élève sage et consciencieuse, c'est toujours un plaisir de l'avoir dans sa classe. Ce trimestre encore, elle a rendu d'excellentes rédactions et ses histoires sont toujours originales et bien racontées. Cependant je regrette de ne pas l'entendre plus en cours.

Je suis très satisfait des progrès d'Amanda. Son travail est toujours rendu en temps et heure, et ses critiques de livres sont réalisées avec soin, quoiqu'elle doive se relire pour éviter certaines fautes d'inattention. Elle est très sage en classe et semble bien s'entendre avec les autres élèves.

Amanda est une enfant sage, agréable et travailleuse et je suis ravie de l'avoir dans ma classe de CM2. Son exposé sur le Japon était particulièrement intéressant.

— Bon sang ! Elle les a tous gardés ? s'exclame Amanda en voyant ses relevés de notes depuis la maternelle. Non, ce n'est pas possible ! Ça doit être mon père qui les a conservés. Et elle n'a même pas pris le soin de les jeter. Je n'en valais pas la peine.

Elle feuillette la suite des bulletins, et remarque l'inquiétude croissante de ses professeurs à partir du collège. *Bien que ses notes soient bonnes, son attitude me préoccupe...* puis l'impatience de leurs commentaires à partir du lycée. *Amanda manque de rigueur dans son travail. Elle compte trop sur ses facilités et manque de discipline. Son attitude en classe laisse à désirer.*

— J'ai eu mes examens, non ? demande-t-elle en refermant la chemise d'un geste sec.

Elle se lève d'un bond, et jette la chemise avec ce qu'elle contient dans la poubelle sous l'évier.

— J'ai réussi mon droit, non ? Avec mention. Bon sang, qu'est-ce que je fais ?

Vite, elle récupère les bulletins dans la poubelle, les débarrasse de quelques feuilles de salade avant de les glisser dans leur enveloppe qu'elle remet à sa place.

— Je deviens folle. Pas étonnant ! Ça doit être héréditaire !

Elle retourne dans l'entrée, met ses deux sacs en bandoulière et les monte péniblement dans sa chambre, les jambes lourdes, comme si elle gravissait une montagne escarpée.

— Je ferais aussi bien de me recoucher, décide-t-elle, écrasée de fatigue.

Elle doit couver quelque chose. Elle a dû attraper ça dans l'avion. Les avions sont des foyers d'infection, c'est bien connu. Tout cet air vicié. Tous ces gens qui toussent et qui se mouchent, serrés les uns contre les autres, dans un espace confiné. Et le changement brutal de climat, cet air glacial auquel elle n'est plus habituée. Sans parler des circonstances qui l'ont conduite ici, des retrouvailles avec sa mère et son ex-mari, les rappels déplaisants d'un passé dont elle croyait être débarrassée. Cela suffirait à épuiser n'importe qui. Plus cette satanée neige qu'elle a nettoyée. Pas étonnant qu'elle ait les bras et le dos en compote. Pas étonnant qu'elle soit crevée. Pas étonnant qu'elle n'ait qu'une idée, se remettre au lit et dormir.

La lumière est toujours allumée dans son ancienne chambre. Elle va droit à la fenêtre et regarde l'allée entre la maison de sa mère et celle des voisins ; elle pense au pauvre M. Walsh en essayant de se souvenir de son visage. Mais elle ne revoit que ses rides tombantes et ses quelques mèches de cheveux blancs sur son crâne chauve, son énorme estomac qui tirait sur les boutons de sa chemise à manches courtes et pendait par-dessus la ceinture de son bermuda perpétuellement taché, en été. Alors que le décor est précis, ses traits sont flous et confus, comme une photo à l'arrière-plan bien net tandis que le sujet principal reste nébuleux. Amanda revoit une berline vert foncé qui s'arrête au milieu de l'allée commune. Puis une espèce de morse qui s'en extirpe. Elle distingue même la sueur sur son front quand il jette un regard à la dérobée vers la maison de sa mère et elle entend même son ricanement.

— Sale con ! dit-elle à voix haute. Tu te garais là exprès. Pas étonnant que ma mère t'ait jeté un sort ! Pitié, ne me dites pas que je sympathise avec elle, gémit-elle en étalant ses affaires sur le lit. Là, je suis malade, c'est sûr. D'ailleurs il fallait que je sois en plein délire pour acheter un truc pareil, ajoute-t-elle en tenant le pull violet devant elle. Violet, pour l'amour du ciel ! Et en mohair, par-dessus le marché. Quand vais-je le porter ? Et si je dormais avec ?

Elle se déshabille, enfile le pull et, tout de suite, apprécie sa douce chaleur douillette sur sa peau nue.

Elle attrape la brosse à dents, va à la salle de bains, s'examine dans la glace, surprise de voir comme le pull lui va bien, comme le violet s'harmonise avec ses cheveux blonds et fait ressortir son teint.

Je ne crois pas t'avoir jamais dit combien tu es jolie.

Je ne dois pas être très jolie maintenant, songe-t-elle en se brossant les dents. Puis elle se lave la figure et s'approche du miroir afin d'examiner sa peau, à la recherche de petites rides.

— Il n'est jamais trop tôt pour commencer à s'hydrater la peau, dit-elle à son reflet, avant d'ouvrir la pharmacie et de rester bouche bée devant les rangées de boîtes de pilules alignées sur les étagères.

Mélangés aux médicaments d'usage courant délivrés sans ordonnance, elle aperçoit une myriade de flacons de Tylenol 3 et de Percodan, ainsi qu'une série d'antidépresseurs, dont plusieurs ont été récemment accusés de provoquer des psychoses chez certains patients. Sa mère serait-elle de ceux-là ? Était-elle sous l'influence de l'un de ces puissants narcotiques quand elle avait tiré sur John Mallins ? Amanda vérifie les dates de péremption sur les flacons et s'aperçoit qu'elles sont dépassées depuis longtemps. Sa mère aurait-elle pris ces médicaments pendant des années avant de les arrêter du jour au lendemain, ce qui aurait obscurci son jugement et fait d'elle une victime qu'on ne pouvait, à l'évidence, considérer comme responsable de ses actes ?

Amanda court à sa chambre, attrape son téléphone pour appeler Ben et partager avec lui ses dernières découvertes et aussi s'excuser de ne pas avoir vérifié la pharmacie lors de leur visite. Comment avait-elle pu l'oublier ?

Sauf que...

Quelle différence cela faisait-il que sa mère ait abusé de ces drogues si elle persistait à clamer qu'elle avait mal agi ? Quelle différence cela faisait-il qu'elle ait arrêté ses médicaments du jour au lendemain ou qu'elle les ait pris longtemps après leur date de péremption, si elle s'entêtait à refuser de plaider les capacités diminuées ?

Pourtant...

Amanda compose le numéro de Ben, écoute les sonneries et raccroche avant de déclencher le répondeur. Inutile de laisser un message. Elle dormirait quand Ben rentrerait. Avec sans doute Jennifer pendue à son cou. Pourquoi ne seraient-ils pas ensemble ? Jennifer est séduisante et intelligente. Et il y a peu de risque que sa mère occupe ses loisirs à descendre les gens dans les halls d'hôtel. En deux mots, elle est un parti bien plus sain, bien plus sûr. La mère de Ben n'aurait pu que l'approuver. Et son père aussi, pense-t-elle en se représentant le beau M. Myers senior en voyage de noces avec son ancienne professeur d'histoire.

La vie a de ces ironies...

Le père de Ben a le même âge que mon ex-mari, Sean, s'aperçoit-elle avec une grimace en entrant dans la chambre de sa mère et en allumant la lumière. Qu'est-ce qui m'a pris de l'épouser, d'abord ? Ou plus précisément qu'est-ce qui a pris à Sean de m'épouser ? D'accord, elle était jeune et jolie, mais la Floride était remplie de jeunes et jolies filles, et les hommes intelligents et raffinés comme Sean pas faciles à ferrer. Que lui avait-il trouvé de particulier ? Et comment avait-il pu l'aimer ? Comment un homme pouvait-il réellement l'aimer alors qu'elle avait laissé son propre père si indifférent ? Et que sa mère la considérait comme indigne d'affection ?

Amanda s'approche de l'alcôve, près du lit de sa mère, et parcourt des yeux les bibelots en cristal posés sur l'étagère. Elle caresse un petit caniche en verre avec de minuscules points noirs en guise d'yeux et de museau.

— Bon, assez joué. Je n'avance pas.

Elle se dirige d'un pas décidé vers la commode, commence à fouiller les tiroirs avec impatience. Le même bazar que l'autre jour, marmonne-t-elle en refermant le dernier lorsque son regard se pose sur la maison de Mme MacGiver de l'autre côté de la rue.

Quelqu'un se tient derrière la fenêtre du premier étage, constate-t-elle en faisant un pas en arrière tandis que son corps se tend en avant pour mieux voir.

— C'est vous, madame MacGiver ?

Elle se rapproche et appuie son front contre la vitre froide.

La silhouette en face recule et disparaît derrière les épaisseurs de rideaux. Quelques secondes plus tard, les lumières de la pièce s'éteignent.

Amanda reste un instant à fixer les ténèbres, en se demandant combien de ses anciens voisins habitent encore le quartier et si l'un d'entre eux ne l'observait pas en ce moment. Elle devrait faire le tour des maisons de la rue, demain, afin de parler à ceux qui connaissent sa mère. Quelqu'un pourrait peut-être lui apporter des éclaircissements. Les gens en savent souvent plus qu'on ne le croit. Même si l'expérience lui a souvent prouvé le contraire.

— Bon, ça suffit, dit-elle à l'intention de ceux qui pourraient l'observer. Pour tous ceux que ça intéresse, je vais me coucher maintenant. Comment trouvez-vous mon nouveau pull, à propos ? La couleur vous plaît ? Il n'est pas trop violet ? Parfait. Eh bien, bonne nuit et faites de beaux rêves.

Elle éteint la lumière, regagne sa chambre et se glisse entre les draps.

— Je me fais des illusions. Jamais je n'arriverai à dormir, soupire-t-elle et à peine a-t-elle prononcé ces mots qu'elle sombre dans un profond sommeil.

Amanda ?

Elle ouvre les yeux et voit un garçon tout maigre avec une grosse tête en bois et une tignasse noire s'avancer vers elle. Il porte une chemise blanche immaculée, rentrée dans son jean et il a des yeux aussi verts que son sourire est large.

Danse avec moi, dit-il, en lui tendant les mains à mouvements saccadés.

Amanda descend de son lit et fait la révérence, il lui répond par une courbette. Quelques secondes plus tard, il la tient bien serrée dans ses bras de bois et la fait tourbillonner sur une grande scène.

J'adore ton nouveau pull, lui dit-il tandis qu'elle sent une bouffée d'air froid lui balayer le visage, geler son sourire et durcir sa peau comme de la glace. Ses bras et ses jambes se mettent à bouger sans contrôle ni grâce. D'abord c'est son genou droit qui se soulève, puis sa main gauche, et ensuite les deux jambes ensemble. Soudain son bras droit jaillit sur le côté, sa bouche s'ouvre et se ferme mais la voix qui en émerge n'est pas la sienne.

Ma poupée, ma poupée, chantonne-t-elle, alors qu'elle sent les muscles de son dos tressaillir, comme si elle avait un hameçon fiché entre les omoplates. *Qui c'est ma petite poupée ?*

— Merde !

Amanda se réveille en sursaut, allume la lampe de chevet et voit son rêve s'évaporer sous la lumière. Elle se passe une main dans les cheveux et essaie de calmer les battements affolés de son cœur, tout en prenant conscience que tous les muscles de son corps la font souffrir.

Elle n'aurait jamais dû déblayer cette maudite neige. Bien qu'elle soit parfaitement réveillée, la voix étrange continue à résonner dans sa tête. À qui est cette voix ? Elle se lève, sort dans le couloir et secoue les épaules pour se débarrasser de cette sensation pénible d'être une marionnette dont quelqu'un tire encore les ficelles.

23.

Elle se rend à la salle de bains en traînant les pieds pour s'asperger d'eau froide et s'aperçoit avec stupeur que son visage est déjà inondé de larmes.

— Mais bon sang, pourquoi je pleure ?

Elle secoue la tête frénétiquement d'un côté à l'autre et ses cheveux se plaquent sur ses yeux comme les mains de quelqu'un qui jouerait à « Devine qui c'est ? ». Enfin, l'illusion pénible se dissipe. Amanda reste ainsi quelques secondes immobile, la tête courbée, les cheveux collés sur sa peau mouillée, sa respiration hachée par une série de spasmes qui s'égrènent comme les derniers tic-tac d'une bombe serrée autour de sa poitrine, sur le point d'exploser. Sa main gauche cherche à tâtons le porte-serviettes, ses yeux voilés notent l'heure sur la montre qu'elle a oublié de retirer avant de se coucher. Elle constate avec surprise qu'il est à peine onze heures.

— Pas même minuit ! grogne-t-elle en s'essuyant le visage avec la serviette rugueuse.

Elle prend le verre en plastique rose sur le bord du lavabo, le remplit d'eau et le vide d'une traite. Que va-t-elle faire jusqu'à demain matin ?

Elle pourrait descendre se préparer à manger mais elle se souvient de l'état du réfrigérateur et décide que les pommes ne correspondent pas exactement à son idée de la nourriture de réconfort. Elles sont trop saines. Trop bonnes pour la santé quand on ne rêve que d'aliments riches, gras, dégoulinants de calories, comme les macaronis au fromage qu'elle a déjà dégustés. Bien sûr, elle pourrait s'habiller et chercher une épicerie ouverte la nuit, mais elle n'est pas sûre d'en trouver à Toronto. Ou elle pourrait tout simplement commander une pizza. Ça doit être encore possible. La nuit commence à peine. Ou mieux encore, elle pourrait appeler Chalet suisse. À quand remonte la dernière fois où elle a goûté l'un de leurs merveilleux demi-poulets aux frites, baignant dans la sauce barbecue ? Bien trop longtemps, décide-t-elle en retournant dans sa chambre chercher son téléphone portable, l'eau à la bouche. Elle l'ouvre, s'apprête à appeler les renseignements lorsqu'elle voit qu'elle a un message.

Salut. C'est Ben, déclare l'enregistrement d'une voix dénuée d'émotion, mais le fait qu'il ait jugé nécessaire de s'identifier sous-entend un certain reproche. *Je me demandais ce que tu faisais, mais comme apparemment tu cours le guilledou, c'est que tout va bien.* Un léger silence. *Appelle-moi dans la matinée.*

— Le guilledou ! répète Amanda. Ouais, je cours le guilledou, dans la maison de ma mère, vêtue en tout et pour tout de mon nouveau pull en mohair, tel un gros fantôme violet ! Et à saliver à la seule pensée d'un deuxième repas bien gras, alors je dois donc avouer que oui, je ne me porte pas trop mal, merci de t'en préoccuper !

Elle réécoute trois fois le message avant de l'effacer.

— Quand as-tu appelé ? demande-t-elle au minuscule téléphone, furieuse de s'être couchée si tôt, de ne pas avoir pensé à sortir ce fichu appareil de son sac et de ne pas l'avoir entendu sonner. Elle regarde à nouveau l'heure, décide qu'il n'est pas trop tard pour rappeler Ben. Il ne doit pas se coucher avant minuit.

Appelle-moi plus tard.

Naturellement.

Elle compose son numéro, et attend, prête à couper si c'est le répondeur qui décroche.

— Allô ? dit Ben avant même la fin de la première sonnerie, d'une voix si chaude et si accueillante qu'elle voudrait se lover dedans.

— C'est moi.

Elle ne prend pas la peine de s'identifier !

— Je viens juste de recevoir ton message.

— Où es-tu ?

— À la maison. Chez ma mère, corrige-t-elle aussitôt. Quand as-tu appelé ?

— Il y a deux ou trois heures.

— Je m'étais endormie. Je n'ai pas entendu la sonnerie.

— Ça va ?

— Oui, j'ai juste un peu faim.

Il rit.

— Tu n'aurais pas envie d'aller manger un morceau, par hasard ?

— Impossible, rétorque-t-il sans offrir de plus amples explications.

Quelle agaçante manie ! Amanda se représente Jennifer le regardant de l'autre bout de la pièce, la tête penchée d'un air interrogateur, comme pour demander « Qui peut appeler à cette heure ? ».

— Alors, tu as eu le temps de jeter un coup d'œil ? Quelque chose nous a échappé ?

— Oui, répond-elle tout excitée à la pensée des flacons de médicaments. J'ai trouvé des comprimés.

— Des comprimés ?

— Au moins dix flacons. Des antidépresseurs, des calmants, sa pharmacie contient tout ce qu'on peut imaginer. La plupart périmés depuis longtemps, ce qui ne veut pas dire qu'elle n'en a pas pris. T'a-t-elle dit si elle suivait un traitement ?

— La seule chose qu'elle ait jamais mentionnée, ce sont ses capsules de calcium.

— Crois-tu qu'on pourrait invoquer l'altération des facultés mentales ?

— On pourra toujours étudier la question. Tu n'as rien trouvé d'autre ?

— Non. Sauf que toutes ses plantes sont artificielles.

Il rit de nouveau, et ce rire lui fait l'effet d'une caresse sur la joue.

Elle craint soudain qu'il ne raccroche, qu'il ne lui trouve plus d'intérêt.

— Tu as des plantes ? s'enquiert-elle en agrippant le téléphone comme si elle essayait de le retenir.

— Quelques-unes. Mais elles ne sont pas brillantes. Trop de soleil, je crois.

Amanda tente d'imaginer son appartement à Harborside, avec ses grandes baies donnant sur le lac, mais tout ce qu'elle voit, c'est le minuscule deux pièces qu'ils partageaient autrefois sur Vaughan Road, dans un immeuble de brique jaune qui avait connu des temps meilleurs. Sans ascenseur. Sans air conditionné. Sans lave-vaisselle. La chambre était juste assez grande pour leur lit, et ils avaient eu du mal à caser dans le salon à peine plus large le vieux canapé qu'ils avaient acheté d'occasion. Et leur voisin du dessous cognait avec un balai au plafond, chaque fois qu'ils mettaient leur stéréo, le seul bien de valeur qu'ils possédaient.

— Tu te souviens de notre appartement de Vaughan Road ? s'entend-elle demander.

Petit silence.

— Qui pourrait l'oublier ?

— Il était affreux.

— Je l'aimais bien.

— Moi aussi.

Nouveau silence. Plus long. Un bref instant, Amanda croit qu'ils ont été coupés.

— Ben ?

— Oui ?

— Rien.

Elle secoue la tête comme s'il pouvait la voir.

— J'ai eu peur que tu ne sois plus là.

— Je suis là.

Elle sourit tristement. Quel gâchis ! Elle voudrait s'excuser de la façon dont elle l'a quitté et du mal qu'elle lui a fait.

— Alors qu'est-ce qu'on fait maintenant ?

— Je serai demain matin au tribunal, à la première heure, répond-il, ignorant les implications plus larges de sa question. Mais il faudra qu'on aille voir ta mère dans l'après-midi, si ça te convient. J'aimerais en savoir plus sur cette histoire de pilules.

— À quelle heure ?

— Pourrais-tu me retrouver à deux heures, à mon bureau ?

— Bien sûr.

— Parfait. À demain, donc.

— À demain, répète Amanda qui n'a aucune envie que cette conversation se termine.

— Dors bien, Amanda.

— Toi aussi.

Et soudain c'est le vide absolu. Amanda tend l'oreille, espérant entendre la respiration de Ben à l'autre bout du fil. Hélas, elle doit se résigner à l'évidence et referme son portable d'un coup sec avant de le jeter dans son sac. Puis elle se précipite pour le reprendre et le pose sur la table de chevet, au cas où Ben rappellerait.

Elle s'assoit sur le lit étroit et regarde fixement la reproduction du Renoir sur le mur opposé. Combien de nuits a-t-elle passées à contempler ce portrait joyeux d'une jeune fille insouciante, en robe froufroutante, campée sur sa balançoire, son corps nimbé de soleil, son visage rond et rose rayonnant de sérénité, totalement satisfaite de son existence privilégiée, comme si celle-ci lui était due. Comme elle avait envié cette fille qui arborait son bonheur avec autant de fierté et d'aisance que ses nœuds bleus sur le devant de sa robe d'un blanc mousseux, une fille qui avait le courage de se mettre debout sur une balançoire. Que n'aurait-elle donné pour échanger sa place contre la sienne, pour être cette fille au soleil entourée d'admirateurs, au lieu d'une enfant qui tremblait de solitude tous les soirs, dans son lit ?

Quand elle était petite, elle s'était imaginé que, si elle s'approchait suffisamment du tableau, elle pourrait être absorbée à l'intérieur. Et donc un soir, elle était montée sur son bureau et s'était agenouillée le nez contre le cadre jusqu'à ce qu'elle ait des crampes et que la vitre soit couverte de buée. La fille sur la balançoire l'avait complètement ignorée et Amanda avait maudit son égoïsme. J'espère que tu tomberas et que tu te briseras le cou, avait-elle chuchoté avant de redescendre pleurer dans son lit. Mais, le lendemain matin, la jeune fille continuait à se balancer de son air satisfait et paisible. Ses pouvoirs de destruction étaient visiblement moins étendus que ceux de sa mère.

Tu veux parier ? la défie-t-elle maintenant. Et elle la voit s'écraser sur le sol, sa robe froufroutante se couvre de poussière, du sang coule d'une blessure au front et une tache d'un rouge éclatant souille les doux pastels de la palette impressionniste. Amanda ferme les yeux de satisfaction. Demandez donc à Ben qui est la plus forte. Demandez à Sean. Demandez à mon père.

Elle se retourne sur le ventre avec un grognement, à la recherche d'une position confortable. Mais sa culpabilité la taraude. Au bout de dix minutes passées à se retourner d'un côté à l'autre, elle renonce à dormir. Et si elle descendait regarder la télévision ? Il devait bien y avoir un match de hockey quelque part. Elle se lève et sort dans le couloir.

Elle n'a aucune intention d'entrer dans la chambre du milieu, et se retrouve donc avec surprise sur le seuil. Elle n'a aucune intention d'aller vers le placard, et ne comprend pas comment elle a déjà la main sur la porte. Et elle a encore moins l'intention de prendre le théâtre de marionnettes ni de le poser au centre de la pièce, lorsqu'elle s'aperçoit avec stupéfaction qu'elle est assise par terre en train de démêler les ficelles des poupées, puis de les suspendre au-dessus de la scène.

— Salut, les amis, dit-elle en regardant les marionnettes s'incliner et se faire la révérence l'une après l'autre.

— Salut, mignonne, répond le garçon en penchant sa tête en bois.

— Où étais-tu passée ? demande la fille poliment.

Amanda hausse les épaules et les fait virevolter autour de la scène.

Elles se déplacent ensemble avec aisance et grâce, la tête de la fille appuyée contre l'épaule du garçon, le bras du garçon enroulé autour des épaules de la fille d'un air protecteur. Petit à petit, leurs membres s'emmêlent, leurs pas se chevauchent, leurs ficelles s'enchevêtrent et s'enroulent les unes autour des autres comme des lianes autour d'un arbre, jusqu'à ce que les deux marionnettes n'en fassent qu'une seule et qu'il soit impossible de les séparer sans provoquer des dégâts irréparables. Tel le véritable amour, ironise Amanda, s'imaginant dans les bras de Ben, sentant sa joue contre la sienne, son bras pressé au creux de son dos.

Personne avant lui, ni après, n'a jamais réussi à lui faire éprouver la même chose, comme si, en la touchant, il atteignait son âme.

Sauf qu'elle ne veut plus que qui que ce soit l'atteigne aussi profondément. Car celui qui y arriverait verrait qu'il n'y avait plus rien. Rien d'intéressant. En tout cas, rien qui vaille la peine qu'on l'aime. Car si votre propre mère ne vous aime pas...

— Qu'est-ce qui m'arrive ? s'interroge Amanda avec la voix de quelqu'un qui sort d'une longue transe. Qu'est-ce qui m'arrive, bon sang ?

Elle arrache les ficelles de ses doigts, du coup les marionnettes sursautent et se séparent. Dégoûtée, elle les jette à travers la pièce et les regarde rebondir contre le mur et retomber sur le lit, l'une sur l'autre, comme si elles avaient décidé d'achever ce qu'elle avait commencé. Elle tourne sur elle-même au milieu de la pièce, de plus en plus agitée.

— Merde ! Qu'est-ce qui m'arrive ?

Elle se penche, ramasse le théâtre, pivote pour prendre de l'élan, comme une athlète et le jette de toutes ses forces. Le théâtre manque la fenêtre de quelques centimètres et se fracasse contre le mur où il arrache un morceau de papier peint bleu avant d'exploser. Les morceaux de bois retombent à travers la pièce comme les débris d'une explosion.

Amanda contemple le gâchis. Le bureau est constellé de minuscules planchettes qui lui rappellent les bâtons de sucettes qu'elle collectionnait enfant. Le sol du théâtre s'est désolidarisé des murs et pend en équilibre précaire sur le bord du bureau. Il y a des éclats de bois partout.

— Génial ! marmonne Amanda. J'ai encore fait un beau gâchis.

Elle sort de la pièce et descend à la cuisine chercher l'aspirateur.

— D'abord les plantes, maintenant le théâtre. Je suis un vrai fléau ambulant. Ma mère avait raison de se méfier de moi.

Le temps qu'elle remonte, armée de l'aspirateur et d'un sac-poubelle, le socle du théâtre est tombé et gît à l'envers sur la moquette grise. De la sciure s'est écoulée de la carcasse brisée, tel du sang.

Amanda s'apprête à mettre la grosse pièce de bois dans le sac-poubelle lorsqu'elle aperçoit le coin d'une feuille par une fissure. Qu'est-ce que c'est que ça ?

Avec précaution, elle extirpe lentement une carte de visite de sa cachette.

AAA Système de purification des eaux, annonce la carte en caractères gras. **Walter Turofsky, directeur commercial.**

— Nom d'un chien, qu'est-ce que c'est ?

Elle secoue le socle et plusieurs cartes de visite en tombent. Elle s'agenouille et les examine l'une après l'autre.

AAA Gestion Immobilière. George Turgov, président.

AAA Revêtements de sol. Milton Turlington, représentant.

AAA Étanchéité. Rodney Tureck, vice-président.

Qu'est-ce que c'est que ce bazar ? Les yeux d'Amanda sautent d'une carte à l'autre. Qui sont ces compagnies ? Et qui sont ces hommes ? Turofsky, Turgov, Turlington, Tureck ?

— Turk ! s'exclame-t-elle, le nom a littéralement jailli de ses tripes. Turk ! Bonté divine, je sais que c'est toi ! Le nouvel ami qu'avait rencontré le véritable John Mallins avant de disparaître. Qu'est-ce que tu fiches là ?

Amanda essaie de vérifier entre les étroites lattes du socle du théâtre si rien d'autre n'y est dissimulé, mais elles sont trop serrées pour qu'elle puisse distinguer quoi que ce soit. Elle secoue le socle de toutes ses forces sans plus de résultats. Qu'à cela ne tienne ! Elle l'abat sur l'angle du bureau et l'ouvre en deux. Le coin d'une feuille de papier brillant apparaît aussitôt. Elle la tire avec délicatesse de peur de la déchirer puis la retourne.

— Mon Dieu, qu'est-ce que c'est que ça ? s'écrie-t-elle en se laissant tomber sur la moquette jonchée de débris de bois.

C'est une photographie.

Et, bien qu'elle soit passée, éraflée et fripée, l'image est sans équivoque. C'est une photo d'un homme qui tient une petite fille sur ses genoux. Ils sourient, tous les deux, heureux, complices. L'homme est celui que sa mère a abattu. La fillette, c'est Hope, sa fille.

Que fait sa mère avec cette photo ? D'où la sort-elle ? Pourquoi l'a-t-elle ? Depuis quand la cache-t-elle ?

D'après son apparence, cette photo remonte au moins à trois ou quatre ans. Hope semble avoir neuf ou dix ans, bien qu'elle ait en gros le même visage que lorsque Amanda l'a vue, il y a quelques jours, les mêmes cheveux sombres, le même regard perçant. Son père est plus mince, plus beau que sur la photo du passeport parue dans les journaux, bien qu'un pli du papier lui traverse la joue comme une cicatrice.

— Turk, c'est toi, n'est-ce pas ?

Elle a l'impression que son sourire s'élargit, comme s'il la narguait.

Il y a quelque chose qui cloche dans ce cliché.

— Je trouverai, tu sais.

Mais elle a beau le scruter, elle ne voit qu'un père et sa fille, assis sous un gros arbre dans un jardin. Ils portent des vêtements d'été, sans particularité. On ne voit aucun bâtiment reconnaissable dans le fond, aucune fleur rarissime à leurs pieds. Le ciel bleu ne présente rien de distinctif.

— Je trouverai si tu es George Turgov ou Rodney Tureck ou Milton Turlington ou Walter Turofsky, ou tout autre nom dont tu as pu t'affubler. Je trouverai ce que tu as fait de John Mallins. Et je trouverai comment ma mère s'est procuré cette photo, ajoute-t-elle avec une détermination qui la sidère. Même si je dois en crever.

24.

Moins de cinq minutes plus tard, Amanda a enfilé un pantalon noir en plus de son pull violet et descend en courant, son sac à main en bandoulière, son portable pressé contre son oreille.

— Réponds ! marmonne-t-elle en enfilant ses bottes dans l'entrée. Allez, Ben. Je ne vais pas y passer la nuit.

On décroche à la quatrième sonnerie.

— Allô ? dit une voix endormie.

Une voix féminine s'aperçoit Amanda, avec une pointe de déception inopportune.

— Bonsoir, Jennifer. Je suis désolée d'appeler si tard. Il faut que je parle à Ben.

— Qui est-ce ?

— C'est Amanda, répond-elle sans faire aucun effort pour cacher sa contrariété.

Qu'est-ce qu'elle a cette bonne femme ? Qui d'autre pourrait appeler Ben à une heure pareille ?

— Qui ?

— Bon sang, Jennifer, passez-le-moi. C'est urgent.

— Quoi ! Vous demandez Ben et Jennifer[1] ? Vous vous foutez de moi ? gueule l'inconnue avant de raccrocher.

— Ben et Jennifer ? Merde ! hurle Amanda en voyant les

1. Ben Affleck et Jennifer Lopez (*N.d.T.*).

photos du célèbre couple danser dans sa tête. Il ne manquait plus que ça !

Elle chasse cette vision importune du revers de la main et rappelle, en faisant très attention d'appuyer sur les bonnes touches mais, cette fois, oublie de composer le code régional, et tombe sur un exaspérant message enregistré qui lui dit de renouveler son appel. Elle n'en a aucune envie et jette le portable dans son sac en prenant soin de ne pas froisser la photographie et les cartes de visite qu'elle a glissées dans une enveloppe rose doublée de fleurs, trouvée dans le dernier tiroir de sa commode. Elle finit de mettre ses bottes, la douceur de l'épaisse doublure lui réchauffe déjà les pieds, puis attrape dans le placard son manteau qu'elle enfile en sortant sur le perron. Aussitôt une rafale de neige glaciale l'aveugle.

— Seigneur, vous ne pourriez pas faire quelque chose pour le temps ! implore-t-elle le ciel obscur, avant de descendre les marches et de suivre le chemin qu'elle a dégagé dans l'après-midi.

Il devrait y avoir des taxis sur Bloor, songe-t-elle, décidée à se rendre carrément chez Ben plutôt que de lui annoncer ses dernières découvertes par téléphone. Si Jennifer est là, tant pis ! D'ici à vendredi, toute cette affaire sera réglée d'une manière ou d'une autre et elle sautera dans le premier avion pour la Floride. Et jamais elle ne reverra Ben, quel que soit le nombre d'inconnus que sa mère abattra.

Finalement ce serait encore mieux que Jennifer soit là, conclut-elle en arrivant au coin de Palmerston et Bloor, où elle cherche en vain un taxi des yeux. Cela mettrait fin à toutes ses idées romantiques stupides. Elle n'a jamais supporté les histoires d'amour.

Elle aperçoit le bandeau lumineux d'un taxi derrière une autre voiture et agite les mains au-dessus de sa tête afin d'attirer l'attention du chauffeur, mais soit il ne la voit pas, soit il préfère l'ignorer : il ne daigne pas s'arrêter. Le suivant non plus : il a déjà un passager assis à l'arrière.

— Merde ! marmonne-t-elle en tapant ses bottes fourrées l'une contre l'autre, ses pieds nus déjà glacés à l'intérieur.

Elle aurait dû mettre des chaussettes. Allez, gémit-elle alors qu'un nouveau flot de voitures défile devant elle à toute vitesse. Où sont passés ces satanés taxis ?

Elle finit par en apercevoir un de l'autre côté de la rue, prêt à démarrer dans la direction opposée.

— Non ! hurle-t-elle en traversant la chaussée. Pas par là. Par ici, de ce côté !

Le taxi s'arrête et elle se précipite en dérapant dans la neige fondue.

— Merci, articule-t-elle d'une voix rauque.

Elle regarde machinalement le nom du chauffeur sur sa plaque d'identité. Ne serait-ce pas drôle s'il s'appelait Walter Turofsky, George Turgov, Milton Turlington ou Rodney Tureck ? Et elle manque éclater de rire en voyant qu'il se nomme Igor Lavinsky.

— Où vous allez ? demande-t-il par-dessus son épaule.

Une cigarette à moitié consumée pend au coin de ses lèvres, malgré le panneau sur le pare-brise qui recommande aux passagers de ne pas fumer.

— À Harborside, dit-elle en remuant ses orteils pour les réchauffer.

Elle s'enfonce dans le siège, pousse un profond soupir et regarde la vapeur de son haleine monter dans l'air, comme un génie qui sort d'une bouteille.

— Ça va ? s'inquiète le chauffeur, qui la dévisage en plissant les yeux dans son rétroviseur. Vous pas malade dans mon taxi, j'espère.

— Non, non. Je vais très bien. J'ai juste un peu froid.

— Froid. Oui, très froid. Mais manteau paraître chaud.

— Oui. Manteau très chaud, acquiesce-t-elle, imitant malgré elle son accent russe.

— Joli manteau, ajoute-t-il, avant d'augmenter le volume de sa radio qui diffuse un mélancolique solo de saxophone, signalant ainsi la fin de la conversation.

Cinq minutes plus tard, Amanda descend du taxi et court vers la grande porte vitrée de l'immeuble de Ben. Le vent du lac transforme ses cheveux en centaines de petits fouets qui lui cinglent le visage. Il essaie de l'empêcher d'ouvrir la porte déjà lourde, puis la poursuit dans le hall de marbre, comme si lui aussi voulait échapper au froid. Amanda frissonne en écartant les cheveux de ses yeux pour passer en revue la liste des occupants. Elle repère enfin le nom de Ben et compose le code correspondant.

— Monte. Mille douze, au cas où tu l'aurais oublié, annonce Ben à l'Interphone, sans même demander qui c'est.

A-t-il vu son taxi s'arrêter par la fenêtre ? Son appartement donnerait-il à la fois sur le lac Ontario et sur le Lake Shore Boulevard ? La porte intérieure s'ouvre dans un déclic et Amanda pénètre dans un large hall, remarque à peine les meubles d'une discrète élégance et l'immense tapisserie moderne suspendue sur le mur à côté des ascenseurs. Elle en voit un qui l'attend, la porte ouverte, entre et appuie sur le bouton du dixième.

Le temps qu'elle arrive devant l'appartement de Ben, la circulation de ses pieds s'est presque rétablie. Ce qu'il lui faudrait, c'est une bonne tisane à la pêche et à la framboise, songe-t-elle en frappant doucement.

— Tu en as mis du temps ! s'exclame-t-il en ouvrant la porte avant de s'immobiliser, le visage pétrifié de surprise. Amanda !

— Ne sais-tu pas que c'est dangereux d'ouvrir sans savoir qui c'est ?

Il scrute le couloir derrière elle.

— Je croyais le savoir.

— Il faut toujours vérifier. Que t'a-t-on appris à la fac de droit ? Alors tu as l'intention de me laisser entrer ou quoi ?

Ben contemple à nouveau le couloir, comme s'il hésitait, avant de s'effacer.

— Qu'est-ce que tu fais là ? demande-t-il en la regardant s'appuyer à la console de l'entrée pour retirer ses bottes. Bon Dieu, tu es sortie sans chaussettes par ce froid ?

— J'étais pressée, explique-t-elle en retirant son manteau et en le lui tendant. Tu peux l'accrocher quelque part ?

— Et toi, tu peux me dire ce que tu viens faire ici ?

— J'ai quelque chose à te montrer.

— En dehors de tes orteils violets ?

— Ils sont assortis à mon pull, plaisante-t-elle en s'avançant vers le salon, étonnamment à l'aise, vu les circonstances.

Après tout, elle est gelée, il est bientôt minuit et elle se tient au beau milieu de l'appartement de son ex-mari, pieds nus, les orteils engourdis, tandis que l'ex-susmentionné attend l'arrivée de sa dulcinée avec impatience. Sans oublier qu'elle tient un sac lourd de nouvelles stupéfiantes. Et elle se sent... comment dire... heureuse. Paisible. Sereine même. Comme la fille sur sa balançoire, s'aperçoit-elle, en se cambrant vers un rayon de soleil imaginaire.

— Tu as bu ? s'inquiète Ben, en la suivant au salon.

— Non, mais c'est une très bonne idée.

Il hausse les épaules comme s'il se résignait à ne plus être maître chez lui.

— Qu'est-ce que tu veux ?

— Une tisane ?

— Une tisane ?

— Pêche framboise, si possible.

— Pêche framboise, marmonne-t-il et il repart vers la cuisine en secouant la tête.

Amanda balaie du regard le salon et la salle à manger au mobilier sans affectation. Les murs sont crème, le canapé en daim beige ne va pas très bien avec la chauffeuse en cuir noir qui lui fait face. Six chaises en plastique fumé gris encadrent une table rectangulaire, côté salle à manger, et quelques peintures géométriques abstraites décorent les murs. Amanda s'approche de l'une des immenses baies, appuie son front contre la vitre et scrute l'obscurité, croyant presque entendre le bruit des vagues glacées de l'Ontario.

— Je n'ai pas de tisane à la pêche et à la framboise, annonce Ben depuis la cuisine. Je n'ai que du thé Red Rose.

— Eh bien, va pour le thé.

Amanda s'approche de la cuisine, et regarde du seuil Ben remplir une bouilloire et jeter un sachet de thé dans un mug décoré de tournesols.

— J'aime bien ton appartement, déclare-t-elle, en s'asseyant devant la petite table en verre.

— Pourquoi es-tu venue ?

— Je sais qui est Turk.

— Quoi ? Comment ça ?

— J'ai trouvé quelque chose. Chez ma mère.

Ben s'assoit sur la chaise en face et s'accoude, brusquement attentif. Il porte un jean et une chemise bleue au col déboutonné. Jamais Amanda ne l'a vu aussi beau.

— Quoi donc ?

— Juge par toi-même, dit-elle en étalant les cartes.

— AAA Système de purification des eaux. Walter Turofsky, directeur commercial, lit-il, ses yeux sautant avec méfiance d'une carte à l'autre. AAA Revêtements de sol. Milton Turlington, représentant... Rodney Tureck... George Turgov.

Il lève la tête vers Amanda.

— Turk !

— Où les as-tu trouvées ?

— Dans la chambre d'amis, répond-elle, sans lui préciser la façon quelque peu brouillonne dont elle les a découvertes. Je ne les avais pas vues la première fois.

— Et c'est tout ?

Amanda pousse la photo vers lui.

— Voici notre homme avec sa fille, Hope. Prise il y a trois ou quatre ans, à mon avis.

— Comment ta mère se l'est-elle procurée ?

— Je l'ignore.

— Tu crois que c'est elle qui l'a prise ?

— Je l'ignore.

— Alors que savons-nous exactement ?

— Je l'ignore.

Il sourit.

— C'est peu.

Un sifflement annonce que l'eau est chaude.

— Ah, c'est prêt !

Ben se lève, verse l'eau bouillante dans le mug.

— Du lait, du sucre ?

Amanda hoche la tête.

— Qu'est-ce que ça signifie, à ton avis ? Elle serre le mug entre ses mains, et sent les tournesols lui brûler les paumes.

— Cela signifie que nous avons quelques petites questions à poser à ta mère.

— Tu crois qu'elle parlera ?

— Ça m'étonnerait, répond-il en jetant un coup d'œil à sa montre. Bois ton thé.

— Tu es pressé de te débarrasser de moi ?

Un long silence, que seul tempère le sourire de Ben.

— Sincèrement, je ne comprends toujours pas pourquoi tu es venue.

Elle tend la main vers les cartes et la photo.

— Tu ne crois pas que ça valait le déplacement ?

— Ça aurait pu attendre demain matin.

Ce léger reproche l'ébranle autant que si Ben l'avait violemment secouée par les épaules. Il a raison, bien sûr. Elle n'avait aucune raison de se précipiter ainsi. Et il croit que ce n'est pas pour sa mère qu'elle est venue, mais pour lui. Elle s'est ridiculisée, s'aperçoit-elle, en se voyant à travers son regard à lui. Et elle se trouve pitoyable et même... quelle expression avait-il employée l'autre jour, désespérée. Il faut qu'elle s'en aille. Elle se précipite sur son thé, et se brûle la langue tandis que la buée lui monte aux yeux et la fait pleurer.

— Aïe, c'est bouillant !

— Je t'ai dit de le boire, pas de l'engloutir.

— Je ne fais jamais rien comme il faut, c'est ça ?

— Je n'ai pas dit ça.

— Écoute, je vois bien que tu es pressé que je parte. Alors, autant que j'y aille.

Elle se lève d'un bond, les mains tremblant de colère, et essaie sans y parvenir de remettre les cartes et la photo dans leur jolie enveloppe rose. Elle finit par abandonner et jette le tout en vrac dans son sac.

— Merci pour le thé. Navrée de t'avoir dérangé.

Elle traverse la salle à manger et se cogne dans la table en verre.

— Merde ! s'exclame-t-elle, imaginant déjà le joli bleu sur sa hanche.

— Amanda, attends, lance-t-il en la rattrapant pour la retenir par le coude. Qu'est-ce que tu fais ?

— Je me sauve avant l'arrivée du relais.

Elle dégage son bras et continue vers l'entrée.

— C'est bien ça qui te fait peur, non ? Que Jennifer nous voie ensemble et en tire de fausses conclusions ?

Elle enfile une botte encore glacée, se bat avec la seconde.

— Amanda, attends.

— Quoi ?

Elle le regarde, son pied droit à moitié enfoncé dans la botte.

— Ses conclusions seraient-elles si fausses ?

Pendant un moment, elle n'entend plus que leurs respirations.

— Qu'est-ce que tu veux dire ?

— Bon, je sais que je n'ai jamais été très doué pour te comprendre. Alors je me trompe peut-être.

— Certainement.

— C'est juste que tu te pointes chez moi au milieu de la nuit...

— Il n'est que minuit.

— ... avec des informations, qui, toutes stupéfiantes qu'elles soient...

— Je suis désolée de t'avoir dérangé. Je pensais que ça t'intéresserait.

— ... pouvaient attendre demain.

— La dernière fois que je ne t'ai pas mis au courant tout de suite, tu étais furieux.

— Parce que tu es partie bille en tête et que ça aurait pu être dangereux.

— Je ne suis pas en danger, maintenant.

— Et ce n'est pas moi qui suis furieux.

Amanda envoie balader la botte qui pend au bout de son pied.

— D'accord, cette discussion ne mène nulle part. Et je n'ai jamais été douée pour les subtilités, alors accouche ! Qu'est-ce que tu veux dire exactement ? Que je suis venue ici pour te séduire ?

— Ce n'est pas vrai ?

— Je suis venue parce que j'ai découvert des indices qui m'ont paru importants. Et j'aurais pu attendre demain, c'est possible. Mais ça a été plus fort que moi. C'était sans doute égoïste de ma part, mais j'étais énervée, perdue et incapable de dormir. J'ai essayé de t'appeler, mais je suis tombée sur un mauvais numéro. J'ai réessayé, mais en oubliant l'indicatif régional. Et j'étais incapable de rester dans cette maison une seconde de plus. Je devenais folle. Il fallait que je sorte. Et où voulais-tu que j'aille ? Je suis sincèrement désolée. Désolée de t'avoir dérangé. Désolée que tu te fasses des idées. Désolée pour toutes les horreurs que j'ai pu te faire.

— Désolée de m'avoir épousé ?

La question la prend au dépourvu et lui coupe le souffle. Elle secoue la tête.

— Non, ça, je ne le regrette pas.

Il sourit.

— Dans ce cas, tes excuses sont acceptées.

Amanda essaie de sourire mais n'arrive qu'à esquisser un petit rictus.

— Merci.

— Je suis désolé, moi aussi.

— De quoi ?

— Je suis toujours à côté de la plaque.

Il hausse les épaules, et écarte les mains.

— J'ai sans doute pris mes désirs pour des réalités.

Amanda sent de nouveau le souffle lui manquer.

— Qu'est-ce que tu as dit ?

— À ton avis ?

— Je ne sais plus où j'en suis. Alors exprime-toi clairement.

— Que veux-tu que je te dise ? Que j'ai tellement envie de te prendre dans mes bras que j'en perds la raison ? Que je rêve de t'arracher ce foutu pull violet depuis que tu as franchi la porte ?

— Tu n'aimes pas le violet ?

Amanda se penche, retire le pull par-dessus sa tête et le jette vers la console de l'entrée. Elle se tient devant son ex-mari, une jambe dans une énorme botte fourrée, l'autre déchaussée, sa poitrine nue haletante de désir.

— Je peux te séduire maintenant ?

Et soudain, elle se retrouve dans ses bras, les lèvres de Ben soudées aux siennes, elle entrouvre la bouche et c'est comme la première fois qu'ils se sont embrassés, chaque baiser plus avide que le précédent, sauf que c'est encore mieux aujourd'hui car les mains qui caressent son corps ont acquis de l'expérience et la connaissent, comme si elles n'avaient jamais cessé de la caresser, comme s'ils ne s'étaient jamais séparés, comme s'ils avaient toujours été ainsi, et devaient le rester pour l'éternité.

La sonnerie retentit.

Ils s'écartent.

L'éternité n'aura pas duré longtemps.

— Merde ! dit-il, les yeux baissés vers le sol.

— Merde ! acquiesce-t-elle en scrutant son visage.

Ils ne bougent ni l'un ni l'autre. La sonnerie retentit une deuxième fois.

— Tu n'es pas forcé de répondre.

— Si je ne réponds pas, elle partira.

— C'est bien ce que je voulais dire.

— Et toi ?

Il relève la tête et la regarde droit dans les yeux.

— Quand repars-tu ?

Amanda prend une profonde inspiration. Elle voudrait répondre « jamais ».

— Vendredi. Samedi, au plus tard.

Ben se penche et ramasse son pull.

— C'est bien ce que je pensais, murmure-t-il, tandis que la sonnerie retentit une troisième fois.

— Sauvé par le gong !

Amanda lui prend son pull des mains et le renfile pendant qu'il décroche l'Interphone.

— Jennifer ? l'entend-elle demander alors que sa tête disparaît sous le mohair, dont les poils lui chatouillent les narines et lui donnent envie d'éternuer.

— Ah, te voilà ! Je commençais à m'inquiéter.

— Désolé. J'étais à la salle de bains. Monte. Appartement mille douze.

— J'arrive.

— Elle arrive, l'imite Amanda qui attrape son manteau et sa botte, ouvre la porte de l'appartement et sort dans le couloir. Ne t'inquiète pas. Elle ne me verra pas.

— Où vas-tu ?

— Oh, je devrais bien trouver quelqu'un qui acceptera de coucher avec moi.

— Amanda...

— Je vais bien, Ben. C'était un coup de tête. Ça n'a pas marché. Ce n'est pas grave. Honnêtement.

Il hoche la tête.

— On se voit demain ?

— Quatorze heures tapantes.

Amanda s'éloigne sans dire au revoir. Elle attend dans le couloir, de l'autre côté des ascenseurs. Une cabine arrive, ses portes coulissent. Des pas rapides bruissent sur la moquette. Une porte s'ouvre au loin.

— Salut, toi, dit tendrement une voix féminine.

— Salut, toi, répond en écho la voix de Ben.

Les voix s'enfoncent dans l'appartement tandis qu'Amanda revient vers l'ascenseur et appuie sur le bouton. Les portes se rouvrent aussitôt. Elle monte dans la cabine où flotte un parfum de citron.

25.

Amanda se réveille en sursaut le lendemain matin, à neuf heures et demie, en se demandant quel jour on est, où elle est, et qui elle est. Les deux premières questions sont de loin les plus faciles. On est mercredi, et elle se trouve sur le canapé du salon, chez sa mère, à regarder fixement les plantes artificielles sur le manteau de la cheminée, sans arriver à chasser de son esprit son fiasco avec Ben, la veille au soir.

— J'ai vraiment eu une conduite indigne, déclare-t-elle d'un ton solennel, en se levant péniblement pour aller vers la fenêtre.

Elle écarte les voilages et s'abrite les yeux, surprise par un soleil éblouissant.

La rue déserte semble figée dans le temps, comme une carte de Noël. La neige immaculée, qui recouvre les pelouses des maisons, étincelle comme du métal. D'énormes tas de neige ont été repoussés n'importe comment, du centre de la chaussée vers les trottoirs, et montent la garde à intervalles irréguliers, rendant le stationnement presque impossible. Plusieurs voitures ont été abandonnées à cheval sur les allées, avec l'arrière qui dépasse dangereusement.

— Il doit faire froid, marmonne Amanda, en se frottant les bras.

Au contact du mohair qui lui chatouille les mains, lui revient le souvenir des doigts de Ben s'enfonçant dans sa peau à travers la laine délicate.

Qu'est-ce qui lui a pris ?

— J'ai besoin d'une douche, annonce-t-elle à la maison vide, avant de se diriger vers l'escalier qu'elle n'a eu ni le courage ni la force de gravir à son retour, hier soir, bien qu'aujourd'hui, elle ne comprenne pas ce qui a pu l'effrayer.

Craignait-elle que les marionnettes ne l'attaquent dans son lit, pour se venger d'avoir été virées de leur dernière demeure avec tant d'insensibilité ? Ou avait-elle peur de faire de nouvelles découvertes dans des endroits inattendus ?

— Comme dans mon cœur ? ricane-t-elle, en se dirigeant directement vers la salle de bains, évitant les chambres. Ça m'étonnerait sacrément !

Elle ouvre le robinet de la douche, tend la main vers la vieille pomme démodée. Autrefois, l'eau chaude mettait une éternité à arriver, se souvient-elle, et elle sourit en sentant l'eau glaciale, bizarrement réconfortée de constater qu'enfin, certaines choses n'ont pas changé. Elle fait une grimace à son reflet dans la glace, au-dessus du lavabo, et remarque combien le violet de la laine fait ressortir le bleu de ses yeux. Puis elle retire son pull et le jette vers le couloir en imitant son geste de la veille.

— Oh, mon Dieu ! frissonne-t-elle, le visage levé vers le plafond, revivant la caresse de Ben sur ses lèvres, ses mains sur ses seins et ses fesses, ses doigts se battant avec la fermeture de son pantalon.

Bon sang ! C'était une chance que Jennifer soit arrivée à ce moment-là. Sa vie était déjà bien assez perturbée. Il ne manquerait plus qu'elle couche avec son ex-mari.

N'empêche que ça faisait longtemps qu'un homme ne l'avait pas autant excitée.

Aussi pourquoi n'avait-elle pas demandé tout simplement au taxi de la conduire au Metro Convention Center pour rendre une petite visite surprise à Jerrod Sugar ?

— J'ai déjà donné, dit-elle avec un petit haussement d'épaules, tandis que la salle de bains se remplit de vapeur.

Et Jerrod Sugar aurait peut-être fait une crise cardiaque en la voyant surgir. Elle entre dans la douche, referme le rideau et sourit au souvenir de la tête du pauvre homme lorsque Ben avait fait irruption dans la chambre, en pleine nuit.

— Ce qui nous met à égalité ! décide-t-elle en avançant la tête sous le jet pour laisser l'eau, enfin chaude, couler sur son visage. Tu as débarqué chez moi en pleine nuit, j'ai débarqué chez toi en pleine nuit. Nous sommes quittes. C'est fini. Terminé. Réglé.

Sauf que c'est faux. Et elle le sait.

Elle attrape le shampooing sur la tablette, se lave les cheveux et laisse le savon lui dégouliner dans les yeux, s'offrant ainsi l'excuse qu'elle attendait pour pleurer.

— C'est stupide. Quelle andouille, mais quelle andouille ! répète-t-elle en se frictionnant rageusement le crâne. Comment peux-tu te laisser obséder par un type que tu as plaqué depuis des années ?

Le shampooing dégouline de ses cheveux sur ses épaules, et s'accroche à la pointe de ses seins. Elle sent les doigts de Ben sur ses mamelons, attrape le savon et, d'un geste rageur, en lave les traces.

— Tu as déjà donné, tu te souviens ?

Elle termine sa douche et s'essuie avec une fine serviette blanche, puis cherche un sèche-cheveux dans le placard sous le lavabo.

C'est juste son esprit de compétition qui l'a poussée, et non un vieux reste de sentiment. Elle ne supporte pas l'idée qu'une autre la supplante. C'est tout.

Elle découvre un sèche-cheveux vétuste derrière un sac de boules de coton, une bonne demi-douzaine de bonnets de douche et plusieurs rouleaux de papier toilette.

— Merci, Seigneur !

Elle braque l'appareil sur sa tête et appuie sur l'interrupteur comme sur une gâchette. Un jet d'air chaud lui percute la tempe. Ses cheveux mouillés se rabattent sur son visage, juste comme hier soir devant chez Ben.

— Oh, non, je ne vais pas remettre ça !

Elle finit de se sécher les cheveux en se concentrant sur le bruit du moteur, puis enfile son pantalon bleu marine et son pull bleu tout neufs. Elle devrait finir de nettoyer la chambre d'amis, toujours jonchée d'éclats de bois. Et aussi ranger les marionnettes qui ont passé la nuit à plat ventre sur le lit et qu'elle devrait remettre à l'abri, au fond de leur placard, pour les rassurer. Tant pis, ça attendra. Elle se dirige vers la cuisine où elle se fait une omelette avec trois œufs, puis elle croque une pomme tout en cherchant dans son sac les cartes de visite qu'elle a trouvées la veille. Elle les étale sur la table et les étudie une à une. Walter Turofsky, Milton Turlington, Rodney Tureck, George Turgov. De fausses cartes de visite, à l'évidence, les accessoires indispensables d'un homme qui se faisait appeler Turk. Alors quel nom portait-il en réalité ? Peut-être aucun d'entre eux. Comment découvrir sa véritable identité ?

Elle se concentre.

— Réfléchis. Tu es intelligente. Tu devrais y arriver.

Elle voit une femme au visage rond entouré d'un nuage de boucles rousses lui faire un clin d'œil.

— Rachel Mallins !

Amanda court chercher l'annuaire. Malcolm, Malia, Mallinos... Mallins A, Mallins L, Mallins R.

Rachel décroche dès la première sonnerie, comme si elle attendait son appel.

— Allô ?

— Rachel, c'est Amanda Travis.

— J'avais raison, n'est-ce pas ?

— J'ai vérifié les avis de décès du mois dernier. Il n'y en a aucun au nom de Mallins.

— Et le type ? Vous avez pu savoir sa date de naissance ?

— Son passeport indique le 14 juillet. Vous aviez raison, là aussi.

Amanda n'entend plus rien.

— Rachel ? Vous êtes là ?

— Je suis là, répond celle-ci d'une voix enrouée. Avez-vous trouvé autre chose ?

— L'autopsie a révélé que la victime avait au moins dix à quinze ans de plus que le prétend son passeport. Et elle s'est fait faire un lifting et peut-être même refaire le nez.

— Alors ce salaud a réellement tué mon frère.

— Rachel, votre frère vous aurait-il parlé d'un certain Walter Turofsky ?

— Walter Turofsky ? Non, je ne crois pas.

— Et Milton Turlington ?

— Non.

— Rodney Tureck... George Turgov ?

— Non. Qui sont ces types ?

— Réfléchissez. Turofsky, Turlington, Tureck, Turgov...

— Turk ! lâche Rachel dans un râle. Vous croyez que ce sont de faux noms ?

— Les criminels sont en général paresseux et dénués d'imagination. Les faux noms qu'ils s'inventent se ressemblent souvent.

— Où les avez-vous trouvés ?

— Sur des cartes de visite cachées chez ma mère.

— Votre mère ? s'exclame Rachel, interloquée. Qu'est-ce que votre mère vient faire là-dedans ?

C'est au tour d'Amanda de sursauter.

— Ma mère ? Mais de quoi parlez-vous ?

— Vous venez de dire que vous avez trouvé de fausses cartes de visite chez votre mère.

— Non, chez ma cliente.

Silence.

— Excusez-moi, j'ai dû mal comprendre. Alors qu'allez-vous faire ? Vous allez reprendre les avis de décès ?

— Pourquoi ? demande Amanda d'une voix encore tremblante, perturbée par sa gaffe.

— Réfléchissez. La dernière fois, vous cherchiez une femme du nom de Mallins. Mais si c'était la mère de ce type, elle devait s'appeler Turlington, Turgov ou un des autres noms.

— Tureck ou Turofsky.

— Tur-quelque chose, quoi !

Amanda soupire à l'idée de devoir recommencer ses recherches de zéro.

— Vous voulez que je vous aide ? propose Rachel devant son manque d'enthousiasme.

— Non, s'empresse de refuser Amanda.

Il faut absolument qu'elle le fasse seule. Surtout qu'elle a déjà failli en dire trop. Comment a-t-elle pu dire *mère* au lieu de *cliente* ? Heureusement que Rachel n'a pas insisté.

— Vous me tiendrez au courant.

— Bien sûr.

— Merci. Oh, et Amanda ? ajoute-t-elle au moment où Amanda va raccrocher.

— Oui ?

— Quand vous verrez votre mère, embrassez-la de ma part, d'accord ?

Et sans attendre la réponse, Rachel coupe la communication.

— Merde ! Merde ! jure Amanda en reposant le combiné avant de s'asseoir. Que j'embrasse ma mère, répète-t-elle, hébétée. Il ne manquerait plus que ça !

Dans le calme qui l'entoure, elle sent soudain les bras de sa mère la serrer.

Je ne crois pas t'avoir jamais dit combien tu es jolie.

— Oh ! Ça suffit ces sornettes !

Une fois de plus, elle attrape l'annuaire et cherche dans les pages administratives le numéro de l'hôtel de ville. Il doit exister un moyen plus simple de connaître les noms des personnes décédées que d'éplucher les avis de décès. Il doit bien y avoir un organisme qui centralise tout ça. Elle compose le numéro et tombe sur un message enregistré qui lui énonce les différents choix possibles. Elle enfonce une touche.

— Hôtel de ville. Davia à votre service.

— Davia ? Ce... ce n'est pas un répondeur ?

— Non, je suis bien vivante, réplique l'employée. Que cherchez-vous ?

Amanda, déconcertée, en a oublié la raison de son appel.

— Allô ? s'impatiente Davia. Vous êtes toujours là ?

— Existe-t-il quelque part un récapitulatif des décès ?

— Je crains que non, répond Davia comme si c'était une question qu'on lui posait tous les jours.

— Alors comment fait-on pour savoir si quelqu'un est mort le mois dernier ?

— Le meilleur moyen, c'est sans doute de consulter les avis de décès dans les journaux. Vous en trouverez un nombre fabuleux à la Bibliothèque d'ouvrages de référence.

— Et si jamais personne n'a fait paraître d'avis de décès ?

— Eh bien, dans ce cas, je crois que vous pouvez adresser une demande d'information à la province concernée, mais uniquement si la mort remonte à plus de soixante-dix ans.

— Mais cette personne est morte récemment. Je ne comprends pas pourquoi c'est si compliqué. Les registres des décès ne sont-ils pas accessibles au public ?

— Non.

— Ils sont secrets ?

— Non, c'est juste qu'ils ne sont pas publics.

— Oh !

— Je suis désolée de ne pouvoir vous aider.

— Merci, dit Amanda en guise d'au revoir. Eh bien, je suis bonne pour retourner à la bibliothèque.

Elle pense à appeler Ben tandis qu'elle enfile ses bottes et son manteau, mais il est au tribunal et qu'a-t-elle à lui dire, en somme ? Idiot, tu as laissé passer ta chance ?

Elle frissonne avant même d'ouvrir la porte, et rentre la tête dans son col, prête à subir la morsure du vent glacial.

Mais il n'y a pas de vent. Et, bien qu'il ne fasse pas vraiment doux, la température est nettement plus supportable que la veille. Un bon présage, espère-t-elle en descendant l'allée. Et elle s'apprête à tourner vers Bloor, lorsqu'elle voit la vieille Mme MacGiver qui l'observe derrière sa fenêtre.

— Ignore-la, chuchote-t-elle dans son col. Ne t'arrête pas.

En dépit de ses injonctions, Amanda traverse et sonne chez la vieille dame. Qu'est-ce qui lui prend, bon sang ? Mais personne ne vient lui ouvrir. La pauvre femme a dû mourir de peur en la voyant arriver. Et alors ? Sa famille prendra-t-elle la peine de publier un avis de décès dans les journaux ?

Un bruit de verrou et la porte s'entrebâille. Une tête apparaît, toute ridée, entourée d'un fin halo de cheveux blancs.

— C'est moi, Amanda, la fille de Gwen Price. Je sors et je me demandais si vous vouliez que je vous rapporte quelque chose.

— J'ai besoin d'une paire de chaussures rouges.

— Pardon ?

— Il y a un bal au Royal York, ce week-end ! annonce Mme MacGiver, le visage soudain animé, en ouvrant la porte en grand.

Elle porte un vieux peignoir jaune taché de café et de grosses chaussettes de gym gris et blanc.

— C'est le bal des terminales, tu sais, et cette année, il a lieu au Royal York. Je suis si impatiente d'y être.

— Madame MacGiver...

— Mon père ne voulait pas que j'y aille au début. Il est strict. Très strict, répète-t-elle avec un hochement de tête, apparemment insensible au froid. Il n'aime pas Marshall MacGiver. Heureusement, ma mère trouve que c'est un jeune homme très bien, et elle a réussi à le convaincre. Elle m'a même acheté une robe. Mais maintenant il me faut des chaussures assorties, ajoute-t-elle avec un regard vers ses pieds.

— Je crains de ne pas avoir le temps de m'en occuper aujourd'hui, madame MacGiver. Demain peut-être, élude Amanda, essayant de battre en retraite.

— Mais où vas-tu ?

Le ton de la vieille dame est sec, presque accusateur.

— À la bibliothèque.

— Je n'ai pas besoin de livres.

— Je sais. Je passais juste au cas où vous auriez manqué de jus d'orange, de lait ou de thé.

— Du thé, ce serait gentil, répond-elle avec un sourire édenté.

Amanda pousse un soupir de soulagement.

— Promis, je vous rapporte ça.

— C'est gentil. Du thé Red Rose, si tu en trouves.

Amanda sent la brûlure du thé de la veille sur le bout de sa langue.

— D'accord pour du Red Rose.

— Je ne savais pas qu'ils en vendaient à la bibliothèque, continue Mme MacGiver.

— Vous devriez rentrer maintenant. Vous allez prendre froid.

— Oui, il fait froid. Eh bien, merci de ta visite. Tu es une gentille fille, ma poupée.

La porte se referme au nez d'Amanda.

La Bibliothèque d'ouvrages de référence est une étonnante structure de verre et de brique rouge, située au 789 de Yonge Street, à un pâté de maisons de Bloor Street. Construite par l'architecte lauréat Raymond Moriyama à la fin des années 1970, elle contient près de quatre millions cinq cent mille ouvrages que viennent consulter plus d'un million de visiteurs par an. Amanda a découvert ces détails lors de sa précédente visite, l'avant-veille, et ils lui reviennent alors qu'elle pénètre par les portes vitrées dans l'immense hall qui a l'allure et les fonctions d'une place publique. Elle traverse l'atrium de cinq étages, inondé de lumière et agrémenté en son centre d'un immense bassin. Et celui-ci est entouré de véritables plantes, constate-t-elle avec plaisir en le contournant pour rejoindre l'escalier qui descend à l'étage en dessous. Un filet apaisant ruisselle le long des pierres et du béton avant de se diluer dans les eaux lisses et peu profondes et un parfum de café monte du petit snack-bar sur sa gauche, bien qu'un panneau au tourniquet stipule que ni boissons ni nourriture ne sont autorisées au-delà de ce point.

Le bureau d'information se trouve juste en face mais Amanda sait déjà où aller. Elle suit le tapis beige, passe devant les deux ascenseurs circulaires en verre, arrive à l'escalier tournant, moquetté de violet, et constate avec surprise que la centaine d'ordinateurs du niveau principal sont tous occupés, et que plusieurs personnes font déjà la queue pour l'accès gratuit à Internet.

Comment a-t-elle pu vivre si longtemps à Toronto sans mettre les pieds dans ce magnifique bâtiment ? Quelle ironie que ces quelques jours lui aient permis de mieux découvrir sa ville natale que les vingt ans qu'elle y a vécus ! Pourquoi faut-il perdre les choses pour les apprécier ? Elle chasse ce désagréable cliché d'un mouvement de tête, et doit faire un effort pour empêcher le visage de Ben de se superposer à celui du jeune homme qu'elle croise dans l'escalier.

Le Toronto Star Newspaper Centre est situé en bas de l'escalier. C'est un grand espace ouvert, entouré de verre et très lumineux, bien qu'en sous-sol. Une sculpture abstraite en treillis métallique représentant des journaux qui s'envolent dans un courant d'air imaginaire fait face aux portes vitrées.

Amanda entre et balaie du regard la zone sur sa gauche, où des fauteuils en cuir or et violet sont disposés face à un mur incurvé sur lequel sont présentés les journaux du monde entier.

La salle principale, agrémentée d'une moquette de laine dans de subtils tons d'or et de violet, et ponctuée d'immenses panneaux de verre avec, en inclusion, des premières pages historiques célèbres, est équipée de pupitres de verre qui ressemblent à des livres ouverts posés sur un pied d'acier. Ces pupitres groupés par six, trois de chaque côté, sont assez larges pour y étaler un journal. Des ordinateurs sont installés le long des parois de verre de cette salle, derrière laquelle se trouve une autre pièce qui contient les journaux sur microfilms. Ils n'intéressent pas Amanda. Elle a découvert, à sa précédente visite, que la bibliothèque conservait les originaux des quotidiens locaux pendant trois mois. Et si elle cherchait l'autre jour Mallins dans la rubrique nécrologique, ce matin ce sera aux Turlington, Tureck, Turgov et autre Turofsky qu'elle s'intéressera, pense-t-elle en s'approchant de l'employée grassouillette assise derrière son bureau. Seul le nom change. Est-ce pour protéger un innocent ou un coupable ?

— Bonjour. C'est encore moi. J'aurais encore besoin des *Globe* et des *Star* du mois dernier, annonce-t-elle, guettant un signe de reconnaissance de l'employée.

— Nous pouvons seulement vous donner deux semaines à la fois, répond celle-ci comme elle l'avait répondu la dernière fois.

— Bien sûr. Désolée. J'avais oublié.

L'employée lui adresse un sourire inexpressif et disparaît dans la réserve. Elle revient quelques secondes plus tard avec une grosse pile de journaux à l'arête soigneusement plastifiée.

— Amusez-vous bien, dit-elle en les tendant à Amanda.

— Merci.

Amanda soulève la pile, la coince sous son menton, se dirige vers la place vacante la plus proche, et la pose le plus doucement possible, mais encore trop brutalement pour l'homme installé à côté qui sursaute.

Elle s'excuse, s'assoit, prend une série de profondes inspirations et ouvre le premier journal.

C'est reparti !

Elle cherche le carnet mondain du *Globe* qui se trouve au dos de la page des sports en pensant que cette mise en pages témoigne d'un drôle de sens de l'humour et passe les noms en revue.

Avison, Laura ; Danylkiw, Dimitri ; Parnass, Sylvia ; Ramone, Ricardo ; Torrey, Catherine ; Tyrrell, Stanley. Ni Turlington, ni Turgov, ni Tureck, ni Turofsky. Normal ! Elle n'imaginait tout de même pas tomber dessus du premier coup ?

Elle prend le *Star*, repère les mêmes noms plus bien d'autres. C'est visiblement le journal de prédilection des chers disparus. Amanda saute d'un quotidien à l'autre, sans succès, les rapporte à l'employée contre les quinze jours suivants sans plus de résultats. Amanda décide alors de jouer son va-tout et fait ainsi défiler trois mois de rubriques nécrologiques sous ses yeux fatigués. Taggart, Timmons, Toolsie, Trent, Vintner, Young. Celle qui se rapproche le plus de ce qu'elle recherche, c'est une Margaret Tulle, morte à cinquante et un ans, le 2 décembre, après avoir courageusement lutté contre le cancer.

— Vous avez trouvé ? s'enquiert Wendy Kearns lorsque Amanda repose lourdement les derniers journaux sur son bureau.

— Non, c'était perdu d'avance. Vous auriez les pages jaunes ?

L'employée attrape l'annuaire sur une étagère à côté de son bureau.

— Ça ne vous dérange pas si je l'emporte là-bas.

Amanda montre les fauteuils or et violet.

L'employée secoue la tête. Amanda va s'installer contre le mur du fond sous deux coupures de journaux encadrées. Elle ouvre l'annuaire et éclate de rire en s'apercevant qu'elle est à la page des avocats.

— Je ne veux rien avoir à faire avec ces gens-là, chuchote-t-elle avant de jeter un regard inquiet aux quatre autres occupants de la pièce.

Mais ils sont tous plongés dans leur lecture ou somnolent. Elle les imiterait volontiers, songe-t-elle, les yeux brûlant de sommeil. Plus tard. Elle feuillette l'annuaire, passe de *Machines-outils* à *Maçonnerie, Magnétiseurs, Matériaux.* Oh, je l'ai raté ! Elle retourne en arrière. *Mairie. Maisons individuelles. Maisons de quartier.* Ah, j'y suis ! *Maisons de retraite.* Elle prend dans son sac son portable et compose le numéro en haut de la première colonne en se demandant ce qu'elle va bien pouvoir dire.

— Résidence médicalisée de Bayview, répond une voix féminine.

— Excusez-moi, mais à qui pourrais-je parler au sujet d'une de vos anciennes pensionnaires ?

— Pardon. Que voulez-vous exactement ? répond la réceptionniste d'une voix méfiante.

— Je cherche des renseignements sur une dame qui résidait chez vous récemment.

— Comment s'appelle-t-elle ?

— C'est soit Turlingon, soit Turgov, soit Tureck soit Turofsky. Un nom qui commence par Tur. Allô ?

— Est-ce une plaisanterie ?

— Non, croyez-moi, je ne plaisante pas du tout.

— Qui êtes-vous ?

— Écoutez, je sais que ma requête doit vous paraître bizarre, mais c'est très important. Si vous pouviez juste me dire si vous avez eu une pensionnaire décédée le mois dernier qui s'appelait Turlington ou Turgov ou...

Son interlocutrice lui raccroche au nez.

— Je sens que je vais m'amuser.

Amanda prend une profonde inspiration et appelle le deuxième numéro.

Puis le troisième, le quatrième, le cinquième et ainsi de suite.

26.

— Elle s'appelait Rose Tureck et elle est morte d'une insuffisance cardiaque congestive à quatre-vingt-douze ans, le 31 janvier dernier, annonce triomphalement Amanda, en entrant dans le bureau de Ben, au vingt-quatrième étage de la Royal Bank Tower, à deux heures précises.

Son ton est enlevé, presque enjoué, elle le travaille depuis qu'elle a quitté la bibliothèque. C'est un ton qui sous-entend « Il ne s'est rien passé hier soir ». Et aussi « Ne t'inquiète pas pour moi, je ne suis ni fâchée ni blessée ». Et encore « N'en parlons plus ».

Ben se lève d'un bond en faisant tomber le dossier qu'il étudiait par terre.

— De qui parles-tu ?

— De Rose Tureck, la mère de Rodney Tureck, alias Turk. Crois-tu que je pourrais déranger ta secrétaire pour une tasse de café, avant d'aller voir ma mère ?

Ben a l'air complètement sonné.

— Sandy, lance-t-il par la porte entrouverte. Pourriez-vous apporter un café à Mme Travis, s'il vous plaît. Avec du lait et du sucre.

— Avec plaisir ! réplique Sandy.

— Tu veux bien m'expliquer ce qu'il se passe, reprend Ben en lui faisant signe de s'asseoir.

Amanda se laisse tomber dans le fauteuil devant son bureau, écarte ses cheveux de son visage, et regarde Ben droit dans les yeux. Ça aussi, elle l'a soigneusement préparé. Un regard direct, destiné à informer son ex-mari qu'il ne compte pas ou si peu, que ce qu'il fait de sa vie ne la concerne pas. Et que ce qu'il s'est passé entre eux la veille, ou plutôt ce qu'il a failli se passer, est déjà oublié.

— Je suis retournée à la bibliothèque ce matin.

— Ça va ? l'interrompt-il de façon tout à fait inopinée.

Amanda sent ses épaules se raidir. Le ton professionnel de sa voix, son air d'indifférence lui auraient-ils échappé ?

— Je vais très bien, voyons. Pourquoi en serait-il autrement ?

— Hier soir...

— C'est du passé. L'affaire est classée.

Elle lui décoche un petit sourire qui signifie « Remets-toi. Tu prends toujours les choses trop au sérieux ».

Ben lui répond par un sourire aussi timoré que fugace et se renfonce dans son fauteuil.

— D'accord, tu es donc allée à la bibliothèque...

Il attend qu'elle poursuive. Amanda s'appuie au dossier et croise les jambes.

— J'espérais dégoter un avis de décès au nom de Turlington, Turgov, Tureck ou Turofsky.

Elle a envie de rire. Cette litanie commence à résonner à ses oreilles comme le nom d'un groupe de rock.

— Et tu as trouvé Rose Tureck ?

— Tu parles ! J'ai passé plus d'une heure à feuilleter tous les journaux de Toronto des trois derniers mois pour des prunes !

La secrétaire de Ben apparaît sur le seuil. Elle traverse la petite pièce en deux pas et tend à Amanda un mug de café fumant.

— J'espère que ce ne sera pas trop sucré.

— Je suis sûre que ce sera parfait. Merci.

Amanda boit une gorgée et aussitôt plusieurs grains de sucre lui tapissent la langue. Elle ferme les yeux, de fatigue, certes, mais surtout parce qu'elle craint de se jeter sur Ben, par-dessus son bureau, si elle continue à contempler son beau visage. Qu'il aille se faire voir ! Pourquoi faut-il qu'il soit aussi séduisant en costume à rayures qu'en jean ?

— Combien tu prends, au fait ?

— Quoi ?

— Ton tarif horaire, c'est combien ?

— Deux cents dollars, pourquoi ?

Elle hausse les épaules, rouvre les yeux.

— Comme ça.

Elle gagne même plus que lui, pense-t-elle en buvant une nouvelle gorgée de café sirupeux.

— Enfin, quoi qu'il en soit, tu as fait une sacrée découverte, reprend-il pour l'encourager à continuer.

— Mais pas dans les avis de décès.

— Tu me dis où ? Ou faut-il que je te supplie ?

— J'adorerais.

Il éclate de rire.

— D'accord, je te supplie.

Cette fois, le sourire d'Amanda est sincère. Une fois de plus, ils ont réussi à briser la glace, à établir un rapport chaleureux, presque malgré eux.

— Eh bien, voilà : quand j'ai vu que les journaux ne donnaient rien, j'ai eu l'idée subite d'appeler les maisons de retraite. La mère de John Mallins devait être très âgée et seule, puisque personne n'a pris la peine de publier d'avis de décès. Il y avait donc de fortes chances qu'elle ait vécu dans une maison de retraite ou un centre médicalisé. Bref, j'ai pensé que ça valait la peine de tenter le coup. J'ai commencé à appeler toutes les maisons de retraite les unes après les autres, en commençant à la lettre A. En fait non, j'ai commencé par la Résidence médicalisée de Bayview, parce qu'ils avaient une grande publicité, puis je suis repartie du A. Et je suis remontée comme ça jusqu'au K. Kensington Gardens, plus précisément. Où l'on m'a répondu qu'une certaine Rose Tureck y avait vécu ces deux dernières années, et, accroche-toi, qu'elle avait un fils prénommé Rodney, qui vivait en Angleterre, et qu'ils avaient contacté au moment de son décès. Rodney Tureck, alias Turk, alias...

— John Mallins, continue Ben, l'éclat de ses yeux démentant le calme de sa voix.

— Tout semble le confirmer.

— Allons voir ta mère.

Ben se lève, contourne son bureau, lui retire le mug des mains et le pose sur le bureau de sa secrétaire au passage.

Une demi-heure plus tard, ils se garent dans le parking du Centre de détention de l'Ouest.

— Attention, ça glisse, lui rappelle Ben alors qu'elle ouvre sa portière.

Ce sont les premiers mots qu'ils échangent depuis qu'ils sont montés dans la voiture.

Elle répond par un bâillement exagéré, comme pour lui signifier qu'elle n'est pas encore bien réveillée du petit somme qu'elle a prétendu faire pendant le trajet.

C'était la meilleure façon de leur épargner, à l'un comme l'autre, une conversation fastidieuse et leur éviter de ressasser le fâcheux incident de la veille. Elle a donc fermé les yeux et poussé la comédie jusqu'à ronfler, essayant de ne pas penser à ce qui avait dû se passer chez Ben, après son départ.

Elle feint également d'ignorer le bras qu'il lui offre pour traverser le parking. Ils tendent leurs pièces d'identité au garde, qui les étudie avec un zèle superflu avant de les autoriser à entrer. Puis ils subissent la routine du détecteur de métaux et la fouille de leurs sacs et mallettes, avant qu'on ne les conduise, par le long couloir étouffant, jusqu'à la petite pièce sans fenêtre qui sert de salle de rencontre aux détenus et à leurs avocats.

— Ça va ? s'inquiète Ben à nouveau.

Pourquoi lui pose-t-il cette question ? A-t-elle l'air malade ? Aurait-il préféré pour sa vanité qu'elle se liquéfie devant lui ?

— Ça va. Pourquoi ?

Elle retire son manteau, le jette sur le dos d'une chaise et se met à arpenter l'étroite pièce.

— Pourquoi quoi ?

— Pourquoi me demandes-tu toutes les cinq minutes si ça va ?

La question semble le prendre au dépourvu.

— Comme ça.

— Comme ça ?

Il secoue la tête.

— Ne sois pas agressive.

— Tu me trouves agressive.
— Pas avec moi, voyons !
— Que veux-tu dire ?
— Je veux parler de quand tu verras ta mère.
— Je n'ai aucune intention d'être agressive avec elle.
— Bien.
— Pourquoi tu m'as dit ça ?
— Amanda...
— J'insiste, Ben. Pourquoi penses-tu que je vais être agressive ?
— Je ne le pense pas.
— Pourquoi le dire, dans ce cas ?
— Parce que je te sens un peu tendue, admet-il après un silence.
— Tendue ?
— Je peux me tromper.
— Tu crois ?
— Bon, d'accord, je me suis trompé. Excuse-moi. Au temps pour moi.
— Qu'est-ce qui t'arrive ?
— Je me conduis simplement en avocat.
— Tu te conduis en crétin.
Ben tressaille, comme si elle l'avait giflé.
— Bon, tu pourrais te calmer ?
— Me calmer ? C'est toi qui as commencé.
— Parfait, alors j'arrête.
— Parfait.
— Bien.
— Bien.
Ils se dévisagent.
— Que nous arrive-t-il ? demande Ben.
Amanda inspire et expire lentement.
— Je crois que nous venons d'avoir notre première dispute.
— À quel sujet ?
— Aucune idée !
Ils éclatent de rire, mais d'un rire gêné.
— On s'embrasse pour faire la paix ?
— Ça te coûtera un dollar.

— Un dollar. C'est pas cher ! Tu prends plus comme avocat que comme amoureux ?

— C'est parce que je suis un meilleur coup comme avocat.

Cette fois, le rire d'Amanda est à la fois sincère et cordial.

— Je suis désolée pour tout à l'heure. C'était entièrement ma faute.

— Non, je n'aurais pas dû dire ça.

— C'était un bon conseil.

— C'était de la provocation.

— D'accord, tu m'as provoquée et moi, j'étais agressive.

— Nous formons une excellente équipe.

Oui, songe Amanda en détournant les yeux.

Un bruit de pas. La porte s'ouvre. Gwen Price entre.

— Bonjour, Ben. Bonjour, Amanda. À quoi dois-je ce plaisir inattendu ? s'informe-t-elle avec un sourire interrogateur.

Le garde referme la porte. Gwen se redresse et s'approche de la table, au centre de la pièce. Ben s'empresse de lui offrir une chaise et elle s'assoit, croise les mains et les dévisage d'un air méfiant, dans l'attente de leur réponse.

— Nous avons quelques questions à vous poser, commence Ben.

— Allez-y, mitraillez-moi. Pardon, glousse-t-elle. L'expression est mal choisie.

— Tu trouves ça drôle ? rétorque Amanda.

— Amanda..., la met en garde Ben.

— Que vouliez-vous me demander ?

Amanda sort trois des cartes de visite de son sac, et les jette sur la table devant sa mère.

Gwen les contemple et relève la tête.

— Qu'est-ce que c'est ?

— De fausses cartes de visite, répond Amanda en se glissant sur le siège à côté d'elle, à l'affût d'une fissure dans son masque impassible.

— Ont-elles une signification particulière ?

— À toi de me le dire.

— Je ne sais pas ce que tu attends de moi.

— Walter Turofsky, George Turgov, Milton Turlington, récite Amanda d'une voix lente. Ces noms te disent-ils quelque chose ?

— Non. Rien.

Amanda lâche la dernière carte sur la table.

— Et celle-ci ?

Gwen Price blêmit, bien qu'aucun muscle de son visage ne tressaille.

— Rodney Tureck, articule soigneusement Amanda. Ce nom ne te rappelle rien ?

— Non.

— Je ne te crois pas.

— Je m'en moque.

— Dis-moi qui c'est, maman.

— Je l'ignore.

— Tu l'ignores, mon cul !

— Amanda...

— Rodney Tureck, aussi connu sous le nom de John Mallins. Ça te rappelle quelque chose, maintenant ?

— John Mallins, ne serait-ce pas le nom de l'homme que j'ai abattu ?

— John Mallins, alias Rodney Tureck, alias Turk, persiste Amanda, ignorant son sarcasme. Le fils de Rose Tureck.

— Fils de pute ! jure Gwen à voix basse, juste assez fort pour qu'on l'entende.

Amanda échange un regard avec Ben sans bouger la tête.

— Qui est-ce, maman ?

— Où as-tu trouvé ça ?

— À la maison.

— La mienne ?

— Oui, moi aussi, j'y ai vécu... au cas où tu l'aurais oublié.

— Amanda..., intervient de nouveau Ben.

— Tu n'as pas à fouiller dans mes affaires.

— Tu n'as pas à tirer sur les gens !

Gwen Price se lève avec difficulté.

— Cette conversation est terminée.

— Elle est morte, tu sais.

— Quoi ? Qui ?

— Rose Tureck. Elle est morte il y a quelques semaines. D'une insuffisance cardiaque congestive. À quatre-vingt-douze ans.

Gwen assimile cette nouvelle sans rien dire.

— C'est la raison du retour de son fils. Il était revenu régler sa succession.

— Je ne vois pas en quoi cela me concerne, s'entête Gwen.

— Tu as tué cet homme, maman.

— Effectivement. Enfin une chose sur laquelle nous sommes d'accord. Je peux m'en aller maintenant ?

Amanda fouille dans son sac avec de grands gestes.

— Pas avant que tu m'aies dit comment tu t'es procuré ceci.

Elle jette sur la table la photo de Rodney Tureck et de sa fille.

Gwen la prend d'une main tremblante tandis que ses yeux se remplissent de larmes. Bizarrement elle ne fait aucun geste pour les essuyer.

— Où l'as-tu trouvée ?

— Quelle importance ?

— Il faut que tu arrêtes.

— Que j'arrête quoi ?

— Que tu arrêtes de fouiner dans ce qui ne te regarde pas.

— Et toi, il faut que tu sois honnête avec nous, sinon nous ne pourrons pas t'aider.

— Je ne veux pas que vous m'aidiez ! C'est clair, non ? Tout ce que je veux, c'est que tu t'en ailles et que tu me laisses tranquille.

— Bien sûr ! hurle Amanda, ses yeux remplis de larmes à son tour. C'est ce que tu as toujours voulu !

— Non. Sa mère secoue violemment la tête. Non, ce n'est pas vrai.

— Bien sûr que si. Et fais-moi confiance, dès que tu auras répondu franchement à mes questions, je sauterai dans le premier avion. Et je ne t'imposerai plus ma vue.

— Tu crois que c'est ce que je veux ?

— Je n'en ai pas la moindre idée.

— Je t'en prie, sanglote Gwen. Je sais que tu crois m'aider, j'apprécie beaucoup, vraiment...

— Je n'ai pas besoin de ton appréciation.

— ... mais tu ne fais qu'aggraver les choses.

— Parce que ça pourrait être pire ?

— Oui, bien pire.

Amanda lève la tête vers le plafond de rage.

— D'accord, maman. Alors, voilà ce que nous savons. Nous savons que l'homme que tu as tué n'était pas John Mallins. Nous savons que le véritable John Mallins a disparu, il y a vingt-cinq ans, après s'être lié d'amitié avec un homme qui se faisait appeler Turk. Nous savons que ce Turk se nommait en fait Rodney Tureck, et qu'il a sans doute tué John Mallins et pris son identité. Nous savons par le rapport d'autopsie qu'il s'est fait refaire le visage, peut-être afin de plaire à sa jeune femme, mais plus vraisemblablement pour paraître plus jeune, puisque le passeport de John Mallins lui donnait quarante-sept ans. Voilà ce que nous savons, conclut-elle avant de reprendre son souffle. Ce que nous ignorons, c'est ton rôle dans cette pagaille.

— Peut-être que je n'en joue aucun. Quelle importance qu'il s'appelle John Mallins, Rodney Tureck ou George W. Bush ? Une chose est sûre, je ne le connaissais pas.

— Une chose est sûre, tu avais sa photo chez toi. Que le diable m'emporte si tu ne le connaissais pas !

— C'est lui que le diable aurait dû emporter, lâche Gwen en essuyant ses larmes, les yeux rivés sur le mur d'en face.

Silence.

— Vous admettez l'avoir connu ? demande doucement Ben.

— J'admets seulement l'avoir tué.

— Et c'est quoi tous ces comprimés que tu prends ? continue Amanda.

— Quels comprimés ?

— Tous ces flacons d'antidépresseurs dans ta pharmacie.

— Ça fait des années que je n'y ai pas touché.

— Alors pourquoi les prenais-tu ?

— Ça ne te regarde pas.

— Oh, pour l'amour du ciel...

— Madame Price, intervient Ben d'une voix calme. Vous savez que tout ce vous nous dites ici est confidentiel.

— C'est vraiment rassurant. Mais j'ai dit tout ce que j'avais à dire.

— Parfait, rétorque Amanda en levant les bras au ciel d'un geste qui exprime à la fois la défaite et le scepticisme. Si tu ne veux pas nous parler, peut-être que Hayley Mallins pourra jeter un peu de lumière sur l'identité de son mari. Viens, Ben. Nous perdons notre temps.

Elle attrape son manteau et part vers la porte.

— Non ! lance sa mère au moment où elle pose la main sur la poignée. Attendez.

Amanda retient son souffle, incapable de bouger ou de se retourner.

— Inutile d'impliquer Mme Mallins dans cette affaire. Ça m'étonnerait qu'elle soit au courant des activités secrètes de son mari.

Lentement, Amanda se retourne vers sa mère.

— Et toi, tu l'es ?

— Je devrais. J'ai été mariée plus de dix ans avec lui.

Amanda revient vers la table et se laisse tomber sur la chaise libre. Elle ne sait pas ce qu'elle s'attendait à entendre, mais certainement pas ça.

— Qu'est-ce que tu viens de dire ?

— Je crois que je viens de te donner le mobile du crime, rétorque sa mère avec un petit sourire triste.

27.

Amanda se tourne vers Ben qui, Dieu merci, a l'air aussi abasourdi qu'elle.

— Je crois que tu nous dois des explications, répond-elle, ramenant, à contrecœur, son attention sur sa mère.

— Oui, tu as raison, acquiesce celle-ci, sans cependant aller plus loin.

— Vous avez été mariée à John Mallins ? poursuit Ben, d'une voix placide, comme s'il interrogeait un témoin récalcitrant.

— John Mallins, Walter Turofsky, Milton Turlington, George Turgov, Rodney Tureck, récite-t-elle, telle une litanie. Il s'appelait Rodney Tureck, en réalité. Enfin, je crois.

— Alors vous connaissiez ses différents faux noms ?

C'est Ben qui a posé la question et Amanda le remercie d'un regard, la gorge bloquée par une boule qui l'empêche de parler.

— Pas quand je l'ai épousé.

— Et quand était-ce ? réussit à articuler Amanda d'une voix rauque.

— Il y a longtemps.

— Combien de temps ?

— J'avais dix-neuf ans.

Elle sourit à Amanda, l'air de dire le même âge que toi quand tu as épousé Ben.

Amanda frissonne et détourne les yeux.

— J'aurais sans doute dû me méfier, continue Gwen. Mais que voulez-vous que je vous dise ? Il avait un charme fou, comme la plupart des escrocs. Ils savent d'instinct quelle est notre corde sensible, ce qu'il faut dire. Je le trouvais irrésistiblement attirant. Comme tout le monde. Ma mère l'adorait. Enfin jusqu'au jour où il a dépouillé mon père de ses économies.

Au fil des mots, le regard d'Amanda s'est focalisé sur les petites rides qui ourlent sa lèvre supérieure, comme une série de points d'exclamation. Puis sur les sillons profonds qui tirent les coins de sa bouche vers le bas et donnent à sa peau blafarde l'apparence d'une terre parcheminée, craquelée par un soleil impitoyable. De minuscules poils blonds, tel un duvet de pêche, suivent le contour du menton. Et sa peau a une douceur et une transparence que seule donne la vieillesse. Pour la première fois, Gwen Price paraît ses soixante-deux ans. Pourtant, des traces de la belle femme qu'elle a été se devinent encore, en particulier dans la féroce intensité de ses yeux bleu clair. Amanda sent qu'ils la scrutent alors même que son regard est rivé sur le bas de son visage.

— Je ne me rappelle pas tes parents, murmure-t-elle en essayant d'extraire leurs visages de ses plus anciens souvenirs.

— C'est normal. Ils sont morts avant ta naissance.

— Comment Rodney Tureck a-t-il dépouillé votre père de ses économies ? s'enquiert Ben.

— De la même manière qu'il escroquait les autres. Avec de fausses sociétés, des plans d'investissement bidons. Il avait convaincu mon père de placer son argent dans une nouvelle société d'étanchéité qu'il prétendait avoir montée, en lui promettant que cela lui rapporterait largement de quoi payer les soins de ma mère. Ma mère était en chimio à ce moment-là, et mon père était moins méfiant, moins attentif qu'il ne l'aurait été en temps normal.

— Combien a-t-il perdu ?

— Pratiquement tout. Plus de cent mille dollars.

— La même somme que dans ton coffre, remarque Amanda en revoyant les jolis petits paquets de billets de cent dollars bien rangés.

— C'est la goutte d'eau qui a fait déborder le vase, du moins en ce qui concernait notre mariage, continue Gwen, ignorant son interruption. Il me trompait depuis des années, bien sûr. Et il y mettait de moins en moins de gants. J'ai appris plus tard qu'il prenait un malin plaisir à emmener ses maîtresses dans les endroits où nous allions ensemble. Il avait même eu une liaison avec une jeune fille un peu dérangée qui habitait notre immeuble. Ce sont d'ailleurs ses appels frénétiques au milieu de la nuit qui m'ont finalement convaincue de faire mes valises. Ma mère est morte à ce moment-là. Mon père l'a suivie quelques mois plus tard. Il s'est effondré un jour, en pleine rue, et l'ambulance est arrivée trop tard.

— Vous avez donc perdu vos parents et votre mari en peu de temps, compatit Ben. Cela fait beaucoup à encaisser. Pas étonnant que vous ayez fait une dépression !

— Non, j'ai tenu le coup.

— Si tu considérais Rodney Tureck comme responsable de la mort de ton père, pourquoi ne lui as-tu pas simplement jeté un sort comme tu l'as fait pour le vieux M. Walsh ? s'étonne Amanda.

— J'ai jeté un sort à M. Walsh ? s'exclame Gwen avec un sourire. Je ne m'en souviens pas.

Ben voyons ! pense Amanda. Ça fait partie des moments forts de mon enfance et elle ne s'en souvient pas !

— Et l'argent dans ton coffre ?

— Quoi ?

— D'où le sors-tu ?

— Je me plais à le considérer comme ma pension alimentaire.

— Et ça l'était ?

— D'une certaine manière.

— De quelle manière exactement ? insiste Amanda.

Sa mère se tord la lèvre, se tripote les cheveux et change plusieurs fois de position avant de répondre.

— Il avait volé cet argent à mon père et je l'ai simplement récupéré.

— Comment as-tu fait ?

Une autre torsion des lèvres, un autre tapotement sur ses cheveux.

— Rod se livrait à toutes sortes de trafic. Et il se faisait toujours payer cash. Du coup, nous payions tout en liquide. Enfin, quand on payait. Nous avions toujours des tas de sociétés de recouvrement à nos trousses. Rod m'assurait à chaque fois que c'était une erreur, que je ne devais pas m'inquiéter, qu'il s'occupait de tout. Et il le faisait. Un problème surgissait ; il le réglait tout aussi vite. Nous n'avons jamais eu de compte bancaire comme les gens normaux. Il me donnait une certaine somme chaque semaine. Il était très généreux, et j'étais très naïve. Que voulez-vous que je vous dise ? C'était différent à cette époque.

— Continuez, la presse Ben alors qu'Amanda lève les yeux d'exaspération.

— Rod avait de l'argent planqué dans toute la ville. Nous ne demeurions jamais très longtemps au même endroit, à cause des créanciers et autres personnages antipathiques qui venaient régulièrement frapper à notre porte. Rod prétextait qu'il ne pouvait pas tenir en place. Que ça le rendait nerveux de rester longtemps au même endroit. Et de quoi je me plaignais ? N'avais-je pas le goût de l'aventure ? N'aimais-je pas rencontrer de nouveaux visages, me faire de nouveaux amis ? Mais à peine nous faisions-nous de nouveaux amis, qu'il se remettait dans le pétrin et il fallait qu'on déguerpisse. Bien sûr, à chaque fois il clamait que ce n'était pas sa faute. Il ne faisait jamais rien de mal. Si nous n'avions pas d'amis, c'est parce que les gens étaient jaloux de son succès. Et les rares amies que j'ai pu me faire, je les ai gardées pour moi.

— L'argent, maman, souffle Amanda afin de la ramener à leur conversation, refusant de se laisser attendrir.

— J'y arrive. J'ai donc compris que mon mariage tirait à sa fin et qu'il valait mieux protéger mes arrières. J'ai ouvert un compte bancaire personnel et commencé à mettre de l'argent de côté. Pas beaucoup, bien sûr. Je ne voulais pas éveiller ses soupçons. Juste cent dollars par-ci par-là. Finalement, je me suis retrouvée avec cinq mille dollars devant moi et je me suis liée d'amitié avec l'une des caissières de la banque, qui avait, elle aussi, des problèmes conjugaux. Elle m'a dit que Rod possédait un coffre. Et j'ai profité d'un soir, où il était soi-disant en voyage d'affaires, pour fouiller la maison. J'ai découvert dans sa boîte à cigares plusieurs clés de coffre. Elle était au fond de son tiroir de pulls, chaque clé bien étiquetée, et je n'ai eu qu'à prendre celle qui m'intéressait. Mon amie m'a conduite à la chambre forte. Je suis repartie avec l'argent.

— Quoi ! Tu as volé cent mille dollars à ton ex-mari ? s'exclame Amanda, prise de vertige.

— C'était l'argent de mon père, rétorque Gwen sans l'ombre d'un remords.

Amanda a presque peur de poser la question suivante, effrayée par ce que sa mère risque de lui répondre.

— Et ensuite ? demande Ben à sa place.

— Alors je suis allée le déposer dans un coffre à mon nom dans une autre banque, et j'ai remis la clé de Rod dans sa boîte à cigares. Je n'ai jamais été revoir cet argent. Ce n'était pas le but.

— Et... et quel était le but ? bégaie Amanda.

— Je voulais juste récupérer ce qui m'appartenait.

— Et comment Rodney Tureck l'a-t-il pris ?

Gwen balaie cette question d'un geste désinvolte.

— Le temps qu'il s'aperçoive que l'argent avait disparu, c'était trop tard. Nous avions déjà divorcé, mon amie de la banque avait déménagé à Chicago et il pouvait difficilement aller porter plainte à la police, n'est-ce pas ?

— Il ne s'est pas retourné contre toi ?

— Bien sûr que si. Mais j'ai juré que j'étais innocente. J'ignorais ce dont il parlait. Quel coffre ? Quel argent ? Avais-je l'air de vivre sur un grand pied ? Je travaillais comme secrétaire, j'arrivais à peine à joindre les deux bouts. Mais il ne m'a pas crue. Et il a promis de me le faire payer d'une manière ou d'une autre.

— Il t'a menacée ?

Gwen fixe la porte sans rien dire.

— Est-ce la raison pour laquelle tu l'as tué, maman ? Parce que tu avais peur pour ta vie ?

— Je l'ai tué parce que ce misérable salaud méritait de payer pour le mal qu'il a fait.

— Non, déclare d'un ton catégorique Amanda, chez qui l'avocat de la défense prend soudain le dessus. Écoute-moi. Tu l'as tué parce que la dernière fois que tu l'as vu, il t'a menacée de mort. Et, quand tu l'as aperçu dans le hall de l'hôtel Four Seasons, tu étais convaincue qu'il était revenu mettre sa menace à exécution. Voilà qui me paraît un excellent argument pour invoquer la légitime défense, n'est-ce pas, Ben ? ajoute-t-elle en essayant de ne pas montrer sa satisfaction.

— Tout cela remonte à si longtemps, proteste sa mère coupant la parole à Ben. Je ne pense pas que les jurés se laissent persuader...

— C'est à Ben de persuader les jurés, la coupe à son tour Amanda.

— Personne ne croira...

— Croira quoi ? Que tu étais mariée à un homme si dénué de sens moral qu'il n'a pas hésité à ruiner son beau-père ? Que cela fut la cause directe de la mort prématurée de ton père ? Que tu as passé des années sous antidépresseurs après le calvaire que t'a fait vivre Rodney Tureck pendant votre mariage et après votre divorce ? Qu'il t'a menacée ? Que tu as passé ta vie dans l'angoisse, rongée par la peur qu'il mette un jour ses menaces à exécution ? Pourquoi les jurés ne croiraient-ils pas que tu t'es affolée en le revoyant ? Que tu l'as tué avec le revolver que tu avais gardé pendant toutes ces années pour te défendre ? Ne t'inquiète pas ! s'écrie Amanda prise d'une soudaine bouffée d'exaltation. Ils ne demanderont que ça !

— Et toi ?

Amanda se renfonce dans son siège, tandis que son excitation retombe tout aussi vite.

— Pourquoi pas ? Ça tient la route.

— Ce n'est pas ce que je t'ai demandé.

— Peu importe que je le croie ou pas. Ce qui compte c'est que nous arrivions à convaincre les jurés.

Sa mère secoue la tête.

— Non.

— Que veut dire ce non ?

— Ça veut dire que je n'accepterai pas.

— Comment ça, tu n'accepteras pas ?

— Ce n'est pas la vérité.

— Qu'est-ce qui l'est, bon Dieu !

— Amanda..., intervient Ben.

— Voyons si j'ai bien compris : ça ne te gêne pas de voler ou de tuer, mais ça te répugne de déformer la vérité. C'est bien ça que tu veux dire ?

— Écoutez, maintenant nous avons des arguments à présenter au procureur, insiste Ben, d'une voix calme. Vous avez suffisamment de circonstances atténuantes pour qu'il réfléchisse à deux fois avant d'aller au procès. On peut au moins espérer qu'il nous proposera de transiger.

— Vous devrez lui raconter ce que je vous ai dit ?

— Oui, bien sûr.

— Alors que vous m'aviez assuré que ça resterait entre nous ?

— Il faut bien le mettre au courant, maman.

— Non.

— Non ?

— En ce qui concerne la police, je ne suis qu'une folle qui a abattu un inconnu dans un hall d'hôtel. Cela me convient parfaitement.

Gwen se tourne vers la porte comme si elle allait appeler le garde.

— Eh bien, la police n'a pas tout à fait tort, crache Amanda. Tu es bien folle.

— Amanda...

— Tu peux essayer de ramener cette malade à la raison ?

Amanda se lève d'un bond et recommence à arpenter la pièce.

— Madame Price, commence Ben en se glissant à la place d'Amanda, est-ce que ça vous ennuierait de nous dire pourquoi vous vous opposez à ce qu'on vous défende ?

— Parce que je suis coupable, répond Gwen avec un gentil sourire à l'adresse de son ex-gendre. J'ai tué un homme. Pas parce que j'avais des circonstances atténuantes. Ni parce que j'abusais des antidépresseurs. Ni parce que je craignais pour ma vie. Mais parce que je voulais le tuer. Parce que c'était un homme mauvais qui méritait de mourir. C'est aussi simple que ça.

— Je ne vois pas ce que ça a de simple, proteste Amanda.

— Seulement parce que tu cherches à tout compliquer.

— Moi, je complique ?

— Je sais que tu penses bien agir, ma chérie...

— Ma chérie ?

— Amanda...

— Tu ne sais rien de moi.

— C'est sans doute vrai, admet sa mère, d'un ton qui semble sincèrement contrit. Mais je sais que j'ai tué un homme de sang-froid et que je dois aller en prison. On ne pourrait pas s'arrêter à ça ?

Amanda se rue sur elle, tel un aigle fondant sur sa proie.

— Tu nous caches quelque chose !

— Je vous ai tout dit.

Amanda se résigne à tenter une nouvelle approche.

— Combien de temps après ton divorce as-tu rencontré mon père ?

— Environ un an. Pourquoi ? Quelle importance ?

— Parle-moi de lui.

— De qui ?

— De mon père.

Amanda s'appuie contre le mur, de peur de s'effondrer.

— Je ne suis pas sûre de voir le rapport.

— Je t'en prie, supplie Amanda, incapable d'en dire plus.

Sa mère soupire et sourit, les lèvres tremblantes.

— Ton père était un homme merveilleux. Je l'ai beaucoup aimé.

— Il savait que tu avais déjà été mariée ?

— Bien sûr. Je ne lui aurais jamais caché une chose pareille.

— Savait-il pour l'argent ?

— Non.

— Alors il n'était pas non plus au courant des menaces de Rodney Tureck ?

— Il savait que j'avais peur de Rod.

— Et moi, pendant ce temps-là ?

— Tu n'étais qu'un bébé. Tu avais à peine deux ans.

— Est-ce à cette période que tu as commencé à prendre des antidépresseurs ?

Une fois de plus, sa mère détourne les yeux, sans répondre.

— Maman ?

— Je ne m'en souviens pas.
— Pourquoi étais-tu si déprimée, maman ?
— Je ne me souviens pas.
— Et si je te racontais ce dont, moi, je me souviens ? propose Amanda, changeant son fusil d'épaule, une fois de plus. Je me souviens d'un jour où je riais.
Elle marque un temps d'arrêt, comme pour souligner l'ironie de ce souvenir.
— C'est mon plus ancien souvenir. Oui, je riais. Stupéfiant, non ? Nous jouions. Tu agitais une marionnette devant ma figure, et tu me tapotais le nez avec. Et nous riions.
Amanda s'arrête, en se demandant si ce souvenir est réel ou si elle l'a imaginé.
— Je me souviens aussi d'une autre fois où tu me faisais danser en me soulevant par les mains et tu m'appelais ta petite poupée. « Qui c'est ma petite poupée ? » chantonnais-tu et je répondais en riant aux éclats « C'est moi. C'est moi ». Et nous étions heureuses. Je le sais. Et soudain, tout a changé. Et tout ce que je me rappelle après ça, ce sont des pleurs. Pourquoi, maman ?
— Je ne sais pas.
— Tu te fiches de moi !
— Amanda...
— Que s'est-il passé, maman ?
— Que veux-tu que je te dise ! On a arrêté de rire !
— Pourquoi ?
— Quelle importance ?
— Pourquoi ?
Sa mère soupire, lance un appel au secours muet à Ben, mais il a son attention rivée sur Amanda et n'intervient pas.
— Je prenais ces saletés de pilules, murmure-t-elle après un long silence. Elles me transformaient en zombie. Quand j'essayais de les arrêter, c'était encore pire. Je devenais enragée. Un vrai cauchemar.
— Pourquoi prenais-tu des antidépresseurs, maman ?
Nouveau soupir. Nouveau silence qui s'éternise.
— Comme tu le disais, j'ai traversé une sale période. J'ai perdu mes parents, divorcé...

— Tu t'es remariée. À un homme merveilleux que tu aimais beaucoup. Tu as eu une petite fille.

— J'ai fait une dépression postnatale.

— Première nouvelle !

— C'était différent à cette époque. On n'en parlait pas.

— Je sais, c'était l'ancien temps, opine Amanda, reprenant l'expression de sa mère.

Gwen hoche la tête.

— Et quand Rod m'a retrouvée et m'a menacée, j'ai craqué.

Amanda dévisage sa mère avec une moue désabusée.

— Foutaises !

— Amanda...

— À qui crois-tu parler, maman ? À la police ? Tu espères vraiment nous faire gober ça ?

Sa mère se détourne, sans répondre.

Amanda assène un coup de poing sur la table pour forcer son attention.

— Tu veux savoir pourquoi nous ne te croyons pas ? Parce que ça n'a pas de sens.

— Je suis désolée que tu penses ça.

— Non seulement ça n'a pas de sens, mais ça n'explique pas ce que cette photo faisait dans tes affaires, maman, s'écrie Amanda en brandissant sous son nez la photo de Rodney Tureck avec sa fille. Comment te l'es-tu procurée, bon sang ?

Sa mère se lève lentement.

— Je suis désolée, je suis épuisée. Si vous voulez bien m'excuser.

Elle s'approche de la porte et appelle le garde.

— Tu ne t'en tireras pas comme ça, l'avertit Amanda et elle voit son dos se raidir.

Puis la porte s'ouvre et le garde emmène sa mère.

28.

— Tu le crois, toi ? grommelle Amanda entre ses dents serrées tandis qu'elle remonte le couloir de la prison en trombe, Ben à son côté. Non seulement elle connaissait ce type, mais elle était mariée avec lui ! Pendant dix ans ! Tu le crois, toi ?

Ben montre d'un signe de tête le garde qui les observe derrière sa vitre, près de l'entrée.

— Il vaudrait mieux attendre d'être dans la voiture pour en discuter.

— Elle lui a volé cent mille dollars !

— On en parlera tout à l'heure...

— Et en plus, elle se droguait, bon sang !

— Amanda...

— Au début, on n'avait aucun mobile et maintenant on en a trente-six !

— Y a un problème ?

Un garde fait une apparition comme par magie, attiré par les éclats de voix, une main posée sur l'étui de son revolver.

— Non, non, tout va bien, répond Ben qui écrase le bras d'Amanda à travers la parka et la propulse vers la porte d'entrée.

— Elle m'a appelée sa chérie !

Amanda pousse la porte et sort. Soudain, elle s'arrête et fait demi-tour vers Ben.

— Mais qui diable est cette bonne femme ?

Ben hoche la tête d'un air entendu mais son regard ne fait que refléter sa propre confusion.

Amanda chancelle vers lui, prise d'une soudaine envie qu'il la serre dans ses bras.

Mais, au lieu de l'attirer contre lui, il la prend simplement par le coude et la guide à travers la neige fondue comme s'ils traversaient des eaux traîtresses, les clés de sa Corvette déjà à la main.

— Ça va ? demande-t-il une fois qu'ils sont assis et que la vieille voiture envoie des bouffées de fumée nocive dans l'air déjà gris.

— Je crois.

— Que penses-tu de son histoire ?

— Je trouve que pour une psychopathe, elle ment très mal.

— Tu crois que rien n'était vrai dans ce qu'elle nous a raconté ?

— Je suis convaincue qu'elle a effectivement été mariée à Rodney Tureck. Que c'était un escroc, qu'il la trompait et qu'il a dépouillé son père. Et même qu'elle lui a volé cet argent. C'est ensuite que ça devient trouble.

— Elle nous cache encore beaucoup de choses.

— Et comment pourrions-nous les découvrir ?

Ben réfléchit. Amanda voit ses yeux parcourir le pare-brise comme s'il lisait une liste invisible de possibilités.

— Il ne nous reste plus qu'à mettre tes menaces à exécution.

— Oui, allons rendre une petite visite à Hayley Mallins, déclare doucement Amanda.

Sur ces mots, elle boucle sa ceinture et attend qu'il démarre.

Il y a un accident sur la voie rapide Gardiner – un camion remorque s'est plié en travers de la chaussée et barre complètement les voies vers l'est. Ben et Amanda mettent plus de deux heures à revenir au centre de la ville. C'est pire que la I-95, songe Amanda, mais elle ne dit rien, car en vérité, rien ne peut surpasser la I-95. Et toute conversation est impossible, car Ben a mis la radio à fond. Elle reconnaît ce signal. Il n'a pas envie de parler. Ou pas envie de penser. Elle sourit en regrettant de ne pouvoir s'isoler aussi facilement. Elle se met à répéter un mantra que lui a enseigné son amie Ellie, après un stage de quatre jours de méditation transcendantale qui lui avait coûté plus de mille dollars. *Kir-rell, kir-rell, kir-rell.* Mais, ou elle manque de patience, ou ce mantra était destiné uniquement à Ellie, ou Ellie a brisé Dieu sait quel charme en le divulguant, toujours est-il qu'il ne marche pas. *Kir-rell, kir-rell, kir-rell.* Trente secondes plus tard, Amanda se retrouve dans la petite pièce étouffante, au moment où sa mère lui annonce qu'elle a été mariée plus de dix ans à Rodney Tureck, alias John Mallins – *kir-rell, kir-rell* –, qu'il a volé toutes les économies de son père – *kir-rell, kir-rell* –, qu'il l'a menacée – *kir-rell, kir-rell* – et que du coup elle a plongé dans l'enfer des antidépresseurs. *Kir-rell, kir-rell ! ! !*

Quel bordel ! Quel bordel ! devrait-elle dire.

Il y a quelque chose qui cloche dans cette histoire.

La vérité, toute la vérité, rien que la vérité.

— Tout sauf la vérité !

Elle s'aperçoit qu'elle a parlé à voix haute et se tourne vers Ben. Mais il n'a pas dû l'entendre, ou préfère le laisser croire. Elle lui a assez rebattu les oreilles pendant la première heure du trajet. Il conduit, le regard perdu sur le lointain, tout en tambourinant le volant au rythme d'un rock échevelé. *Coldplay*, croit-elle reconnaître, sans en être sûre. En fait, elle ne s'intéresse plus à la musique de sa génération.

Ne me dis pas que tu aimes ça ? s'insurgeait Sean avant de passer sur une station qui diffusait de la musique classique. En tout cas, c'était meilleur que l'affreuse musique country qu'il aimait écouter. *Ça c'est l'Amérique*, protestait-il quand elle hurlait parce qu'il chantait un refrain qui parlait immanquablement de femmes trompées et de camionnettes à plateau. *C'est l'âme de notre pays.*

C'est de la merde ! pensait-elle. Mais au bout de quatre années de mariage, elle chantait en chœur avec lui. *Ton cas n'est pas désespéré*, aimait-il à plaisanter. C'était peut-être d'ailleurs ce qui l'avait poussée à partir. La country a ruiné mon second mariage, décide-t-elle à présent, en gloussant. Tiens, il faudrait écrire une chanson là-dessus.

Sauf qu'au fond, ce n'était pas la vérité, toute la vérité, rien que la vérité. L'échec de leur mariage n'était pas dû à leur différence de goûts musicaux, ni à leur différence d'âge, ni même à leur désaccord sur la question des enfants. Non, leur mariage avait été condamné dès l'instant où elle avait prononcé le fatidique

« Oui, je le veux ». Parce qu'à la vérité, toute la vérité, rien que la vérité, elle ne le voulait pas.

Amanda ferme les yeux, voit le visage de sa mère. *J'ai été mariée avec lui pendant plus de dix ans.* Apparemment, c'est de famille de se marier plusieurs fois, songe-t-elle en éclatant de rire.

Ben baisse le volume de la radio.

— Qu'y a-t-il de drôle ?

— Rien.

Il hoche la tête comme si c'était parfaitement logique.

Le temps qu'ils arrivent à l'hôtel Four Seasons, la nuit tombe déjà.

— Tu crois vraiment que c'est une bonne idée d'aller la voir ? s'inquiète Amanda qui, bizarrement, répugne à affronter Hayley Mallins.

Ben tend ses clés au voiturier et la pousse vers le hall.

— Tu as mieux à proposer ?

Amanda montre d'un signe de tête le bar sur leur gauche.

— Je prendrais bien un verre.

— Excellente idée.

Ils dépassent la confortable enclave où sa mère a attendu de tirer sur son ex-mari, puis montent les quelques marches qui conduisent au bar proprement dit, et s'installent à une petite table près d'une fenêtre.

— Que veux-tu boire ? demande Ben.

— Une tisane à la pêche framboise, répond Amanda alors que le serveur s'approche.

Ben éclate de rire.

— Une tisane à la pêche framboise et un verre de vin rouge, dit-il au jeune homme avant de se retourner vers Amanda. Tu ne cesseras jamais de m'étonner.

— Et c'est bien ?

Il hausse les épaules, ignore la question.

— Tu es sûre que tu ne veux pas boire quelque chose de plus fort ?

— Non, je tiens à rester lucide.

— Tu as raison.

— Qu'allons-nous dire à Hayley Mallins exactement ?

— Eh bien, on pourrait déjà lui dire le véritable nom de son mari. Et voir sa réaction.

— Et si ma mère a dit vrai ? Si elle ne sait rien de son passé ?

— Crois-tu que ce soit possible ?

— Je ne sais plus quoi penser. Rien n'a de sens.

— Si, mais nous ne l'avons pas encore trouvé.

Le serveur revient quelques minutes plus tard avec leur commande qu'il pose sur la petite table ronde entre eux. Un subtil arôme de fruits monte aux narines d'Amanda.

— Hum ! Ça sent bon.

Ben plonge le nez dans son verre et inhale profondément.

— C'est bien vrai, fait-il en levant son verre vers sa tasse. Tchin !

— Tchin !

Amanda cogne sa tasse contre son verre en se demandant à quoi ils trinquent.

— Et une fois que nous aurons jeté notre bombe, qu'est-ce qu'on fera ?

— Tout dépend de sa réaction.

— Et si elle ne dit rien ?

— Nous lui montrerons la photographie.

— Prouvant ainsi le vieil adage selon lequel une bonne photo vaut mieux que des mots ?

Ben opine et boit une gorgée de vin.

— Et si elle n'a aucune idée de la façon dont ma mère a pu se procurer cette photo ni de ce qu'elle fait avec ? Et si notre visite ne sert qu'à la traumatiser davantage ? C'est vrai, quoi ! Ma mère a peut-être raison. À quoi bon jeter un pavé dans la mare ?

Ben la dévisage par-dessus son verre.

— Tu es sûre que tu te sens bien ? s'inquiète-t-il comme il s'est inquiété un peu plus tôt.

— Oui. Pourquoi ?

— Depuis quand te poses-tu ce genre de question ?

Que lui arrivait-il ? Avait-elle réellement dit que sa mère pouvait avoir raison ?

— Oui, je divague. Ça doit être la tisane.

— Écoute, même si nous ne trouvons rien de valable, considérons que c'est un service à lui rendre.
— Un service ?
— Comme ça, au moins, elle sera au courant de l'héritage de sa belle-mère. Et elle pourra repartir riche en Angleterre.
— Tu crois ?
— Tu devrais terminer ta tisane.
Il finit son verre et se lève.
— Il faut y aller.

Quelques minutes plus tard, ils sortent de l'ascenseur au vingt-quatrième étage.
— Par ici.
Amanda fonce dans le couloir sans s'occuper de Ben.
— Attends, Amanda ! Promets-moi de ne rien précipiter.
— Ne t'inquiète pas, lance-t-elle par-dessus son épaule, sans ralentir.
— Garde ton calme, quoi qu'il arrive.
Amanda s'arrête devant la porte des Mallins.
— Pourquoi, tu m'as déjà vue m'énerver ?
— Merde ! l'entend-elle marmonner alors qu'elle frappe.
— Maman ! Il y a quelqu'un ! crie une voix de jeune garçon, à l'intérieur.
Des pas. Une hésitation. Une voix de femme, méfiante, craintive.
— Qui est-ce ?
— C'est Amanda Travis, madame Mallins. Nous avons parlé l'autre jour.
La porte s'entrouvre, retenue par la chaînette. Un œil sombre scrute le couloir, s'écarquille en voyant qu'Amanda n'est pas seule.
— Avec qui êtes-vous ?
— Ben Myers. C'est lui qui...
— ... représente la femme qui a tué mon mari, termine Hayley Mallins.
— Pourrions-nous entrer quelques minutes, madame Mallins ? Nous voudrions vous parler.
— Mais de quoi ?

— De ceci.

Amanda plonge la main dans la poche de sa parka rouge, sort la photo du père et de la fille et la brandit devant l'entrebâillement de la porte.

L'œil s'écarquille encore, se remplit d'inquiétude. Et la porte se referme au nez d'Amanda.

— Heureusement qu'on ne devait pas précipiter les choses, marmonne Ben.

— Désolée. Je n'ai pas pu m'en empêcher.

Amanda frappe résolument à la porte.

— Partez, lui répond aussitôt Hayley Mallins.

— Madame Mallins... Hayley... je vous en prie.

— Partez ou j'appelle la police.

— C'est parfait, dit Ben. Je suis sûr que cette photo les intéressera beaucoup.

Un silence. Chacun retient son souffle. Puis un cliquetis de chaînette que l'on décroche, la poignée qui tourne, la porte qui s'ouvre. Hayley Mallins recule pour les laisser entrer.

— Bravo, chuchote Amanda à Ben tandis qu'elle franchit le seuil.

Elle observe Hayley à la dérobée. Son visage, déjà pâle au naturel, a viré au blanc livide, comme s'il avait été plongé dans la chaux. Elle porte un baggy en velours côtelé et un immense pull vert mousse, dont ne dépasse que le bout de ses doigts tremblants. Ses cheveux pendent autour de son visage en mèches anémiques. Tout en elle paraît fragile. Même ses traits semblent flous, comme si elle se dissolvait littéralement. Elle jette des regards affolés vers la porte close de la chambre. « Ne crois-tu pas que Victor mériterait de savoir la vérité ? » demande une voix féminine de l'autre côté. « Je t'en prie, supplie une autre femme. Tu ne sais pas ce que tu fais ! »

Amanda reconnaît un feuilleton qu'elle a bien aimé, autrefois, et se sent, en quelque sorte, rassurée que certaines choses, au moins, ne changent pas. Les femmes ont caché la vérité à Victor depuis la nuit des temps. Mais il finit toujours par la découvrir, et tout le monde paie cher sa duplicité. Sans jamais en tirer de leçon.

— Comment vont les enfants ? demande-t-elle.

— Ils espèrent pouvoir bientôt rentrer en Angleterre, répond Hayley en serrant et desserrant les poings à l'intérieur des manches de son pull. Que voulez-vous de moi ?

— Nous avons trouvé cette photo dans la maison de ma cliente. Sauriez-vous pourquoi ?

Ben prend la photo des mains d'Amanda et la lui tend.

L'espace d'une seconde, Hayley Mallins semble sur le point de s'évanouir. Elle s'accroche au fauteuil rayé or et rouge le plus proche et se laisse tomber lourdement dedans.

— Ça ne va pas, madame Mallins ? Voulez-vous un peu d'eau ?

Hayley secoue la tête, un soupçon de couleur lui revient aux joues tandis qu'elle jette un bref coup d'œil vers la photo, sans oser s'y arrêter.

— Qu'est-ce que ça signifie ?

— Nous espérions que vous pourriez nous le dire.

Hayley regarde fixement ses genoux, muette.

— Nous avons trouvé autre chose, poursuit Amanda. Plusieurs fausses cartes de visite.

— Je ne comprends pas.

— Le nom de Rodney Tureck vous dit-il quelque chose ?

Hayley s'arrête de respirer. Le peu de couleur qui lui est revenu aux joues disparaît.

— Non. Rien.

— Alors, laissez-nous vous dire ce que nous savons.

— Ce que vous croyez savoir ne m'intéresse pas.

— Nous savons que votre mari ne s'appelait pas John Mallins.

— Vous vous trompez.

— Il s'appelait Rodney Tureck.

— C'est absurde.

— Vous aviez raison. Il est bien venu régler la succession de sa mère, mais elle s'appelait Tureck, pas Mallins.

— Elle s'est peut-être remariée. Y avez-vous pensé ?

— Savez-vous que l'autopsie de votre mari a révélé qu'il était de dix à quinze ans plus âgé qu'il le prétendait et qu'il s'était fait refaire le visage ?

— Vous mentez.

— Appelez la police. Posez-leur la question vous-même.

— Je crois que vous feriez mieux de vous en aller, maintenant.

— Nous savons autre chose.

— Encore des mensonges.

— Nous savons que votre mari connaissait Gwen Price. En fait, ils ont même été mariés autrefois.

Hayley se lève en titubant et secoue la tête violemment.

— Vous avez perdu l'esprit.

— C'est la vérité.

— C'est cette femme qui vous a raconté ça ? Dans ce cas, ou elle est folle ou elle ment. Comment pouvez-vous croire à de telles sornettes ?

— C'est assez facile à prouver, intervient Ben.

— Allez-vous-en. Allez-vous-en tout de suite.

La porte de la chambre s'ouvre. Un jeune garçon accourt, suivi par sa grande sœur, qui le tient par les épaules, inquiète. Ils portent tous les deux un sweat-shirt gris et un jean, et leurs yeux affolés sautent de leur mère aux visiteurs. Derrière eux, on entend hurler « Je n'arrive pas à croire que tu aies laissé cette femme entrer chez nous après ce qu'elle a fait ».

— Bonjour, Hope. Bonjour, Spenser, les salue Amanda.

— Tu te souviens d'Amanda Travis, dit aimablement Hayley, comme si elle présentait une vieille amie.

— Voici Ben Myers, mon...

— ... associé, s'empresse-t-il de finir en tendant la main.

— Quelque chose ne va pas ? demande Hope à sa mère, ignorant Ben et Amanda. On t'a entendue crier malgré la télé.

— Tout va bien, ma chérie. Ces gens s'en allaient.

— Nous ne retiendrons votre mère que quelques minutes, insiste Ben.

— Je crois qu'elle n'a pas envie de rester plus longtemps avec vous, rétorque Spenser, qui s'écarte de sa sœur pour venir se placer entre sa mère et ces intrus.

— Spenser..., commence Amanda.

— Allez-vous-en ou nous nous verrons forcés d'appeler le service de sécurité.

Amanda retient un sourire, en se demandant si c'est son

accent britannique haché ou la solennité de sa formulation qui le fait paraître aussi mûr.

— Tout va bien, Spenser, le rassure Hayley avec un sourire empreint de fierté maternelle. Je m'en occupe. Vous pouvez retourner regarder la télévision.

Hope hésite sur le seuil de la pièce.

— Tu es sûre ?

— Oui, oui. J'arrive tout de suite.

Hope fait signe à son frère de la suivre d'un hochement de tête. Spenser croise les bras et écarte les jambes, décidé à rester.

— Ça ira, répète Hayley. Vas-y, ma poupée.

Amanda sent alors le sang affluer à ses oreilles et un silence assourdissant enveloppe la pièce.

29.

— Qu'avez-vous dit ? murmure Amanda quand elle retrouve sa voix.

Spenser recule, visiblement effrayé par son ton.

— Que vous arrive-t-il ? s'inquiète Hayley, en jetant un coup d'œil interrogatif à Ben.

— Spenser, suis ta sœur, ordonne Ben d'un ton sans réplique.

— Vas-y, mon chéri, renchérit sa mère.

— Je ne veux pas te laisser.

— Je t'en prie, Spenser, tout va bien. Je te promets.

— Tu nous appelles si tu as besoin de nous ?

— Je t'assure que ce ne sera pas nécessaire, dit Ben tandis qu'Amanda se retient de hurler.

À contrecœur, le garçon s'écarte de sa mère et repart vers sa chambre.

— Comment l'avez-vous appelé ? demande Amanda après avoir refermé la porte derrière lui.

— Je ne comprends pas, bredouille Hayley en jetant un regard suppliant à Ben.

— Vous l'avez appelé ma poupée.

— Oui. Sans doute. Pourquoi ?

— À vous de me le dire.

— Je ne comprends pas. C'est juste un surnom.

— Non, ce n'est pas que ça.

— J'ai peur de ne pas vous suivre.

Amanda laisse passer quelques secondes, le temps de recouvrer ses esprits. Ma poupée serait-il un sobriquet plus commun qu'elle ne le croit ? Aussi courant que trésor ou lapin ? Au point de transcender les pays et les cultures ? Pouvait-il s'agir d'une simple coïncidence ?

— Ma mère m'appelait ainsi quand j'étais petite, explique-t-elle.

— Vraiment ?

Hayley parle d'une voix si grave qu'elle est à peine audible.

— Eh bien, c'est un surnom sans doute courant.

— Je ne pense pas.

— Alors...

Hayley laisse sa phrase en suspens.

— Quand j'étais petite, j'adorais les marionnettes... enfin les poupées. Et ma mère s'amusait à me soulever par les bras en disant « Ma poupée, ma poupée... »

— ... Qui c'est ma petite poupée ? finit Hayley dans un souffle tandis que son visage passe du blême au cadavéreux, que son regard se soude à celui d'Amanda et qu'elles retiennent toutes les deux leur respiration. Qui êtes-vous ?

— Je m'appelle Amanda Travis, répond lentement Amanda, pesant chaque mot.

Elle marque une pause, non pour souligner ses paroles mais parce qu'elle n'arrive plus à respirer.

— Je suis la fille de Gwen Price.

Hayley vacille et se retient au fauteuil derrière elle en portant la main à sa poitrine.

— Mandy ?

Amanda sent tous ses poils se hérisser comme si elle venait de poser le pied sur un fil électrique dénudé.

— Mon Dieu ! soupire Hayley en scrutant son visage, les yeux écarquillés. Comment ai-je pu ne pas faire le rapport ?

Amanda s'avance.

— Quel rapport ?

Hayley hésite quelques secondes, ses yeux sautent d'Amanda à la porte du couloir, comme si elle envisageait de s'échapper.

— Tout le monde t'appelait Mandy. Mon Dieu ! Tu ne te souviens pas de moi ?

— Je devrais ?

Hayley secoue la tête, le regard fuyant.

— Non, bien sûr que non. Tu étais encore un bébé la dernière fois que je t'ai vue.

— Mais bon sang, qui êtes-vous ? balbutie Amanda.

— Ta mère ne te l'a pas dit ?

Amanda secoue la tête.

Hayley hésite à nouveau, tourne les yeux vers la fenêtre, comme si la réponse était cachée dans les lumières de la ville.

— Je m'appelais Hayley Walsh, articule-t-elle d'une voix hachée.

— Walsh ?

— J'habitais la maison à côté, à Palmerston.

Amanda revoit un géant qui la nargue de l'autre côté de l'allée commune aux deux maisons.

— La fille du vieux Walsh ?

— C'est moi qui te gardais quand tu étais petite. Je t'appelais ma petite poupée parce que tu adorais les marionnettes.

— C'était vous !

— Ma poupée, ma poupée, c'est qui ma petite poupée ? répète Hayley, les joues soudain ruisselantes de larmes, en la dévorant des yeux.

Amanda s'affale sur le canapé, prise d'une envie irrépressible de s'allonger et de dormir. Elle se dit qu'elle rêve et que, si elle ferme les yeux, tout aura disparu quand elle les rouvrira. Elle clôt lentement les paupières, attend quelques secondes. Mais quand elle les rouvre, Hayley Mallins est toujours assise dans le fauteuil où elle s'est laissée tomber, les mains crispées sur les accoudoirs.

— Je ne me souvenais pas que M. Walsh avait une fille, déclare-t-elle enfin, résignée à accepter la réalité tout en essayant d'assimiler ces dernières révélations.

— Non, tu ne peux pas t'en souvenir. Tu étais beaucoup trop jeune quand je suis partie.

— Ah bon ?

— Quand je me suis enfuie, corrige Hayley.

— Vous vous êtes enfuie ? Pourquoi ? Où êtes-vous allée ?

Hayley baisse la tête, contemple ses genoux.

— En Angleterre, dit-elle d'une voix tremblante. Avec Rodney Tureck.

Amanda met plusieurs secondes à assimiler ce qu'elle vient d'entendre.

— Je ne comprends pas, murmure-t-elle en échangeant un regard perplexe avec Ben. Comment avez-vous pu le connaître ? Ma mère n'était plus mariée avec lui quand elle habitait Palmerston. Elle avait épousé mon père.

— Oui, M. Price, acquiesce Hayley, l'ombre d'un sourire aux lèvres. C'était un homme merveilleux.

— Il est mort il y a onze ans.

Amanda lutte pour retenir les larmes qui lui montent aux yeux.

— Oui. J'ai lu dans le journal que ta mère était veuve. Ça m'a fait beaucoup de peine de l'apprendre.

— Pourquoi ?

— Parce que j'aimais beaucoup ton père. Il avait toujours été très gentil avec moi.

— Ce qui n'explique pas comment vous avez connu Rodney Tureck ? insiste Amanda avec une impatience qui la surprend elle-même.

— Est-ce important ?

— Oui, très.

Hayley hoche la tête et attend quelques instants pour rassembler ses idées.

— Je l'ai rencontré un après-midi en revenant de l'école. Je portais une tonne de livres, j'ai trébuché dans l'allée en passant devant chez toi et tout est tombé. Il s'est précipité et m'a aidée à les ramasser.

Elle s'arrête comme pour se remémorer l'enchaînement exact des événements.

— Il allait voir ta mère. Je lui ai dit que je te gardais souvent et nous avons bavardé. Il a plaisanté, j'ai ri, et comment dire... c'est parti de là.

Elle repousse une mèche derrière son oreille avec un petit sourire contrit.

— J'étais en pleine crise d'adolescence. Je me suis sentie flattée qu'un homme de cet âge s'intéresse à moi et me prenne au sérieux. Surtout qu'il était vraiment charmant, ajoute-t-elle, reprenant l'adjectif qu'avait employé Gwen Price, quelques heures auparavant.

Amanda comprend ce que Hayley a éprouvé, en songeant à Sean Travis.

— Et vous l'avez donc revu après cette rencontre ?

— Il téléphonait pendant que je te gardais. Au début, il prétendait vouloir parler à ta mère, mais il a très vite avoué que c'était moi qui l'intéressais. Il disait qu'il adorait nos petites conversations, que j'étais rafraîchissante et adorable, toutes ces choses que j'avais tant rêvé d'entendre. Alors nous nous sommes donné rendez-vous. En cachette, bien sûr. Il disait que les gens ne comprendraient pas et il avait raison, évidemment.

— Que vous disait-il d'autre ?

— Que j'étais belle, que j'étais bien plus mûre que mon âge, que je lui donnais l'impression de rajeunir, que nous étions faits l'un pour l'autre, ce genre de choses...

— Et il vous a convaincue de vous enfuir avec lui ?

— Il n'a pas eu à me pousser beaucoup. J'avais fini par tomber follement amoureuse de lui, avoue Hayley en secouant la tête. C'est drôle parce qu'il n'était pas très beau. Mais quand je le regardais dans les yeux, il me donnait l'impression d'être la plus belle femme du monde, la seule qui comptait.

— Alors vous vous êtes enfuis en Angleterre.

— Oui, c'était terriblement romantique. Et étonnamment facile.

— Il n'a jamais rien dit sur ma mère ?

La question désarçonne Hayley.

— À quel sujet ?

— Sur les raisons pour lesquelles il venait la voir ? Pourquoi il l'appelait ?

Hayley prend une profonde inspiration et la relâche avec une lenteur étudiée, comme si elle rejetait la fumée d'une cigarette. Elle répugne visiblement à répondre.

— Il disait qu'il y avait un contentieux entre eux.

— Quel genre de contentieux ?

— Écoute, je n'ai vraiment pas envie d'en parler.

— Moi, si.

— Ce n'est pas ça qui aidera ta mère.

— Quel contentieux ?

Hayley se lève de son fauteuil, va à la fenêtre, contemple le ciel qui s'assombrit.

— Il prétendait que ta mère lui avait volé une grosse somme d'argent. Il m'a demandé de fouiller la maison pendant que je te gardais, de voir si je ne trouvais rien.

Amanda sent une douleur dans sa poitrine, et s'aperçoit qu'elle retient sa respiration.

— Quoi par exemple ?

— Des livrets bancaires, des clés de coffre, ce genre de choses.

— Et vous en avez trouvé ?

— Non. Ça ne me plaisait pas. Je lui ai répondu que je ne pouvais pas faire une chose pareille.

— Et comment a-t-il réagi ?

— Il a dit que ça prouvait que j'étais réellement une fille adorable et qu'il m'aimait encore plus.

— Quel type !

Amanda enfouit sa tête entre ses mains pour repousser la migraine qui lui serre la tête dans un étau.

— Que s'est-il passé à votre arrivée en Angleterre ? s'enquiert Ben.

— Rodney Tureck est devenu John Mallins. Nous avons beaucoup bougé jusqu'à ce qu'on s'installe à Sutton.

— Au nord de Nottingham, explique Amanda en se massant l'arête du nez.

— Il a acheté un petit magasin, nous nous sommes mariés et nous avons eu des enfants.

— Et ils vécurent heureux très, très longtemps, conclut Amanda d'une voix un peu trop forte à son goût.

— Tout à fait, acquiesce Hayley.

Amanda échange un regard avec Ben.

— Et pourquoi n'avez-vous rien dit à la police ? s'exclament-ils d'une seule voix.

— Je ne pouvais pas !

— Pourquoi ?

— Réfléchissez. Que vouliez-vous que je leur dise ? Qu'il y a vingt-cinq ans, alors que j'étais mineure, je me suis enfuie avec l'ex-mari de ma voisine ? Que nous avons pris un faux nom et passé des années à nous cacher ? Que mon mari s'appelait en fait Rodney Tureck et qu'il était sans doute recherché par la police ? Pourquoi aurais-je été raconter ça ?

— Je ne sais pas. Parce que c'est la vérité ? rétorque Amanda.

La vérité, quel concept ! songe-t-elle.

— Quand la police m'a annoncé que John s'était fait tuer, je suis restée sans réaction. John était parti de bonne heure et nous l'attendions à l'hôtel, les enfants et moi. On a frappé à la porte, et je me souviens d'avoir pensé, c'est bizarre, John a dû oublier sa clé. Quand j'ai demandé « Qui est là ? » parce que John y tenait beaucoup et qu'une voix grave m'a répondu « C'est la police, madame Mallins », j'ai aussitôt cru que John s'était fait arrêter, qu'on avait découvert sa véritable identité, et qu'ils venaient m'arrêter à mon tour. J'étais à cent lieues de la vérité. Avez-vous remarqué comme on peut échafauder trente-six explications sans même envisager la bonne ?

Amanda hoche la tête. Elle sait exactement ce que veut dire Hayley.

— Quand la police m'a dit que John était mort, qu'il avait été abattu dans le hall de l'hôtel, j'ai prétendu qu'il devait s'agir d'une erreur. Ils m'ont posé une foule de questions, ce que nous faisions à Toronto, si nous y connaissions du monde, si je voyais une raison qui expliquerait sa mort. Je me suis contentée de répéter ce que John m'avait dit de répondre si jamais on me posait la question : nous étions venus ici en vacances.

— Et quand vous avez appris que c'était Gwen Price qui l'avait abattu ?

— Je ne sais plus ce qui m'a traversé l'esprit. Je m'attendais à ce qu'elle leur dévoile la vérité.

— Et quand elle ne l'a pas fait ?

Hayley déglutit, écarte quelques mèches folles de son visage.

— Eh bien, c'était trop tard. Que vouliez-vous que je fasse ? Que je dise à la police que j'avais menti ? Que ma vie entière était bâtie sur un mensonge ? Et mes enfants, y avez-vous songé ? ajoute-t-elle en baissant la voix, avec un regard inquiet vers la porte de la chambre. Ils venaient de perdre leur père.

Fallait-il leur apprendre qu'il n'était pas celui qu'ils croyaient, que la femme qui l'avait abattu était son ex-femme, et que j'avais été sa baby-sitter ? J'avais tellement peur.

— Peur de quoi ?

— Que la police me les retire.

— Personne ne vous les enlèvera, s'empresse de la rassurer Ben.

— Ils sont tout ce que je possède au monde, murmure Hayley en fondant à nouveau en larmes.

— Personne ne vous les prendra, répète Ben.

— J'ai été enceinte à peine mariée, reprend Hayley, comme se parlant à elle-même. Mais, quatre mois après, j'ai fait une fausse couche. Et j'en ai fait d'autres dans les années qui ont suivi. Puis j'ai eu deux bébés mort-nés. Ça c'est le pire. Porter un enfant jusqu'à son terme, complètement formé, et qui ne respire plus. C'est impossible à décrire... Je suis tellement impatiente de ramener mes enfants en Angleterre.

— Pourquoi Gwen Price n'a-t-elle pas dit la vérité à la police, à votre avis ? demande Amanda.

— Je ne sais pas. Peut-être que la raison pour laquelle elle l'a tué n'est pas le plus important.

— Et ça ne vous intéresse pas de la connaître ?

Hayley secoue la tête.

— Ils ont partagé une tranche de vie, conclut-elle comme si cette explication suffisait. J'aimerais que vous vous en alliez, maintenant. Je vous en prie. Mes enfants doivent être dans tous leurs états.

— Nous en avons assez dit pour ce soir, acquiesce Ben tandis qu'Amanda se lève avec lenteur, à contrecœur.

— Tu ne diras rien à personne, n'est-ce pas ? s'inquiète Hayley en les accompagnant à la porte. Cela ne ferait que semer la pagaille. Et ça ne servirait à rien. Ta mère semble de cet avis, elle aussi. Je t'en prie, supplie-t-elle en posant sa main sur celle d'Amanda qui ouvre la porte. Je t'en prie, Mandy.

Le nom fait à Amanda l'effet d'une goutte d'acide qui lui perce le crâne.

— Nous vous tiendrons au courant, entend-elle dire Ben dans un brouillard.

Je t'en prie, Mandy.

Quelque part dans le lointain, une porte s'ouvre et se referme.

— Ça va ? demande Ben.

— Ça va.

— Tu es sûre ?

— Quoi ?

Je t'en prie, Mandy.

— Tu es sûre que tu te sens bien ? répète Ben.

Amanda revient à la réalité avec un sursaut.

— Pourquoi ça n'irait pas ? rétorque-t-elle en entrant dans l'ascenseur qui vient d'arriver et en appuyant sur le bouton du rez-de-chaussée. Parce que je viens de découvrir que l'unique souvenir agréable que j'avais de ma mère était faux. Que ce n'était que la baby-sitter ! Et que cette sacrée baby-sitter couchait avec l'ex-mari de ma mère !

— Ça ne va pas.

— Si, très bien.

— Sacrément bien ou juste bien ?

Elle sourit.

— Ça va. Mais ça ira encore mieux quand j'aurai mangé un morceau.

— D'accord. Et si on dînait ensemble ? On pourra en profiter pour réfléchir à ce qu'on va faire.

— Tu crois ?

Il hausse les épaules. Son portable se met à sonner dans la poche de son veston.

— Ils ont partagé une tranche de vie, répète-t-elle d'un ton rêveur tandis qu'il répond. C'est vrai que cela peut suffire à donner des envies de meurtre, finalement !

— Salut, dit Ben en s'écartant d'elle et elle devine que c'est Jennifer avant même d'entendre l'écho de sa voix. Quoi ? Quand est-ce arrivé ?

— Que se passe-t-il ? s'inquiète Amanda, qui a perçu son changement de ton.

— Comment est-elle ?

— Qui ça ?

— D'accord... oui. Merci. C'est très gentil... naturellement. Je te rappelle plus tard.

— Que se passe-t-il ? répète Amanda en regardant Ben remettre son téléphone dans sa poche.

— Ta mère a tenté de se suicider, réplique-t-il tranquillement, sans autre préambule.

— Quoi ? Comment ?

— Elle a avalé des cachets.

— Mais où les a-t-elle trouvés ?

— Je ne sais pas. On l'a transportée à l'Etobicoke General Hospital.

— Peut-on la voir ?

La porte de l'ascenseur s'ouvre et Ben conduit Amanda vers la sortie, à l'autre bout du hall.

— Nous pouvons toujours essayer.

30.

Le chemin vers l'ouest de la ville lui devient si familier qu'elle pourrait le suivre en dormant, quoiqu'elle doute pouvoir un jour retrouver le sommeil. Elle a l'impression d'avoir la tête remplie de pièces de monnaie, aussi encombrantes que lourdes, et d'une valeur douteuse, en plus. Ses pensées s'entrechoquent dans son cerveau et obscurcissent son champ de vision : sa mère est folle/sa mère est mourante ; sa mère a tué un inconnu/sa mère a tué son ex-mari ; Hayley Mallins est ma voisine/ma voisine a trompé tout le monde depuis le début.

Alors pourquoi dirait-elle la vérité maintenant ?

Amanda garde les yeux rivés sur la fenêtre et l'obscurité, et essaie de se concentrer sur les nouveaux immeubles qui ont poussé comme des champignons autour du lac. Si elle baisse sa garde, si elle laisse pénétrer dans son esprit autre chose que le ciel noir, les lumières vives, la circulation, les chantiers sans fin... sa tête explosera à coup sûr.

Sa mère a avalé des cachets. Pourquoi ? Où les a-t-elle trouvés ? Pourquoi a-t-elle fait ça ?

— Qu'est-ce qu'il y a comme nouveaux immeubles ! déclare-t-elle d'une voix forte, dans l'espoir de repousser ces pensées importunes.

— Oui, la ville n'arrête pas de s'étendre, répond Ben, d'une voix tout aussi éclatante, comme s'il souffrait de la même affection.

Tu crois que ma mère s'en sortira ?

— Tu trouves ça bien ?

Tu crois qu'elle va mourir ?

— On ne peut pas arrêter le progrès.

C'était la baby-sitter, pas sa mère, qui la balançait comme une poupée, par les mains.

— Je n'ai jamais aimé les banlieues, remarque-t-elle.

— C'est drôle ce que tu dis.

Sa mère savait-elle que la baby-sitter s'était enfuie avec son ex-mari ? Comment l'avait-elle pris ?

— Pourquoi ?

— Parce que la Floride n'est guère plus qu'une suite de banlieues, non ?

Amanda se représente la côte sud-est avec son chapelet de petites cités balnéaires se fondant les unes dans les autres : Hobe Sound, Jupiter, Juno Beach, Palm Beach Gardens, Palm Beach proprement dit, Hypoluxo, Manalapan, Delray...

— Tu as raison.

Ma poupée, ma poupée. Où est ma petite poupée ?

Ce n'était pas sa mère.

C'était la baby-sitter.

Amanda presse ses mains contre ses tempes. Sa mémoire l'a trahie !

— Mal à la tête ?

— L'horreur !

— Tu n'as rien dans ton sac contre ça ?

Elle secoue la tête. Et le regrette aussitôt. La douleur irradie son cerveau.

— Ils te donneront quelque chose à l'hôpital.

— Je n'aurai qu'à prendre un cachet à ma mère !

Amanda se couvre les yeux.

— Mon Dieu ! Je n'arrive pas à croire que j'aie pu dire ça !

— Elle va s'en sortir, Amanda.

— Je sais.

Sa mère est une force de la nature. Ce n'est pas une petite poignée de cachets qui pourront l'achever.

— Ta petite amie t'a-t-elle dit ce qu'elle avait pris ?

— Elle ne devait pas le savoir.

— Et elle savait où elle les a trouvés ?

— Elle les aurait volés à une compagne de cellule.

— La maniaque du nettoyage, sans doute.

— Je suppose.

— Et tu aurais une idée sur ce qui a pu la pousser à faire une idiotie pareille ?

Amanda s'aperçoit qu'elle est aussi furieuse qu'effrayée. Elle a peur que sa mère ne meure, tout en s'en voulant d'avoir peur. Et si sa mère avait réussi à se suicider ? La belle affaire, ça faisait des années qu'elle la considérait comme morte !

— Tu crois qu'elle aurait fait ça à cause de notre visite ? Parce qu'elle nous sentait sur le point de découvrir la vérité ?

— Tu n'y es pour rien, Amanda. Ne commence pas à culpabiliser.

— Je ne culpabilise pas, riposte Amanda, ravie de pouvoir retourner sa colère contre lui. Qu'une chose soit bien claire entre nous. Ma mère peut faire ce qu'elle veut. Et, si elle veut mourir, ne compte pas sur moi pour l'en empêcher. Ne va surtout pas t'imaginer que je m'inquiète pour elle !

— Tu ne t'inquiètes pas ?

— Je m'en contrefiche ! La seule chose qui m'intéresse, c'est de savoir pourquoi elle a fait ça. Alors épargne-moi ta psychologie de bazar. Je ne culpabilise pas le moins du monde. Tu es avocat, pas thérapeute. Et tu n'es plus mon mari.

— Tu as tout à fait raison, répond-il après quelques secondes de silence, refusant de mordre à l'hameçon, de lui offrir la dispute qu'elle attend.

Seule la crispation de sa mâchoire laisse entendre qu'elle est peut-être allée trop loin.

— Bon sang, tu ne pourrais pas rouler plus vite ?

— Je dépasse déjà la limitation de vingt kilomètres heure.

— Essaie vingt-cinq.

— Non, ça suffit.

— Écoute, si elle est réellement à l'article de la mort et qu'on arrive avant qu'elle clamse, on pourra peut-être lui arracher la vérité.

Ben lui jette un regard en biais.

— Je te trouve un peu dure dans tes propos.

— Eh bien, je suis une fille assez dure.

— Je ne crois pas.

— Tu as la mémoire courte.

Ben hoche la tête d'un air entendu, et crispe ses mains sur le volant.

— Accroche-toi !

Dix minutes plus tard, ils se garent sur le parking de l'hôpital et se précipitent en courant vers le bureau d'information. Amanda, qui ne supporte pas les hôpitaux, fixe les empreintes mouillées laissées sur le sol par les visiteurs, ce qui ne l'empêche pas de noter la boutique de cadeaux, la pharmacie, la petite cafétéria. On se croirait presque dans une galerie marchande s'il n'y avait pas cette odeur, songe-t-elle, incommodée par les puissants effluves d'éther, de fleurs, de sang, de parfums, de désinfectants et de médicaments. L'odeur de la maladie. De la peur. De la vie qui vous échappe.

L'arôme fugace de sa propre mortalité.

— Quatrième étage, jette Ben, en se ruant vers les ascenseurs sans la prendre par le coude ni même l'attendre.

Il est vexé. Même s'il ne l'admettra jamais. Elle a rouvert une plaie qui commençait à peine à cicatriser. Il a voulu lui témoigner de la compassion, de la compréhension, et son seul réflexe a été de s'écarter de lui, de mettre la plus grande distance possible entre eux, comme elle l'a fait huit ans plus tôt, quand elle a décidé de briser leur mariage. *Ce n'est pas une réussite*, lui avait-elle dit une nuit alors qu'ils venaient juste de faire l'amour.

De quoi parles-tu ?

De notre mariage.

Qu'est-ce que tu racontes ?

Je veux m'en aller.

Je ne comprends pas. J'ai fait quelque chose de mal ?

Non.

Alors pourquoi ? On pourrait d'abord en parler, non ?

Y a rien à dire. C'est fini. Je veux m'en aller.

C'était tout. Il n'avait pas discuté. Il ne s'était pas battu pour qu'elle reste. Fidèle à lui-même, il l'avait prise au mot. Quelques petites phrases avaient suffi à liquider leur mariage. Elle avait suivi à peu près le même scénario pour mettre fin à son union avec Sean. *Ce n'est pas une réussite*, avait-elle déclaré au moment où ils s'apprêtaient à partir dîner chez des amis. Bon sang, autant s'en tenir à un script qu'on connaît bien !

Ainsi va la vie, pense Amanda en regardant Ben disparaître au bout du couloir. Mais depuis quand se soucie-t-elle de ce qu'il éprouve. Elle n'a pas le temps de soigner les mâles à l'ego blessé, et elle se fiche d'agir correctement ou de jouer franc jeu. Surtout que Ben s'est lancé tout seul dans cette aventure. Elle ne lui a rien demandé. Ce n'est pas parce qu'ils ont « partagé une tranche de vie » qu'il lui doit quoi que ce soit. Et elle ne va pas culpabiliser sous prétexte qu'elle l'a rembarré dans la voiture. Elle n'a absolument rien à se reprocher. Ni la peine qu'il a. Ni la pathétique tentative de suicide de sa mère. Non, rien.

Ne l'a-t-il pas reconnu lui-même ?

Tu n'y es pour rien, Amanda. Ne commence pas à culpabiliser.

Bonté divine, pourquoi fallait-il qu'il ait toujours raison ?

— Je suis désolée, s'excuse-t-elle en le rejoignant. C'est méchant ce que j'ai dit.

Il hausse les épaules sans rien dire. Mais, quand un ascenseur arrive, elle sent une gentille pression de sa main sur son coude tandis qu'il la fait entrer la première. La cabine se remplit rapidement d'une foule de gens divers. Des mains gantées passent devant elle, comme si elle n'existait pas, pour appuyer sur les boutons. Aucun étage n'est oublié, remarque-t-elle, serrée contre Ben par les autres occupants qui s'entassent. Elle se love contre son flanc tandis qu'il glisse un bras protecteur autour de ses épaules et elle inhale l'odeur étrangement réconfortante du cuir mouillé de son blouson.

Ils sortent de l'ascenseur au quatrième étage et remontent le couloir jusqu'au bureau des infirmières.

— La chambre 426 ? demande Ben au petit groupe de femmes en blanc qui bavardent derrière le comptoir où s'alignent des bouquets que l'on vient de livrer.

Elles pivotent vers eux avec un bel ensemble. L'une d'elles, une femme d'un certain âge à la peau marron satinée et aux cheveux noirs et frisés, se détache des autres.

— Vous cherchez Gwen Price ?

— Comment va-t-elle ? s'inquiète Amanda en retenant son souffle.

— Vous êtes de sa famille ?

— Je suis sa fille.

L'infirmière se tourne vers Ben.

— Et vous ?

— Son avocat.

— Prenez le couloir à gauche, dernière chambre sur la droite.

Amanda traverse le bureau sans attendre Ben qui se précipite derrière elle.

— Je ne suis pas sûre que les visites soient autorisées, leur lance l'infirmière.

Ils aperçoivent le policier assis devant la porte dès qu'ils débouchent dans le couloir.

— Qu'est-ce que je peux faire pour vous, m'sieur dame ? s'enquiert-il d'un ton qui ne plaisante pas.

— Je suis Ben Myers, l'avocat de Gwen Price, répond Ben en lui tendant sa carte, et voici Amanda Travis, sa fille. Nous voudrions la voir.

Amanda lui tend son permis de conduire, et contemple la porte de la chambre de sa mère tandis qu'il examine le document avec attention. Sa mère est dans cette pièce. Couchée. Mourante, peut-être.

Pourquoi ?

— Excusez-moi une minute.

Le policier s'éloigne de quelques pas et sort son portable.

Pourquoi sa mère a-t-elle voulu mourir ? Pourquoi préférait-elle mourir que dire la vérité ?

Amanda se balance d'avant en arrière sur ses talons. Parce que c'est ma mère, tiens donc ! Quand a-t-elle jamais eu une conduite cohérente ?

— Très bien, dit le policier, en remettant son téléphone dans l'étui à sa ceinture. Vous pouvez entrer. Mais juste quelques minutes.

— Comment va-t-elle ? demande Ben.

— Elle est tirée d'affaire. Mais je dois vous prévenir...

— Quoi ? interrompt Amanda.

— Elle est couverte de bleus.

— Des bleus ? Pourquoi ? Elle est tombée ?

— Je crois que sa compagne de chambre n'a pas apprécié qu'elle lui vole ses médicaments. Elle a piqué une crise de nerfs. Et c'est ce qui a sans doute sauvé votre mère, ajoute-t-il avec un rire qui ressemble à un grognement.

Amanda essaie d'imaginer la scène. Sa mère jetée par terre puis rouée de coups. Sa peau fragile toute contusionnée sur le visage et les épaules. L'image est si forte qu'elle sent ses genoux défaillir. Ben la rattrape juste avant qu'elle ne s'effondre.

— Jusqu'où ça va aller ! murmure-t-elle en se redressant et en s'écartant de lui.

— Ça ira ? s'inquiète le policier.

— Tu te sens le courage d'entrer ? continue Ben.

— Ça ira.

— Ça ira, déclare Ben au policier avant de se tourner vers Amanda. Tu es sûre ?

En guise de réponse, Amanda pousse la porte de la chambre et entre.

Que sa mère lui paraît fragile, bien bordée sur son lit d'hôpital, le visage couvert de contusions qui virent du rouge au bleu, plusieurs tubes plantés dans les bras et une perfusion qui coule goutte à goutte dans ses veines.

Une silhouette apparaît soudain au pied du lit.

Qu'est-ce que tu fais là ? demande le père d'Amanda.

— Voici la fille de Gwen Price et son avocat, explique le policier à l'infirmière de garde qui les regarde par-dessus son journal.

Pourquoi maman est-elle couchée ?

— Comment va ma mère ? demande Amanda.

Elle se repose.

— Elle a l'air plus mal en point qu'elle ne l'est vraiment.

Pourquoi ? Elle est malade ?

— Nous avons dû lui faire un lavage d'estomac, bien sûr, continue l'infirmière. Mais elle a eu de la chance. Elle n'a pas eu le temps de digérer les médicaments. Elle sera remise dès demain matin.

Elle ira mieux demain matin.

— Combien de temps allez-vous la garder ici ?

Allez, va-t'en, Mandy. Il ne faut pas la réveiller.

— Juste une nuit.

Si. Je veux jouer avec elle.

— Pouvons-nous rester seuls avec elle quelques instants ?

Pas maintenant, Amanda. Quand elle ira mieux.

— Je crains que ce ne soit pas possible, déclare le policier.

Je devrais être habituée à la voir au lit, songe Amanda, en chassant les images de son enfance d'un geste de la main. Quoique ce soit le genre de chose auquel on ne s'habitue jamais. Les mères sont censées prendre soin de leurs enfants, pas l'inverse. Elles ne sont, en tout cas, pas censées tomber malades. Et encore moins se suicider.

— Pourquoi as-tu fait ça ? chuchote-t-elle, les doigts crispés sur les barrières du lit tandis qu'elle scrute le visage de sa mère.

D'un autre côté, les mères ne sont pas non plus censées tirer sur les gens.

— Qu'est-ce que c'est que ça ?

Son regard est rivé sur l'intérieur du poignet de sa mère. Elle retient son souffle dans l'attente de la confirmation de ses craintes.

— Malheureusement, je crois que, dans le feu de la bagarre, sa compagne de cellule l'a salement mordue, murmure le policier.

Amanda se raidit.

— Elle a d'autres morsures ?

— Une à l'épaule gauche, moins profonde, répond l'infirmière. Nous les avons désinfectées et nous lui avons fait un vaccin antitétanique. Les morsures d'humain sont souvent traîtresses. Elles risquent de lui faire plus de mal que les comprimés qu'elle a avalés.

Amanda revoit les marques laissées par Derek Clemens sur le dos de Caroline Fletcher. Comme elle déteste ça !

— Depuis combien de temps dort-elle ?

— Elle reprend peu à peu conscience depuis une heure.

— Et demain vous la renvoyez à la prison ?

— Nous n'aurons plus de raison de la garder.

Amanda se tourne vers le policier qui attend devant la porte sans perdre une parole de l'entretien.

— Elle sera placée dans une autre cellule, évidemment, lance Amanda à l'intention du policier.

— Je pense. Il ne vous reste plus que quelques minutes, malheureusement.

Amanda se retourne vers sa mère, tire une chaise près de son lit.

— Je dois reconnaître que tu sais attirer l'attention sur toi, maman. En tout cas, la mienne.

Elle essaie de rire, mais il ne sort qu'un coassement de sa gorge.

— Stupéfiant, non ? Nous n'avons rien eu à nous dire pendant dix ans et voilà qu'on se voit presque tous les jours. Et dans des endroits peu communs. Surtout pour une femme qui est rarement sortie de chez elle pendant mon enfance.

Elle rapproche sa chaise.

— Nous sommes allés voir Hayley Mallins, chuchote-t-elle en faisant semblant de caresser son front.

Elle scrute son visage, à l'affût d'un tressaillement, d'un signe qui prouve qu'elle l'entend. Rien.

— Elle nous a raconté des choses fort intéressantes.

— Je regrette mais je dois vous demander de vous écarter du lit, intervient le policier.

— Hayley nous a tout dit, glisse-t-elle en repoussant sa chaise et en se levant, à l'affût d'une réaction.

En vain.

Amanda va jusqu'à la porte, se retourne vers sa mère endormie. Elle ne peut pas en être sûre à cette distance, mais elle croit voir une larme perler entre ses paupières closes, rouler sur sa joue et disparaître dans le creux de l'oreiller.

31.

Dès qu'ils reviennent à la maison de Palmerston Avenue, Amanda commande une pizza pendant que Ben allume un feu dans la cheminée du salon.

— Je ne pense pas qu'elle ait servi depuis ma petite enfance, s'exclame Amanda en se réchauffant devant les flammes, revoyant sa mère assise sur le canapé, indifférente aux dangereuses escarbilles qui tombaient à ses pieds.

— Elle tire bien, constate Ben avec un sourire en quittant la pièce.

— Où vas-tu ?

— Chercher un tire-bouchon.

— Pour quoi faire ? Il n'y a pas de vin.

— Bien sûr que si.

Il revient avec un tire-bouchon dans une main et une bonne bouteille de bordeaux dans l'autre.

— J'en ai une caisse dans le coffre de ma voiture, explique-t-il sans lui laisser le temps de poser la question. J'oublie toujours de la monter chez moi.

Amanda songe que c'est une ruse, qu'il a prévu ça depuis le début de la soirée, et que le vin et le feu dans la cheminée font partie d'un plan pour la séduire. Du moins l'espère-t-elle, tandis qu'il débouche la bouteille et qu'elle va chercher des verres à la cuisine. Elle aurait bien besoin d'être serrée dans des bras solides et tendres. Assez tendres pour rallumer le souvenir des moments heureux et lui faire oublier les autres. Elle incline la tête et lève les yeux, avec un sourire timide. Tu te souviens comme on était bien ensemble, dit ce sourire.

Il leur verse à chacun un grand verre de vin, et lève le sien dans un toast silencieux. Il sourit. Je me souviens, dit son sourire.

Quarante minutes plus tard, ils dévorent une énorme pizza aux tomates et au fromage, assis par terre devant la cheminée, le dos contre le canapé et entament leur deuxième bouteille de vin.

— C'est bon, dit-elle, appréciant la douce torpeur qui l'enveloppe. J'en avais bien besoin.

— La journée a été longue.

— Tu peux le dire.

— Ta mère...

— Oublions-la.

— Oublions-la, opine-t-il.

— Et oublions aussi Hayley Mallins, Rodney Tureck et tous ces gens-là.

— Excellente idée.

— Et aussi Jennifer.

Ben marque son accord en faisant tinter son verre contre le sien. *Exit* Jennifer.

Leurs regards se croisent, se soudent. Elle glousse, consciente de ne pas être aussi éméchée qu'elle veut le faire croire et se demande si Ben fait semblant lui aussi. Feindre une légère ivresse leur laisse une certaine latitude. Ils peuvent aborder des sujets interdits. Agir inconsidérément. Franchir des limites invisibles et faire marche arrière dans un éclat de rire. Ils peuvent jeter leur bonnet par-dessus les moulins, céder au désir qui les attire l'un vers l'autre depuis qu'elle est descendue de l'avion, et faire passionnément l'amour devant ce feu romantique. C'est le vin, pourront-ils dire demain matin, en reprenant leurs esprits avant de reprendre leur vie.

— Alors de quoi allons-nous parler ? demande-t-elle, convaincue qu'il l'embrassera avant trois minutes.

— Et si nous parlions de toi ?

— Grand Dieu, non ! Tu veux mourir d'ennui !

— Tu es tout sauf ennuyeuse.

— Parce que tu ne me connais pas bien.
— Parce que tu es partie trop vite.
— Tu ne connais pas ta chance.
Ben contemple le contenu de son verre.
— Tu n'as jamais envisagé de revenir t'installer ici ?
La question la prend au dépourvu. Elle se sent faire le gros dos, comme un chat sur la défensive.
— Pourquoi ferais-je une chose pareille ?
— Parce que c'est chez toi.
— Plus depuis longtemps.
— Parce que ça te permettrait de mieux connaître ta mère.
— Une fois de plus, pourquoi ferais-je une chose pareille ?
— Parce que c'est ta mère.
— On ne devait pas parler d'elle, tu te souviens ?
Amanda finit son verre et se penche vers la bouteille.
— Pardon. J'ai oublié.
Il lui effleure le dos de la main. Plus que deux minutes.
— Et qu'est-ce que je ferais si je revenais ?
— La même chose qu'en Floride.
— Sauf que j'aurais plus froid.
— Seulement en hiver.
— Ça fait six mois sacrément durs à passer.
— Trois, corrige-t-il en lui tendant son verre pour qu'elle le remplisse.
— Ça, c'est ce que dit le calendrier.
— Je croyais que tu aimais les changements de saison.
Elle hoche la tête en revoyant la miraculeuse apparition des premiers bourgeons au printemps.
— Je n'ai pas les diplômes pour plaider au Canada, lui rappelle-t-elle tout en partageant entre eux le fond de la bouteille.
— Tu en as plus que moi, fait-il remarquer.
— Non.
— Si.
Amanda s'empresse de boire une gorgée.
— Nous voilà à égalité.
Il éclate de rire.
— Tu n'auras qu'à retourner à la fac un an. Et tu repasseras tes examens ici.

— Je préfère boire, dit-elle en prenant une autre gorgée.

Plus qu'une minute.

— Nous pourrions même ouvrir un cabinet ensemble, poursuit-il en riant, comme s'il savait combien sa suggestion est ridicule. Bon sang, ça ne manque pas de truands par ici ! ajoute-t-il, pour laisser entendre que cette proposition n'est peut-être pas si idiote qu'elle en a l'air.

— Ça, c'est vrai, répond-elle, éludant les deux allusions, les yeux fixés sur le carton vide. Où est passée la pizza ?

— Nous l'avons mangée.

— Déjà ?

Ben finit son verre, le pose par terre et se penche vers elle.

— Tu as une autre raison de revenir, dit-il doucement.

Plus que trente secondes, pense Amanda en finissant son verre d'une seule gorgée. Nous y voilà. Il était temps. Son cœur bat si vite qu'elle a peur de faire une attaque.

— Laquelle ?

Elle pose son verre devant lui en effleurant son bras de sa poitrine, puis le regarde, tendue vers lui.

Qu'attend-il ? Dix secondes... neuf... huit...

— Eh bien, tu as cette maison, déclare-t-il d'un ton soudain sérieux et il se recule contre le canapé, les yeux perdus sur les flammes. Si ta mère va en prison, ce qui me paraît de plus en plus probable, il faudra que tu la vendes.

— Quoi ?

— Je disais...

— J'ai entendu. Amanda se redresse, furieuse. Je croyais qu'on ne devait pas parler de ma mère.

— Oh, pardon ! Je suis désolé.

— Tu te fiches de moi !

— Comment ça ?

— Tu le sais parfaitement. À quoi joues-tu ?

— Je ne comprends pas.

— Ne me prends pas pour une idiote. Tu le fais exprès.

— Mais de quoi parles-tu ?

— Tu veux me faire payer ce que je t'ai dit dans la voiture, c'est ça ?

— Excuse-moi mais j'ai déjà oublié.

— Je ne te crois pas.

— Je ne vois vraiment pas à quoi tu fais allusion, insiste-t-il.

— Eh bien, moi, je vais me coucher.

Elle se relève péniblement. Se serait-elle trompée ? Se serait-elle laissé avoir par ses fantasmes et son orgueil ? Non, décide-t-elle en voyant sourdre un petit sourire rusé sous la prétendue perplexité de Ben. Il l'a fait exprès.

Tu es avocat, pas thérapeute, lui avait-elle dit dans la voiture. *Et tu n'es plus mon mari.*

Tu as absolument raison.

Amanda se rue dans le couloir, pile, revient dans le salon, plus furieuse encore.

— Tu avais tort, tu sais.

— Tort ? À quel sujet !

— Tu n'es pas un meilleur coup comme avocat !

Elle pivote sur ses talons et monte en courant.

— Tu n'es qu'un frimeur ! lance-t-elle depuis le palier. Un salaud ! hurle-t-elle avant de claquer la porte de sa chambre, et de se jeter sur son lit, la tête enfoncée dans l'oreiller, pour ne pas lui donner la satisfaction de l'entendre pleurer.

Depuis combien de temps cherchait-il à l'humilier ? Depuis cet après-midi ? Depuis qu'elle était arrivée à Toronto ? Depuis qu'elle l'avait quitté ?

Elle entend la porte d'entrée s'ouvrir et se refermer, et court à la fenêtre. Ben essaie de mettre sa clé dans la serrure de sa Corvette.

— Tu as trop bu pour prendre le volant, idiot ! marmonne-t-elle avant de retourner vers son lit.

Pourvu qu'il se fasse arrêter par les flics, et qu'il se retrouve derrière les barreaux pour conduite en état d'ivresse. Ou mieux encore, qu'il rentre dans un arbre...

— Non, murmure-t-elle, retirant vite sa malédiction silencieuse. Je ne veux pas que tu te fasses arrêter. Ni qu'il t'arrive malheur. Jamais. Tu m'entends ? Je retire ce que j'ai dit. Je le retire.

Elle retourne à la fenêtre mais sa voiture a disparu.

— Je le retire, sanglote-t-elle en ouvrant son lit où elle s'effondre. Je retire tout, tu m'entends ? Tout.

Elle se réveille à deux heures du matin, la tête dans un étau.

— Je croyais que le bon vin ne donnait pas de migraine, gémit-elle, hésitant à aller prendre des cachets.

Non, elle a mérité de souffrir. Ce serait injuste de s'y soustraire.

Ben a raison de la détester. Elle l'a humilié en le quittant il y a huit ans, sans explication ni excuse. Et elle s'est servie de lui sans scrupule depuis son retour. Et il aurait eu bien tort de ne pas lui rendre la monnaie de sa pièce ce soir. Elle ne demandait que ça. Quoi qu'il en soit, tout ce qui s'est passé aujourd'hui, et tout ce qui ne s'est pas passé, a l'avantage d'être clair : elle n'a rien à gagner à traîner ici plus longtemps. Ben n'a pas besoin d'elle. Sa mère ne veut pas d'elle. Tout ce qu'elle arrive à faire, c'est rendre tout le monde malheureux, elle, la première. Elle appellera l'aéroport dès son réveil et rentrera par le premier avion.

Elle se lève en titubant, va à la fenêtre et contemple l'allée déserte entre sa maison et celle des voisins.

— J'espère vraiment que tu es rentré chez toi sans encombre, murmure-t-elle.

Et si elle l'appelait ? Mais son portable est en bas, dans son sac, et elle n'a pas la force de descendre. Mais il y a un téléphone dans la chambre de sa mère, se souvient-elle, en traversant le petit palier. Elle compose son numéro et s'assoit sur le lit.

Elle raccroche en reconnaissant le répondeur indiquant qu'elle a oublié de composer le numéro de la région. Ben doit être avec Jennifer, de toute façon. À cette idée, c'est l'image de Sean Travis, un bras passé autour des épaules de sa jeune femme, elle aussi prénommée Jennifer, qui surgit à son esprit. Il y a trop de Jennifer. Et je n'ai pas été très gentille avec toi, non plus, songe-t-elle tandis que le visage de Sean se fond dans l'ombre des arbres.

Elle reprend le téléphone et cette fois pense à composer le numéro avec son code.

— Allô ? répond la voix familière, embrumée de sommeil, au bout de deux sonneries.

— Sean ?

— Qui est-ce ?
— C'est Amanda.
Un silence.
— Amanda ?
— Je suis désolée de t'appeler si tard.
— Il t'est arrivé quelque chose ? Tu es blessée ?
— Non, je vais bien.
— Tu as des problèmes ?
— Non.
— Tu as bu ?
— Non.
— Je ne comprends pas. Pourquoi m'appelles-tu ?
— Y a un problème ? entend-elle Jennifer demander.
— Je suis à Toronto.
— Toronto ?
— Tu te souviens que tu m'avais dit un jour que je ne grandirais pas tant que je n'aurais pas réglé certaines choses avec ma mère ?
— Je me souviens surtout de la violence de ta réaction, dit-il doucement après un petit silence.
— Oui, parfois c'est dur d'accepter la vérité.
Nouveau silence.
— Alors, comment ça se passe ?
— C'est pas facile, avoue-t-elle avec un petit rire.
— Ça, j'en suis certain. Mais je suis sûr que tu réussiras.
Les larmes de gratitude lui montent aux yeux.
— Sean ?
— Oui ?
— Je voulais juste te présenter des excuses.
— Ce n'est pas grave. J'étais à moitié réveillé.
— Non, pas pour ça. Quoique tu puisses l'ajouter à ta liste.
— Je n'ai pas de liste, Amanda.
— Non ? Il y aurait de quoi.
Silence.
— Sean ?
— Tu n'as pas à t'excuser.
— J'ai été nulle comme épouse.

— Nous n'étions pas faits l'un pour l'autre, proteste-t-il galamment.

— Je ne t'ai pas laissé la moindre chance.

Nouveau silence.

— Tout a fini par s'arranger. Je suis très heureux maintenant.

— Le bébé est prévu pour quand ?

— Le 18 juillet.

— Tu sais que je ne te souhaite que de bonnes choses.

— Je sais. Je t'en souhaite autant.

— Bonne chance, Sean.

— Bonne chance, Amanda.

Amanda reste quelques minutes sur le lit de sa mère, sans lâcher le combiné trempé de larmes. Elle devait des excuses à Sean depuis longtemps. Tout comme elle en doit à Ben. Mais ça attendra le matin, décide-t-elle en repartant vers sa chambre. Elle sent la chaleur de la cheminée en passant sur le palier. Ont-ils remis le pare-feu ? Pourvu qu'aucune étincelle ne soit tombée sur le tapis. Elle descend l'escalier en courant, elle voit déjà les gros titres à la une du journal du matin. Si peu de gens s'en soucieront !

Mais la grille est en place. Amanda la retire et remue les derniers tisons avec le pique-feu.

— Qu'est-ce que tu fais ? demande une voix derrière elle.

Elle pousse un hurlement et se retourne d'un bond en lâchant le tisonnier.

— Attention !

Ben se lève du canapé et ramasse l'instrument pour le remettre avec les autres, près de la cheminée.

— Qu'est-ce que tu fais là ?

Il lui montre les coussins froissés du canapé.

— J'essaie de dormir.

— Je croyais que tu étais parti.

— Je suis désolé, Amanda, mais je n'étais pas en état de conduire.

— Où est ta voiture ?

— Je l'ai mise au garage.

Il s'étire, se lisse les cheveux.

— Je me sens mieux maintenant. Je vais te laisser tranquille.

— Non ! Je ne veux pas que tu t'en ailles. Je t'en supplie. Ne pars pas.

La lumière du feu danse sur le visage de Ben : il semble confus.

— Je ne suis pas sûr de comprendre.

— Si.

Long silence.

— Tu avais raison, avoue-t-il. J'ai joué avec toi.

— Je sais.

— Honnêtement, ce n'était pas prémédité. Je ne sais pas ce qui m'a pris.

— C'est pas grave.

— Comment ça, c'est pas grave ?

Ils s'avancent l'un vers l'autre d'un pas hésitant.

— La seule chose qui compte, c'est que je te veux. Et ne t'imagine pas que ça signifie quoi que ce soit. Disons que c'est une revanche, si ça peut te faire plaisir.

— Une revanche, répète-t-il en écartant les mèches du visage d'Amanda.

— Ou en souvenir du bon vieux temps.

— En souvenir du bon vieux temps.

— Ou juste une façon de mettre fin à notre histoire une fois pour toutes, continue-t-elle alors qu'il l'embrasse au coin de la bouche.

— Mettre fin à notre histoire une fois pour toutes, répète-t-il avant de poser ses lèvres sur les siennes.

— Une fois pour toutes, murmure-t-elle.

Et ils ne disent plus rien.

Lorsque Amanda se réveille à sept heures du matin, Ben est parti.

— Merde ! jure-t-elle en s'enroulant dans la couverture rose qu'il a dû poser sur elle avant de s'en aller. Merde !

Elle écarte les cheveux de son visage, émerveillée par le souvenir de la douceur de ses caresses, de son ardeur, du naturel avec lequel leurs corps se sont retrouvés, comme s'ils ne s'étaient jamais séparés.

Qu'a-t-elle fait ?

N'était-ce pas elle qui avait déclaré que ça ne signifiait rien, que c'était juste une revanche, ou en souvenir du bon vieux temps, histoire de régler la question une fois pour toutes ? Était-elle folle ? Merde ! Pourquoi fallait-il qu'il la prenne toujours au mot ?

— Je te maudis, Ben ! lance-t-elle à voix haute et, au même moment, elle entend frapper à la porte. Ben ?

Elle se précipite et trouve sur son seuil Mme MacGiver, vêtue d'un manteau en tweed vert sous lequel dépasse sa chemise de nuit, et de hautes bottes en vinyle rouge.

— Je viens chercher mon thé, dit la vieille dame sans paraître remarquer qu'Amanda ne porte qu'une couverture rose.

— Madame MacGiver...

— Tu ne me proposes pas d'entrer ?

Amanda recule pour la laisser passer. Elle entend alors un bruit d'eau qui vient de la salle de bains, en haut et reconnaît la douche.

— Ben ! s'exclame-t-elle, luttant contre l'envie de jeter sa couverture et de courir le rejoindre.

Il est là ! Il n'est pas parti !

— Je suis vraiment désolée, madame MacGiver, dit-elle, en se retenant de sourire aux anges. J'ai complètement oublié votre thé.

— Tu as oublié ?

— J'ai eu un imprévu.

— Tu as oublié mon thé, répète la vieille dame, sidérée.

Amanda remonte en pensée les événements de la veille, comme une cassette vidéo que l'on rembobine. Elle voit sa mère allongée sur son lit d'hôpital, les kilomètres de nouveaux bâtiments le long de l'autoroute Gardiner, le hall de l'hôtel Four Seasons, Hayley Mallins debout devant la fenêtre de sa suite. Non pas Hayley Mallins, Hayley Walsh.

— J'ai vu quelqu'un hier que vous avez dû connaître, dit-elle, sur le ton de la conversation tout en repoussant Mme MacGiver vers la porte. Hayley Walsh. La fille de M. Walsh ? Vous vous souvenez de lui. Il habitait juste à côté.

— Ce salaud ! s'exclame la vieille dame avec une force

surprenante. Sûr que je m'en souviens. C'était vraiment un beau salaud.

— Oui, ma mère ne l'aimait pas non plus.

— Il paraît qu'il battait sa femme. Et ses fils. Jusqu'au jour où ils ont été assez grands pour se retourner contre lui.

Pas étonnant que sa fille se soit enfuie en Angleterre, songe Amanda.

— Vous dites que vous avez vu sa femme ? s'étonne la vieille dame. Je croyais qu'elle était morte.

— Non, c'est sa fille que j'ai vue.

— M. Walsh n'a jamais eu de fille !

En haut, la douche s'arrête de couler.

— Bien sûr que si. Elle venait me garder quand j'étais petite. Elle m'appelait sa poupée.

Amanda fait mine de manipuler les fils d'une marionnette :

— Vous vous souvenez « Ma poupée, ma poupée, qui c'est ma petite poupée ? ».

Mme MacGiver la dévisage comme si elle avait perdu la tête.

— Ce n'était pas la fille de M. Walsh.

— Que voulez-vous dire ?

Mme MacGiver éclate de rire, et agite son doigt sous le nez d'Amanda comme si celle-ci avait essayé de la faire marcher.

— C'était Lucy.

— Lucy ? Bon sang, qui est Lucy ?

Ben se présente soudain en haut de l'escalier, une serviette autour des reins.

— Que se passe-t-il ?

— Qui est-ce ? demande la vieille dame, le regard pétillant. C'est vous, Marshall MacGiver ?

— Qui est Lucy ? répète Amanda.

— Tu le sais.

— Non, je ne sais pas.

La vieille dame agite la main vers Ben d'un petit geste féminin plein de grâce.

— Qui est Lucy ? répète Amanda pour la troisième fois, détachant chaque mot, tandis que Ben descend l'escalier derrière elle.

Mme MacGiver soupire avec coquetterie.

— Oh, Marshall MacGiver, vous savez que vous n'avez rien

à faire ici ? Que diront mes parents s'ils apprennent que vous rôdez dans le coin ?

— Madame MacGiver...

— Vous êtes très vilain.

— Qui est Lucy, madame MacGiver ?

— Lucy ?

Mme MacGiver lui jette un regard perdu. Ses yeux déjà larmoyants semblent sur le point de pleurer.

— Tu veux dire Sally ?

— Madame MacGiver...

— Tu n'es pas Sally.

La vieille dame chancelante se met à tourner en rond.

— Qu'est-ce que tu as fait à ma petite fille ? Où est-elle ?

— Madame MacGiver, si vous voulez bien vous calmer...

La vieille dame se précipite vers la porte.

— Je veux rentrer chez moi. Tout de suite.

Elle ramasse le bas de sa chemise de nuit, ouvre la porte et se rue dehors. Amanda et Ben, drapés l'un dans une serviette, l'autre dans sa couverture, la voient, impuissants, traverser la rue en courant, ouvrir la porte de chez elle et la claquer si fort qu'un paquet de neige se détache du bord d'une fenêtre et tombe derrière elle, comme un point d'exclamation.

32.

— Où vas-tu ? crie Ben en courant dans la neige derrière Amanda.

— Il doit bien y avoir quelqu'un dans cette rue qui n'est pas gâteux et qui vivait ici quand j'étais petite. Et qui, avec un peu de chance, pourra nous renseigner, répond-elle en allant sonner à la maison d'à côté.

— Qu'espères-tu découvrir au juste ?

— Pour commencer, j'aimerais savoir si M. Walsh avait une fille.

— Et ensuite ?

Amanda sonne à nouveau.

— Qui était cette sacrée Lucy.

— Si elle existait ! La vieille dame avait l'air vraiment perturbée.

— Pas tant que ça.

— Elle portait une chemise de nuit avec des bottes en plastique, remarque-t-il comme si cela suffisait à tout expliquer.

Amanda sonne une cinquième et dernière fois.

— Il n'y a personne.

Elle traverse la pelouse couverte de neige pour passer à la maison suivante et tend la main pour sonner lorsque la porte d'entrée s'ouvre.

— Oh ! s'exclame une jeune femme visiblement surprise de se trouver nez à nez avec elle.

Elle tient avec difficulté un bébé qui se tortille dans ses bras tandis qu'un bambin trépigne à côté d'elle. Tous les trois portent de grosses combinaisons de ski bleues et semblent très énervés.

— Qui êtes-vous ?

— Je m'appelle Amanda Travis. J'habite...

— Je suis désolée, la coupe la jeune femme qui a de plus en plus de mal à contenir sa progéniture. Comme vous le voyez, nous étions sur le point de sortir. En plus, nous sommes déjà assez justes pour Noël, alors le moment est mal choisi pour venir quêter...

— Nous ne venons pas pour ça.

La jeune femme réussit à exprimer la confusion, la fatigue et l'angoisse d'un seul haussement de ses sourcils épilés.

— Je crois que nous nous sommes trompés de maison, s'excuse Amanda.

La jeune femme hoche la tête et soulève le bambin qui s'est mis à hurler sous son autre bras, puis elle descend les marches vers la rue.

— Elle n'était visiblement pas là il y a vingt-cinq ans, marmonne Amanda en repartant vers la maison suivante.

L'épisode se répète à peu de choses près dans les cinq maisons suivantes. Leurs habitants croient qu'Amanda veut leur vendre quelque chose ou leur extorquer de l'argent, et leur accueil est aussi glacial que le vent. Un homme braille qu'il est malade et qu'il en a marre que les témoins de Jéhovah le dérangent quand il est dans son bain, et lui claque la porte au nez sans lui laisser une chance d'ouvrir la bouche. Et aucune des personnes à qui ils arrivent à parler ne vit là depuis plus de dix ans.

— Combien de maisons as-tu l'intention d'essayer ? s'enquiert patiemment Ben alors qu'ils approchent d'une grosse demeure en brique, encadrée de grands piliers blancs.

— Encore une ou deux de ce côté et ensuite j'essaierai en face.

Ben lui offre le bras pour l'aider à traverser un morceau de trottoir qui n'a pas été déblayé. Amanda ne bouge pas.

— Quelque chose ne va pas ?

Amanda contemple la vieille bâtisse et la trouve aussi impressionnante que lorsqu'elle était enfant. Elle essaie de se remémorer celle qui l'habitait mais seule lui revient à la mémoire la déclaration de sa mère « C'est une vraie salope à roulettes ».

— Amanda ?

Elle inspire profondément et remonte l'allée couverte de neige d'un pas décidé. Sa mère était mal placée pour juger les autres. Et cette maison a dû, elle aussi, changer maintes fois de propriétaires depuis vingt-cinq ans. Elle prend une nouvelle inspiration et sonne vaillamment.

— Qui est-ce ? demande une voix de femme à l'intérieur.

— Je m'appelle Amanda Travis. J'habite un peu plus bas dans la rue et j'aurais aimé vous parler un instant.

La porte s'ouvre. Une femme élégamment vêtue d'un pantalon noir et d'un pull corail apparaît, ses mains couvertes de bijoux posées sur ses hanches. Elle doit avoir entre soixante et soixante-dix ans. Amanda reconnaît vaguement le regard vert et glacial et le fin nez patricien. Elle baisse les yeux furtivement vers ses pieds, à la recherche des roulettes.

— Madame Thompson ? demande-t-elle, surprise de retrouver son nom avec autant de facilité.

Elle recule machinalement et se cogne contre Ben qui se tient derrière elle.

— Oui. Qui êtes-vous ?

— Amanda Travis. Et voici Ben Myers, présente Amanda tandis que les yeux de Mme Thompson sautent de l'un à l'autre. Ma mère habite plus bas dans la rue, ajoute Amanda avec un vague geste derrière elle. Vous ne vous souvenez sans doute pas de moi.

— Je devrais ?

— Euh... non. Ça fait longtemps que je n'habite plus ici et j'ai beaucoup changé.

— Que voulez-vous ?

Amanda s'éclaircit la voix.

— Je voudrais juste vous poser quelques questions.

— À quel sujet ?

— Peut-être pourrions-nous entrer ?

— Que voulez-vous ?

Amanda avale une goulée d'air froid. Elle sent l'odeur du café qui vient de l'intérieur et éprouve une soudaine envie d'en boire.

— Madame Thompson, je suis la fille de Gwen Price.

Silence. Seul un tressaillement montre que Mme Thompson reconnaît le nom.

— Je ne vois toujours pas ce que vous attendez de moi.

— Vous souviendriez-vous de M. Walsh, par hasard ? Il habitait la maison à côté de celle de ma mère.

— M. Walsh ? Non. Ça ne me dit rien.

— Vous ne vous souvenez pas s'il avait une fille ?

Question stupide, songe Amanda en voyant Mme Thompson lever les yeux au ciel en pinçant les lèvres.

— Comment voulez-vous que je me rappelle s'il avait une fille alors que je ne me souviens même pas de lui ?

Son ton est encore plus glacial que le trottoir, si c'est possible.

Amanda hoche la tête. Sa mère avait raison.

— Et Mme MacGiver ? demande Ben. Elle habite de l'autre côté de la rue.

— La vieille folle ? Celle qui se promène dans la rue en chemise de nuit ?

— Oui.

— Et alors ?

— Elle a parlé d'une certaine Lucy, continue Amanda. Sauriez-vous qui c'est ?

— Quoi ! Si je sais qui c'est ? Vous vous fichez de moi ? Je n'ai pas de temps à perdre ! s'écrie-t-elle en repoussant la porte mais la main de Ben l'arrête.

— Qui est Lucy ? insiste Amanda.

— Vous ne le savez vraiment pas ?

— Non.

— Vous voulez me faire croire que vous ne connaissez pas votre propre sœur ?

— Quoi ?

La porte se referme au nez d'Amanda.

La Corvette fonce à travers Bloor Street, en direction de l'hôtel Four Seasons.

— Bon sang, que se passe-t-il, Ben ?

— Détends-toi, Amanda, répond Ben qui ne sait comment la calmer depuis la déclaration incroyable de Mme Thompson.

— Ça n'a pas de sens.

Amanda tape du pied d'impatience en voyant le feu devant eux passer de l'orange au rouge :

— Ne t'arrête pas !

Ben l'ignore et freine.

— Passe, bon sang ! Tu ne vois pas que le feu est bloqué ! trépigne-t-elle.

— Il n'est rouge que depuis quelques secondes.

— Passe. Il n'y a personne.

— Calme-toi, Amanda. Je voudrais qu'on arrive entiers.

Et si la vieille Mme MacGiver avait raison ? Si M. Walsh n'avait pas de fille ? Et si c'était cette mystérieuse Lucy qui avait l'habitude de la soulever par les bras comme une marionnette ?

Le feu passe enfin au vert.

— Vas-y ! crie-t-elle avant même que Ben n'ait eu le temps de réagir.

Et si Mme Thompson disait la vérité ? Si cette Lucy était vraiment sa sœur ?

— En tout cas, je ne quitterai pas la chambre de Hayley Mallins tant qu'elle ne nous aura pas dit la vérité, marmonne-t-elle en jetant un regard noir aux nombreuses voitures qui viennent soudain de s'intercaler devant eux, comme si leur seul but était de la ralentir.

Et si Hayley Mallins n'était pas la fille de M. Walsh comme elle le prétend, mais cette Lucy. Et si cette Lucy était vraiment sa sœur...

— N'oublie pas qu'il est plus facile d'attraper les mouches avec du miel qu'avec du vinaigre, lui rappelle Ben.

— Je t'en prie, épargne-moi tes conseils de courrier du cœur, réplique-t-elle malgré elle.

Pourquoi a-t-elle encore rembarré Ben alors qu'il est la seule personne sensée qu'elle connaisse ? Mais ce qui s'est produit la veille était-il sensé ?

— Excuse-moi.

Amanda se remémore la douceur de ses lèvres sur les siennes, la tendresse de ses caresses, et secoue la tête pour chasser ce souvenir importun. Comment peut-elle penser à ça dans un moment pareil ?

— Ce n'est pas grave ! répond-il en relâchant les doigts sur le volant. Et pour ton information, ça ne s'appelle plus le courrier du cœur mais le courrier des lectrices, maintenant.

— Eh bien, c'est promis, je leur écrirai.

J'ai un petit problème avec ma mère que je n'ai pas vue depuis très longtemps. Figurez-vous qu'elle est accusée d'avoir tué un inconnu dans le hall d'un hôtel. Et voilà qu'elle prétend que cet inconnu était son ex-mari, et qu'elle lui a volé une énorme somme d'argent. En plus, je viens d'apprendre que la veuve de la victime serait ma sœur. Par ailleurs, je crois que je suis en train de retomber amoureuse de mon ex-mari, qui se trouve être l'avocat de ma mère. Que dois-je faire ? Suivre mon cœur ou suivre l'exemple de ma mère en zigouillant tout le monde ? Signé : La torturée de Toronto.

Un léger encombrement les force à avancer au pas.

— Mais d'où sortent ces voitures ? grommelle Amanda entre ses dents serrées.

— C'est l'heure de pointe, lui rappelle Ben.

Si seulement elle n'avait pas proposé à Mme MacGiver de lui acheter ce maudit thé. Si seulement elle ne lui avait pas ouvert. Si seulement elle n'avait pas parlé de ce satané M. Walsh. Elle serait encore avec Ben à se rouler devant la cheminée, au lieu de s'enquiquiner dans les embouteillages de Bloor Street. Elle consulte sa montre. À peine huit heures.

— C'est toujours l'heure de pointe, marmonne-t-elle alors que le feu passe à l'orange juste au moment où ils arrivent au carrefour de St. George. Fonce, Ben, on a le temps.

Ben enfonce la pédale de l'accélérateur. Et percute la Toyota devant lui qui, elle, a pilé !

— Merde ! lance-t-il au-dessus du bruit de tôles froissées.

— Je le crois pas !

— Tu n'as rien ? s'inquiète Ben tandis que le conducteur de l'autre voiture se précipite vers eux en agitant les bras, hors de lui.

— Je le crois pas, répète-t-elle tandis que les véhicules derrière eux se mettent à klaxonner.

— Bon sang, qu'est-ce qui vous prend de rouler à une vitesse pareille ! s'exclame le propriétaire de la Toyota qui va et vient devant leur voiture en battant des bras tel un corbeau géant.

Ben descend à son tour.

— Excusez-moi. Je ne m'attendais pas à ce que vous vous arrêtiez.

— Vous n'avez pas vu le feu rouge, bon sang ?

— C'est ma faute, avoue Amanda, qui les rejoint et examine les dégâts.

Elle ne voit que quelques éraflures sur le pare-chocs de la Corvette. Dieu merci ! Ils n'auront pas besoin de faire un constat. Il suffit de s'excuser et l'affaire sera réglée.

— J'ai l'impression que votre voiture n'a rien, dit-elle au chauffeur. Vous avez de la chance.

— De la chance ! Eh bien, sachez que j'ai de gros problèmes de dos, ma p'tite dame. Dieu seul sait ce que ce choc va me laisser comme séquelles !

— Vous avez l'air de vous bouger très bien pour quelqu'un qui souffre du dos, rétorque-t-elle, pressée d'en finir.

— Ah, vraiment ? Vous êtes médecin ?

— Non, avocate. Nous sommes tous les deux avocats. Alors si vous voulez faire un procès, réfléchissez-y à deux fois.

— Serait-ce une menace ?

— Amanda...

— Je n'ai pas le temps à perdre avec ces conneries, Ben. Si tu veux rester là à discuter avec ce minable, parfait. Tu fais ce que tu veux. Moi, je me casse !

— Vous êtes vraiment très atteinte, rétorque le type.

— Et vous ne connaissez pas le reste de ma famille !

— Amanda. Calme-toi. Je vais appeler la police. Elle sera là dans quelques minutes.

— Je n'ai pas de temps.

Elle part en courant.

— Amanda...

— Tu sais où me retrouver ! lance-t-elle sans ralentir.

L'ascenseur s'arrête au vingt-quatrième étage. Amanda bondit. *Il est plus facile d'attraper les mouches avec du miel qu'avec du vinaigre*, entend-elle Ben lui murmurer à l'oreille. Il a raison, il faut qu'elle se calme.

Elle s'arrête, respire profondément, une fois, deux fois. Puis elle remonte lentement le couloir et prend une nouvelle inspiration avant de frapper à la porte de la suite 2416. Personne ne répond. Amanda attend quelques secondes et recommence, avec un peu plus d'insistance.

Il est très tôt. Ils dorment peut-être encore.

— Allez, chuchote-t-elle en frappant carrément plus fort. Je n'ai pas que ça à faire. Hayley ! crie-t-elle à présent. C'est Amanda Travis. Ouvrez-moi.

Et elle donne un coup de pied dans le battant.

Toujours rien.

— Je ne partirai pas tant que je ne vous aurai pas parlé !

Elle appuie son oreille contre la porte, à l'affût d'un bruit quelconque. Mais au bout de quelques minutes, elle doit se rendre à l'évidence : il n'y a personne. La petite famille serait-elle allée déjeuner dehors malgré son deuil ? Et où, dans ce cas ?

Amanda retourne aux ascenseurs et garde son doigt appuyé sur le bouton d'appel jusqu'à ce qu'une cabine arrive enfin. Elle se rue à l'intérieur sans attendre que les portes soient complètement ouvertes et tombe dans les bras de deux hommes debout au milieu. En temps normal, elle aurait lancé une plaisanterie vaguement osée et ne serait ressortie qu'avec, au moins, une invitation à partager leur petit déjeuner. Mais aujourd'hui n'est pas un jour normal et elle s'excuse brièvement, sans les regarder, avant d'appuyer sur le bouton du premier étage où se trouve le Studio Café.

C'est un restaurant tout en longueur dont les nombreuses fenêtres donnent sur les boutiques branchées de Yorkville Avenue. L'ameublement est moderne, comme les peintures accrochées aux murs. Une douzaine de personnes prennent leur petit déjeuner. L'odeur de nourriture rappelle soudain à Amanda qu'elle n'a rien mangé ce matin.

— Bonjour, mademoiselle, dit le maître d'hôtel en attrapant plusieurs menus. Vous êtes seule ?

— En fait, je cherche quelqu'un. Une dame avec deux enfants. Un garçon d'une dizaine d'années et une fille qui doit avoir treize ans.

— Vous êtes la première. Voulez-vous vous asseoir pour les attendre.

— Non, merci. Je préfère descendre vérifier qu'ils ne sont pas en bas.

— Naturellement, acquiesce-t-il comme si elle lui demandait son avis.

Amanda saute sur l'escalator qui relie le hall au premier étage. De là, elle embrasse d'un seul regard le second restaurant, situé au rez-de-chaussée, et constate que Hayley et ses enfants n'y sont pas.

Mon Dieu, ne me dites pas qu'elle les a emmenés au McDonald ! murmure-t-elle. Elle en a aperçu un sur Bloor Street. Les aurait-elle croisés sans les voir ?

Elle imagine Ben debout devant sa Corvette adorée dont il a toujours pris grand soin. Jamais un accident, jamais un accrochage. Et voilà que par sa faute, il était entré dans cette crétine de Toyota, et qu'il devait faire des ronds de jambe à cet abruti. Et elle avait eu le culot de lui dire qu'elle n'avait pas de temps à perdre avec ces âneries et l'avait planté là ! Ça, Ben devait finir par s'y habituer, soupire-t-elle en se demandant ce qu'elle doit faire maintenant.

Il y a des douzaines de restaurants dans les environs. Elle ne peut pas les passer tous en revue. Il ne lui reste plus qu'à s'installer dans le hall et attendre leur retour. Comme sa mère. Non, mieux vaut d'abord aller à la réception. On ne sait jamais. Quelqu'un a peut-être vu dans quelle direction ils partaient. Ou Hayley a dit devant l'un des employés où elle allait. Elle se fait sans doute des illusions, mais ça ne coûte rien de demander.

— Si, corrige-t-elle aussitôt en songeant aux questions qu'elle a posées à sa mère et à celles qu'elle voulait poser à Hayley. Parfois ça coûte très cher.

Elle se précipite vers le comptoir et se jette littéralement sur l'employée qui fait un pas en arrière, effrayée.

— C'est urgent ! Je cherche Hayley Mallins. Elle n'est pas dans sa suite, je ne la trouve nulle part dans l'hôtel et je dois absolument la joindre. Vous ne l'avez pas vue ?

La jeune femme pianote sur son ordinateur.

— Je suis désolée, mais Mme Mallins n'est plus à l'hôtel.

— Comment ça ? C'est impossible.

— Non, elle est partie hier soir.

— A-t-elle dit où elle allait ?

— Je crains que non.

Amanda sent son estomac se retourner. Serait-elle rentrée en Angleterre avec ses enfants ?

— Y a-t-il un problème ?

Un homme s'approche de la jeune femme et scrute l'écran de l'ordinateur. Son badge indique qu'il s'appelle William Granick et qu'il est directeur de l'hôtel.

— Que puis-je faire pour vous aider ?

— Je cherche Hayley Mallins. Je dois lui parler de toute urgence.

— Je regrette mais Mme Mallins a quitté l'hôtel.

— Oui, c'est ce qu'on vient de me dire. Mais elle vous a peut-être laissé un numéro où on peut la joindre.

— Je suis désolé de ne pouvoir vous aider, répond le directeur d'un ton qui exprime le contraire.

— Je ne suis pas sûre que vous ayez bien compris...

— Amanda !

Elle se retourne et voit Ben accourir, le visage rougi par le froid.

— Ben, Dieu merci, te voilà !

— Que se passe-t-il ?

— Ils ont quitté l'hôtel hier soir.

— C'est ce que je craignais.

— Et comment ça s'est terminé avec la voiture ?

— Le type n'a pas voulu que la police s'en mêle. Tu lui as fait peur.

Amanda sourit, mais aussitôt ses préoccupations reviennent.

— Tu crois qu'ils sont rentrés en Angleterre ?

— C'est fort possible.

— Comment peut-on le savoir ?

— Allons boire un café, propose Ben en l'entraînant vers le café du hall.

Après avoir commandé, il sort son portable de la poche de sa veste et regarde l'heure à sa montre avant de composer un numéro.

— Salut. C'est moi, dit-il d'une voix anormalement grave.

Il suffit à Amanda de voir ses épaules se voûter de culpabilité, pour comprendre qu'il parle à Jennifer.

— Oui, je suis désolé. Je suis rentré chez moi très tard... En fait, je ne suis pas rentré du tout, avoue-t-il après un silence embarrassé. Oui, elle est toujours là. Oui, je suis avec elle.

Un autre silence, encore plus gêné que le premier. Amanda se demande si cette conversation est aussi pénible pour Jennifer qu'elle l'est pour Ben. Elle observe son visage, voit la tristesse de son regard, entend les remords dans sa voix. A-t-il des regrets ? Pour Jennifer ? Pour elle ?

— Tu veux bien qu'on en parle plus tard ?

— Qu'y a-t-il de plus à dire ? entend-elle Jennifer rétorquer.

— C'est très compliqué. Écoute, j'aurais un autre service à te demander.

Ce n'est certainement pas ce que son interlocutrice souhaitait entendre, songe Amanda en priant le ciel que sa curiosité soit la plus forte et qu'elle ne lui raccroche pas au nez.

— Pourrais-tu savoir si Hayley Mallins est repartie en Angleterre. Nous sommes à son hôtel et elle l'a quitté hier soir.

Ben se retourne vers Amanda et attend quelques secondes avant de reposer son portable sur la table.

— Elle a raccroché.

Le serveur apporte leurs cafés et leur demande s'ils désirent autre chose.

— Non, merci, ce sera tout, répond Amanda, voyant Ben perdu dans ses pensées. Je suis désolée, Ben.

— Ne t'inquiète pas. J'ai d'autres relations bien placées. J'attends juste neuf heures pour leur téléphoner.

— C'est pour Jennifer que je suis désolée.

Il hausse les épaules. D'un petit air qui signifie qu'il l'est, lui aussi.

— Tu n'étais pas obligé de lui dire que tu étais avec moi.

— Si, répond-il avant de boire une gorgée de café. D'ailleurs elle s'en doutait.

— Je suis désolée, répète Amanda.

L'atmosphère se tend entre eux.

— Tu as toujours l'intention de rentrer ?

Comme tout bon avocat, il ne pose pas la question par hasard. Il connaît déjà la réponse.

J'ai encore fait un beau gâchis ! se morfond Amanda. Pour un simple caprice, j'ai blessé tout le monde.

— Dès que cette affaire sera réglée. Je crois que ça vaudra mieux.

Il hoche la tête, se tourne à nouveau vers la fenêtre.

— Et hier soir ?

— Hier soir, c'était...

— ... pour mettre fin à notre histoire une fois pour toutes ?

Ou plutôt un accès de folie passagère, pense Amanda.

— Elle t'aime, Ben. Tu l'appelleras dans deux jours, tu lui expliqueras ce qui s'est passé...

Comme par hasard, le téléphone de Ben se met à sonner.

— Allô ?

— Bon, ne me demande pas pourquoi je fais ça, entend-elle Jennifer déclarer.

Il n'aura même pas à attendre deux jours, songe-t-elle en le regardant écouter, les yeux plissés de concentration.

— D'accord, merci. Je te rappelle plus tard... OK... Oui... Bye. Nous avons dû effrayer Hayley, hier. Elle a obtenu de la police l'autorisation de rentrer chez elle.

— Oh, non !

— Tout va bien. Nous avons de la chance. Elle n'a trouvé de la place que sur l'avion de ce soir.

— Elle est encore là ?

— Au Hilton de l'aéroport.

— Allons-y.

33.

Deux mots suffisent à décrire le Hilton de l'aéroport : Hilton et aéroport. Ils résument tout ce qu'on a besoin de savoir, songe Amanda en suivant Ben qui se dirige vers les ascenseurs au fond du hall. D'une élégance fonctionnelle, il est situé à une courte distance de l'aérogare, au milieu d'une zone composée d'hôtels similaires. Ils visent surtout une population d'hommes d'affaires qui n'ont ni le temps ni l'envie de faire du tourisme, ou des voyageurs dont les vols décollent très tôt le matin. Le hall est rempli de femmes en tailleurs bien coupés et d'hommes chargés de lourdes mallettes, tous très pressés, constate-t-elle en s'écartant pour laisser l'ascenseur dégorger son flot de passagers.

— Qu'est-ce qu'on fait si elle n'est pas là ? s'inquiète-t-elle alors que Ben appuie sur le bouton du troisième étage.

— Elle sera là.

L'ascenseur s'arrête inopinément au deuxième étage et les portes s'ouvrent sur un couple qui s'embrasse fougueusement au milieu d'un tas de bagages. Leur étreinte est si passionnée qu'Amanda a l'impression de voir la langue du jeune homme descendre dans la gorge de sa compagne. Elle se détourne discrètement en essayant de ne pas penser à leurs ébats avec Ben, quelques heures auparavant. À présent, il se tient prudemment à l'écart, les mains qui l'ont caressée plaquées le long de son corps.

Et c'est bien ainsi.

S'attendait-il à autre chose ? Et elle ?

Amanda tousse et le couple se sépare ; la bouche et le menton de la jeune femme sont irrités par le visage mal rasé de son compagnon.

— Nous sommes jeunes mariés, s'excuse-t-il avec un petit sourire contrit, tout en empilant ses bagages dans l'ascenseur.

— Nous partons aux Bahamas, glousse sa jeune épouse en se serrant contre lui.

Avec ses longs cheveux blonds comme les blés et son visage en cœur, on lui donne à peine dix-huit ans, songe Amanda. À peine l'âge que j'avais quand je me suis enfuie avec Ben. Bien sûr ils n'avaient pas eu les moyens de s'offrir une lune de miel où que ce soit et ils avaient passé leur nuit de noces sur le matelas posé au milieu du minuscule studio de Ben. Elle se souvient encore aujourd'hui de son bonheur en se réveillant à côté de lui. Ça y est, avait-elle pensé. Je suis enfin chez moi. Je ne partirai jamais.

Et pourtant, c'est exactement ce qu'elle avait fait.

Et ce qu'elle s'apprêtait à refaire.

Le nouveau marié appuie sur le bouton du rez-de-chaussée.

— Je suis désolée mais nous montons, l'avertit Amanda.

— Alors nous aussi, répond-il avec un petit haussement d'épaules.

— À quelle heure décollez-vous ? continue Amanda pour faire taire les voix qui résonnent dans sa tête.

La mariée attrape le bras de son mari et regarde sa montre.

— Pas avant deux heures. Nous avons le temps.

— Je préfère être en avance que de courir à la dernière minute, explique le mari, sur la défensive.

Il est clair qu'ils ont déjà eu cette discussion plusieurs fois depuis leur mariage et qu'elle se répétera souvent au cours de leur vie commune. Amanda se demande qui sera le premier à perdre patience, le premier à claquer la porte.

— Bonne chance ! leur souhaite-t-elle avant que les portes ne s'ouvrent au troisième étage.

— Vous aussi, répliquent-ils d'une seule voix.

Amanda se retourne avant que les portes ne se referment complètement et aperçoit brièvement deux silhouettes qui se rapprochent, les mains tendues l'une vers l'autre, comme s'il leur était physiquement douloureux d'être séparées. Mais c'est douloureux, reconnaît-elle en sentant un élancement partir de son estomac et se propager tel un cancer virulent à travers tout son corps. Elle lutte contre le désir soudain de crier à Ben de s'arrêter, de l'attendre, de venir vers elle. Le reste peut attendre, voudrait-elle lui dire. Tout peut attendre.

Sauf que ce n'est pas vrai. Et elle ne dit rien. Et il ne l'attend pas.

— Quelle chambre ? demande-t-elle en le rattrapant.

— Celle-ci.

Il s'arrête devant la chambre 312 et frappe avec une tranquille assurance.

— Le directeur de l'hôtel ! annonce-t-il avant que les occupants ne posent la moindre question.

— Il y a un problème ? s'enquiert une voix hésitante.

Hayley Mallins entrouvre la porte, écarquille les yeux en les reconnaissant et repousse le battant. Mais Ben qui a l'habitude qu'on lui claque la porte au nez a déjà avancé le pied pour la bloquer.

— Non, s'écrie Hayley en pesant de tout son poids contre le battant. Partez. Allez-vous-en !

— Je vous en prie, supplie Amanda. Nous voulons juste vous parler.

— Spenser, appelle la réception. Dis-leur de nous envoyer la sécurité.

— Je ne crois pas que ce soit une bonne idée, la met en garde Ben et il pousse si fort sur la porte que Hayley n'a d'autre choix que de les laisser entrer.

La chambre, propre et quelconque, est occupée par deux grands lits. Ben se dirige vers Spenser qui se tient en pyjama, près du bureau, sous la fenêtre, le téléphone serré contre lui, au bord des larmes. En voyant Ben s'approcher de lui, il lâche le combiné et court se réfugier contre sa mère.

— Tout va bien, Spenser, le rassure Ben. Nous ne voulons pas vous faire du mal.

— Que voulez-vous, alors ? demande une autre voix et Ben et Amanda pivotent ensemble vers Hope, assise au milieu du second lit, elle aussi, en pyjama, et qui les défie du regard.

— Allez-vous-en ! crie le jeune garçon, enhardi par la protection de sa mère. Fichez-nous la paix !

— C'est impossible, rétorque Amanda.

— Je ne suis pas forcée de vous parler, bredouille Hayley. La police m'a dit que rien ne m'obligeait à répondre à vos questions.

— Contentez-vous donc de m'écouter.

— Et si ça ne m'intéresse pas ?

— Vous écouterez quand même.

— Je t'en prie. Cela ne fera qu'aggraver les choses.

— Votre mari est mort et ma mère est en prison. Ça ne peut pas être pire !

— Si, s'exclame Hayley en se laissant tomber sur le bout du lit, Spenser collé à elle.

Elle ne porte aucun maquillage et sa peau a pris un teint de cendre, presque gris.

— D'accord, mais je ne veux pas que mes enfants restent là, finit-elle par céder après un silence de plusieurs secondes.

— Et si je les emmenais en bas manger quelque chose ? propose aussitôt Ben.

— Non ! pleurniche Spenser, qui s'accroche aux jupes de sa mère.

— Nous ne voulons pas te quitter ! proteste Hope.

— C'est une excellente idée, déclare calmement Hayley. Tu disais que tu mourais de faim, Spenser. Que tu avais envie d'une grosse assiette de pancakes aux myrtilles.

— Je veux que tu viennes toi aussi.

— Et moi, je vous demande de vous habiller et de descendre avec M. Myers.

— Ben, corrige-t-il.

— Descendez avec Ben. Je vous rejoins dès que possible. Promis.

Elle leur sourit, mais d'un petit sourire forcé et tremblant.

— Je vous en prie, mes chéris. Cette dame a des choses importantes à me dire, et elle ne le fera pas tant que vous serez là. Alors vous voulez bien nous laisser ?

Elle jette un regard implorant à Hope.

— Je t'en prie, ma chérie. Allez vous habiller.

Hope descend du lit à contrecœur. Elle choisit ses vêtements dans la penderie et disparaît dans la salle de bains.

— Prends tes affaires, ma poup... Spenser, bredouille Hayley.

— Je ne sais pas quoi mettre.

— Mets ce que tu avais hier.

— J'ai pas envie.

— Et si tu mettais ton pull marron tout neuf ? Il te va si bien.

Spenser descend du lit, saisit son pull dans un tiroir, l'enfile par-dessus sa tête et, alors seulement, retire sa veste de pyjama. Il enfile les manches et s'aplatit les cheveux en toisant Amanda.

Elle se tourne vers Ben et le remercie d'un regard, bien qu'elle soit aussi accablée de le voir partir que les enfants le sont de laisser leur mère.

Au bout de quelques minutes, Hope émerge de la salle de bains, joliment vêtue d'un jean et d'un pull rose pâle, ses longs cheveux bruns relevés en queue-de-cheval.

— Tu es ravissante, dit Amanda, sincère, et elle se souvient que le rose était la couleur préférée de sa mère.

Hope ignore le compliment et, après son frère, se serre contre sa mère. Hayley l'étreint et l'embrasse sur le front. Ils ont tous les trois le même visage, constate Amanda lorsque Spenser passe devant elle pour aller à la salle de bains. Les mêmes pommettes hautes, la même lèvre inférieure charnue, les mêmes yeux tristes au regard perçant.

— Je n'ai pas très faim, dit Hope à sa mère lorsque Spenser réapparaît.

— Tu mangeras ce que tu pourras.

— Il paraît qu'ils ont un buffet génial, dit Ben.

— Allez-y, je vous rejoins dès que j'ai fini, répète Hayley.

— Si tu n'es pas là dans vingt minutes, j'appelle la police, l'avertit Spenser.

— Dans vingt minutes, alors, promet Hayley avant de se tourner vers Amanda pour quêter son assentiment.

— Dans vingt minutes, acquiesce Amanda.

Ben ouvre la porte, laisse passer les enfants. Hope se retourne juste au moment où il referme la porte.

— Dans vingt minutes, répète-t-elle, avec un regard plus intense que jamais.

— Ils sont adorables, dit Amanda.
Les yeux de Hayley se remplissent de larmes.
— Comment nous as-tu retrouvés ?
— Est-ce vraiment important ?
— Non, sans doute. Que veux-tu ?
— Vous le savez.
— Bonté divine, arrête de tourner autour du pot et dis carrément ce que tu veux ! rétorque Hayley qui perd son calme pour la première fois.
— Je sais que vous n'êtes pas la fille de M. Walsh. M. Walsh n'a jamais eu de fille.
— C'est ce que ta mère t'a dit ?
— Elle ne m'a rien dit. Elle est à l'hôpital.
— À l'hôpital ?
— Elle a tenté de se suicider.
— Quoi ? s'écrit Hayley en blêmissant. Oh, mon Dieu ! Comment va-t-elle ?
— Elle s'en sortira, la rassure Amanda, surprise par cette inquiétude inattendue. Pourquoi a-t-elle fait ça, Hayley ? Quel secret voulait-elle emporter dans la tombe ?
— Comment veux-tu que je le sache ?
— Je ne sais pas mais vous, vous le savez.
Hayley se lève et se met à faire les cent pas devant les lits.
— Il faut me laisser. Maintenant. Avant qu'il n'arrive un malheur.
— Dites-moi qui vous êtes.
— Je ne peux pas.
— Je ne partirai pas tant que vous ne me l'aurez pas dit.
Les yeux de Hayley se remplissent de larmes.
— Tu ne le sais pas ? Vraiment pas ?
La même question que celle de Mme Thompson, tout à l'heure.
— Je sais que vous ne vous appelez pas Hayley.
— Non, tu te trompes.
— Je sais que votre vrai prénom c'est Lucy.
— Non, je t'en prie. Tu dis n'importe quoi.
— Je sais que vous êtes ma sœur, hasarde Amanda, se préparant à de nouvelles dénégations véhémentes.

— Oh, mon Dieu ! gémit Hayley en plaquant ses mains sur son ventre. Oh, mon Dieu ! Oh, mon Dieu !

— Vous êtes ma sœur ? répète Amanda, incrédule tandis que Hayley passe devant elle pour se précipiter à la salle de bains où elle l'entend vomir.

Amanda se force à rester calme, à ne rien imaginer jusqu'à ce qu'elle revienne. Elle se répète que c'est une erreur, que Hayley joue avec ses nerfs. Qu'elle lui fait payer les mauvais moments qu'elle lui a infligés.

— Je ne comprends pas, reprend-elle quand Hayley revient, le front moite de transpiration, un gant de toilette sur la bouche. Comment est-ce possible ?

Hayley se laisse tomber sur le lit, et tourne les yeux vers la fenêtre.

— Tu n'as toujours pas compris ? s'étonne-t-elle.

— Expliquez-moi.

— Je ne peux pas. Je t'en prie. C'est impossible.

— Comment pouvons-nous être sœurs ? insiste Amanda. J'ai vingt-huit ans. Vous avez... combien ?

— Quarante et un ans dans un mois, répond Hayley d'un ton monocorde.

— Ça fait plus de douze ans de différence. Mes parents ne se sont mariés qu'un an avant ma naissance. Donc nous ne devons pas avoir le même père, c'est évident.

Hayley hoche la tête sans rien dire.

— Et avant ma mère était mariée à...

— ... mon mari.

— Vous voulez dire que ma mère a eu un autre mari dont elle ne m'a jamais parlé ? Telle mère, telle fille, songe-t-elle.

— Je n'ai pas dit ça.

— Alors je ne comprends pas. Qui était votre père ?

— Mon père ? répète Hayley comme si elle n'avait pas compris.

— Oui. Qui était votre père ?

Un silence qui dure une éternité, suivi par un chuchotement à peine audible.

— Mon mari.

L'espace d'un instant, Amanda pense que Hayley n'a pas

compris sa question. Sinon comment expliquer cette étrange réponse ? Elle ne veut quand même pas dire... Amanda cesse soudain de respirer. Non. Ça ne se peut pas. C'est impossible. Inconcevable. D'une main tremblante, elle sort, de la poche de son manteau, le cliché qu'elle a trouvé caché chez sa mère. Elle le lève vers ses yeux incrédules.

Elle contemple John Mallins, connu également sous le nom de Rodney Tureck, l'homme que sa mère a tué, avec sa petite fille sur ses genoux. Elle a huit ou neuf ans, des cheveux bruns et des yeux gris perçants.

— Oh, mon Dieu !

Elle chancelle comme si on l'avait poussée et se rattrape au bureau derrière elle. Sur la photo, ce n'est pas Hope qu'on voit mais la femme qui est assise devant elle.

— John Mallins était votre père ?

— John Mallins était mon mari, corrige Hayley en tremblant de la tête aux pieds. Avant il s'appelait Rodney Tureck. Et c'était mon père, lâche-t-elle d'une voix étranglée.

Amanda ouvre la bouche. Aucun son n'en sort. Elle essaie de bouger mais elle est paralysée et regarde, impuissante, Hayley s'effondrer sur le sol.

— Je t'en prie, je ne veux pas qu'on m'enlève mes enfants. Ne les laisse pas faire ça.

Amanda commence à peine à comprendre l'horreur de la situation.

— Vos enfants ? Oh, mon Dieu ! Ses enfants à lui.

Elle se laisse tomber à côté de Hayley.

— Personne ne vous prendra vos enfants. Vous m'entendez ?

Hayley hoche la tête quoiqu'elle n'ait vraiment pas l'air convaincu.

— Il faut que tu me racontes ce qui s'est passé. Je t'en prie, Lucy. Je t'en prie, dis-moi ce qui s'est passé.

Amanda vient de l'appeler par son vrai prénom et de la tutoyer pour la première fois. Elle voit soudain les années s'effacer du visage de Hayley comme si on lui avait retiré un horrible fardeau.

— C'était mon père et je l'adorais. Toi aussi, tu aimais ton père, non ? demande Lucy d'une voix plaintive.

— Oui, beaucoup.

— C'était un homme merveilleux. Il a été si gentil avec moi.

Amanda opine.

— Mais ce n'était pas mon père. Et mon vrai père me manquait terriblement. Il avait toujours été mon héros, il me défendait toujours quand j'avais des problèmes avec maman. Il suffisait qu'elle me refuse quelque chose pour qu'il coure me l'acheter. Ou qu'elle dise non pour qu'il dise oui. Bien sûr, je le considérais comme le meilleur père du monde. Et quand ils ont divorcé, il a brusquement disparu de ma vie. Comme ça... envolé. Au bout d'un certain temps, maman a épousé M. Price et ensuite, très vite, tu es née. Du coup, mon père m'a manqué plus que jamais.

« Et un jour, en rentrant de l'école, je l'ai vu surgir devant la maison. Maman m'a interdit de le revoir, bien sûr, alors nous nous sommes retrouvés en cachette. Il me disait que maman était une méchante, qu'elle lui avait volé beaucoup d'argent. Il m'a demandé de l'aider à le retrouver. Mais, comme je ne l'ai pas fait, il m'a dit qu'il devait repartir. Je ne pouvais pas supporter l'idée de le perdre une seconde fois, et je l'ai supplié de m'emmener. Il m'a dit qu'il faudrait qu'on change de nom et qu'on se cache. Ça m'a paru terriblement excitant, une véritable aventure. Nous sommes partis en Angleterre et là, nous n'avons pas arrêté de déménager. C'était chouette au début, mais au bout d'un moment, maman, mes amies et surtout toi, vous avez commencé à me manquer. Il disait qu'on ne pouvait plus retourner chez nous, qu'il était accusé de m'avoir enlevée et qu'on le mettrait en prison jusqu'à la fin de ses jours. Et il répétait qu'il me donnerait un bébé à moi, plus tard. »

Amanda enfouit son visage entre ses mains, incapable de cacher son dégoût croissant.

— Il faut que tu comprennes que j'étais complètement seule. Nous avions passé deux ans à courir d'un endroit à un autre. Je n'avais pas d'amis. Personne en dehors de lui. Nous ne nous quittions jamais. Il était tout pour moi. Mon père, mon professeur, mon meilleur ami. Et il a fini par devenir mon amant. Puis mon mari. Nous nous sommes installés à Sutton. Il a acheté un petit magasin. Nous avons fini par mener une vie presque...

normale. J'ai fait une série de fausses couches puis j'ai perdu deux bébés à la naissance. Je pensais que c'était le châtiment de Dieu. Et puis j'ai eu Hope. Tout s'est bien déroulé et elle était parfaite. Et ensuite Spenser est venu. Alors que voulais-tu que je fasse ? J'avais épousé mon propre père. J'avais eu des enfants de lui. Il avait raison, on me les prendrait si jamais ça se savait.

— Personne ne te prendra tes enfants, répète Amanda.

— Ensuite sa mère est morte. Et il a insisté pour venir régler sa succession. Il disait qu'il y avait beaucoup d'argent en jeu, et qu'on ne risquait rien après tout ce temps. Les enfants étaient ravis. Ils n'avaient jamais quitté Sutton. Et c'est ainsi que nous sommes venus à Toronto, à l'hôtel Four Seasons.

— Et ma... notre mère prenait le thé dans le hall.

— Oui. Tu imagines ? Elle prenait le thé avec une amie.

Lucy rit à travers ses larmes.

— Tu peux appeler ça comme tu veux, une coïncidence, le destin, une intervention divine... Bref elle était là.

— Et elle vous a vus avec les enfants...

— Et elle a tout de suite compris ce qu'il s'était passé.

— Alors elle est revenue le lendemain pour le tuer.

— À la seconde où le policier est monté me prévenir que John avait été abattu, j'ai su que c'était elle.

— Comment as-tu deviné ?

— Parce que j'aurais fait la même chose.

Lucy relâche sa respiration comme si elle l'avait retenue depuis vingt-cinq ans.

— C'est ce qu'aurait fait n'importe quelle mère, acquiesce Amanda en la prenant tendrement dans ses bras. N'importe quelle mère.

34.

Parmi les pensées incohérentes qui lui traversent l'esprit lorsqu'elle retrouve sa mère avant l'audience au tribunal, le vendredi matin, Amanda songe qu'elle est étonnamment jolie pour une femme de soixante et un ans qui vient de subir un lavage d'estomac ; que l'affreux vert de son uniforme ne va pas si mal avec son visage contusionné ; que, malgré les bleus, elle lui trouve une vague ressemblance avec la sœur qu'elle vient de se découvrir ; qu'elle a envie de lui dire qu'elle la comprend, de la prendre dans ses bras et de faire disparaître, comme par magie, ces traces de coups sous ses baisers.

Mais ce qu'elle exprime est bien différent.

— Comment as-tu pu faire une chose aussi stupide ? tempête-t-elle, refusant obstinément de la plaindre et de se laisser le moins du monde apitoyer par ce qu'elle a appris sur elle.

Car sa compassion ne saurait effacer la culpabilité. Le fait que sa mère avait perdu une fille justifiait-il qu'elle délaisse l'autre ? Cela lui donnait-il le droit de s'abrutir sous l'alcool et les médicaments ? Cela lui permettait-il de jouer les justicières ?

Amanda en veut depuis trop longtemps à sa mère pour lui pardonner. Sa colère l'a nourrie depuis qu'elle était toute petite. Elle l'a modelée. Si elle s'en dépouille, que restera-t-il d'elle ?

— En effet, c'était un geste stupide, acquiesce sa mère.

— Comment vous sentez-vous, madame Price ? s'inquiète Ben.

— Beaucoup mieux, merci. Vivement que cette affaire soit réglée.

— Nous devons parler, maman.
— Je sais.

— Si on s'asseyait ? propose Ben en montrant un banc vide.
Amanda se prépare à une protestation et voit, à sa grande surprise, sa mère suivre Ben avec docilité. Elle tremble, s'aperçoit-elle en s'asseyant à côté d'elle pendant que Ben s'installe de l'autre côté.
— Nous avons parlé à Hayley Mallins, commence-t-elle. Nous savons...
— ... tout, finit Gwen Price d'une voix douce. Oui, je crois que tu me l'as dit à l'hôpital.
— Pourquoi me l'as-tu caché ?
— Que voulais-tu que je te dise exactement ?
— Tout.
Amanda reprend le terme de sa mère, le seul qui semble approprié en de telles circonstances.
— Comment voulais-tu que je fasse ? Par où voulais-tu que je commence ?
— Tu aurais déjà pu me dire que Hayley Mallins était ma sœur.
Gwen Price hoche la tête, ses yeux se remplissent de larmes.
— Comment va-t-elle ?
— Elle est bouleversée, tu t'en doutes.
— Elle doit me détester.
— Non, pas du tout.
— C'est vrai ? Tu le penses réellement ?
Amanda hausse les épaules en se demandant qui peut savoir la vérité.
— Et les enfants ? Comment vont-ils ?
— Ils tiennent le coup. Ils ne sont pas au courant.
Gwen hoche encore la tête.
— Non, ils sont encore trop jeunes pour comprendre.
— Nous sommes tous trop jeunes pour comprendre, soupire Amanda. Moi-même, ça me dépasse. Et j'aimerais que tu m'expliques comment une chose pareille a pu arriver, maman. Et comment tu as pu me cacher la vérité pendant toutes ces années.

— Quand aurait-il fallu que je t'en parle ? Quand tu étais bébé et que ta sœur a disparu de la surface de la terre ? Quand les jours se sont changés en semaines, puis en mois et en années et que la police a cessé de la chercher ? Quand je m'abrutissais d'alcool ou d'antidépresseurs ? Quand j'étais trop assommée pour sortir de mon lit, ou trop ivre pour tenir debout ? Quand chaque fois que je te regardais, je voyais ta sœur ?

— Alors tu as préféré ne plus me regarder, c'est ça ?

Sa mère baisse la tête.

— Je m'en veux tellement.

— Oh, et tu crois que cela suffit à t'excuser ?

— Je ne te demande pas de comprendre.

— Tu ne m'en as jamais offert l'occasion.

— Tu étais une enfant.

— Grâce à toi, je ne le suis pas restée longtemps.

— Je m'en veux tellement.

— Et ensuite ? Quand j'ai été adulte, pourquoi ne m'as-tu rien dit à ce moment-là ? Et papa non plus ?

— Il voulait le faire. Je l'en ai empêché. Je lui ai fait promettre... Et puis c'était trop tard. J'étais devenue une femme hargneuse et amère, avec une fille hargneuse et amère qui ne pouvait plus me voir.

— Tu veux dire que c'est ma faute si tu ne m'as rien dit ?

— Grand Dieu, non ! Tu n'y étais pour rien, proteste sa mère en lui prenant les mains. C'était ma faute. Entièrement ma faute. Rod m'avait prévenue. Il m'avait dit que, si je ne lui rendais pas l'argent que je lui avais pris, il se vengerait. Mais je ne l'ai pas cru. Je ne pouvais pas imaginer qu'il pourrait être aussi méchant. Aussi ignoble.

Le contact des mains de sa mère lui fait un véritable choc. Amanda se lève d'un bond et enfouit ses mains dans les poches de son pantalon.

— Et alors ? Tu espères que je vais te plaindre ? Que je vais te pardonner ? C'est ça ?

— Je ne te le demande pas.

— Heureusement. Parce que ce n'est pas près d'arriver. Fais-moi confiance, jamais je ne te pardonnerai.

— Parlez-nous de cet après-midi où vous avez vu Rodney

Tureck avec votre fille dans l'hôtel, intervient Ben d'un ton apaisant.

Gwen Price appuie la tête contre le mur et ferme les yeux.

— J'étais allée au cinéma avec mon amie Corinne. Et nous venions de prendre le thé au Four Seasons, comme toutes les semaines. Nous nous apprêtions à partir. Et je crois que j'ai entendu rire les enfants. Je me suis retournée et c'est là que je les ai vus.

— Et vous les avez reconnus après tant d'années ?

Gwen rouvre les yeux et fixe le mur d'en face comme si la scène y était projetée.

— J'ai d'abord aperçu la petite fille. J'ai eu l'impression de voir un fantôme. Elle était le portrait de sa mère au même âge. Vous avez vu sa photo, d'ailleurs. Pendant une seconde, j'ai réellement cru que c'était Lucy, avant de me rendre compte que vingt-cinq ans s'étaient écoulés. J'ai cru que j'avais des hallucinations, comme lorsque je buvais, et j'allais me détourner quand mon regard est tombé sur Rod. Et lui, en effet, je l'ai reconnu aussitôt. Puis j'ai vu le petit garçon et la femme qui lui donnait la main. Sa mère. Ma fille. Et soudain j'ai compris. C'était tellement évident, tellement horrible !

— Pourquoi n'es-tu pas allée les trouver ?

— Tout s'est passé en une fraction de seconde. J'étais trop bouleversée pour réagir. Et, une seconde plus tard, ils avaient disparu. J'étais dans un état lamentable. Je ne sais pas comment j'ai pu rentrer chez moi. Toujours est-il que je me suis retrouvée devant mon armoire à pharmacie, avec les mains pleines de ces affreux flacons que j'avais gardés pour ne jamais oublier dans quelle déchéance ils m'avaient plongée. J'avais l'impression que j'étais revenue à la case départ, que j'allais sombrer encore plus bas, que la réalité était encore pire que tout ce que j'avais craint. Je voulais avaler tous ces cachets, et mettre fin à mes souffrances lorsque je me suis aperçue qu'ils étaient tous périmés, qu'ils réussiraient juste à me rendre malade comme un chien et que ça ne servirait à rien.

— Et tu as donc décidé de le tuer, lui.

— Je ne me souviens pas d'avoir pris la moindre décision. Ni d'avoir cherché le revolver. Ni même de l'avoir tenu dans mes mains. Dire que c'était Rod qui l'avait acheté pour se défendre, quand nous étions mariés ! C'est drôle, non ? Enfin, tout ce dont je me souviens, c'est que je l'ai attendu le lendemain dans le hall. Puis je l'ai vu pousser la porte à tambour et je me suis levée. Je me rappelle aussi l'expression de dédain avec laquelle il a considéré cette vieille dame qui lui coupait la route. Puis le déclic dans ses yeux quand il m'a reconnue. Aussi sec que le déclic d'une gâchette qu'on arme. Ensuite, il y a eu les coups de feu, il est tombé, les gens hurlaient, il y avait du sang plein le beau tapis et vous connaissez la suite.

— Pourquoi n'as-tu pas dit la vérité à la police ?

— C'était impossible. Je ne pouvais pas faire une chose pareille à Lucy. C'était ma faute s'il l'avait emmenée. Tous ses malheurs venaient de moi. Au contraire, ne vois-tu pas que je devais la protéger, ou que je lui devais au moins le silence ?

— Et tu as cru qu'il suffisait que tu passes aux aveux pour que l'affaire s'arrête là.

— La police tenait une coupable. Ça n'intéressait personne de savoir pourquoi j'avais fait ça. À part toi. Et j'avais oublié combien tu étais têtue, ajoute-t-elle avec un sourire.

— Comment oses-tu prétendre me connaître ? Depuis que je suis partie, tu n'as jamais essayé de me contacter. Tu n'as jamais essayé de me voir.

— Ce n'est que bien des années plus tard que j'ai réussi à me reprendre en main. Quand j'ai enfin arrêté de boire, j'ai engagé un détective privé. Il t'a retrouvée en Floride. J'ai acheté des billets à plusieurs reprises mais je n'ai jamais eu le courage de monter dans l'avion. Tu t'en sortais bien mieux sans moi. À quoi bon rouvrir les vieilles blessures ? Et je me consolais en pensant que, contrairement à ta sœur, je savais au moins où tu étais. Je pouvais te surveiller à distance. En fait, j'avais peur. J'avais tout gâché entre nous, je t'avais fait trop de mal, surtout après la mort de ton père. Même si je m'excusais, jamais tu me pardonnerais, je le savais.

— Tu me disais que c'était ma faute si papa était mort.

— Oh, mon Dieu ! Que c'était injuste ! Et tellement faux ! Ma chérie, si quelqu'un a été responsable de sa mort, c'était moi, pas toi.

— J'étais odieuse, murmure Amanda en secouant la tête.

— Tu n'étais qu'une adolescente. C'était moi qui étais odieuse.

Les yeux d'Amanda se remplissent de larmes.

— Je l'ai laissé tomber. Je ne sais pas quand exactement, mais je l'ai laissé tomber.

— Non, ma chérie, c'est lui qui t'a laissée tomber.

— Quoi ?

— Je l'accaparais tellement. Il en a oublié que son premier devoir était de s'occuper de toi. Même si tu avais l'air d'être indépendante, forte, même si tu n'étais pas facile. Peu importe. Tu étais sa petite fille. Et il aurait dû te protéger. Même contre moi.

Elle tend la main puis la retire quand Amanda refuse de la prendre.

— Ce n'était pas ta faute, Mandy. Tu n'y étais pour rien.

Les mots tourbillonnent autour d'Amanda et l'enveloppent de leur doux cocon. Comme un prisonnier condamné à tort et libéré après avoir passé une vie de réclusion, la voilà soudain innocentée de toute faute. Elle est délivrée.

Ce n'était pas ta faute, Mandy. Tu n'y étais pour rien.

Amanda s'effondre sur le banc. Elle n'est pas coupable.

— Je suis désolée, ma chérie, continue sa mère. Désolée de toutes les épreuves que je t'ai imposées et de toutes les horribles choses que je t'ai dites. Si je peux réparer d'une manière quelconque le mal que je t'ai fait...

Amanda contemple son visage couvert d'ecchymoses. Comme elle est belle !

— Oui, tu peux le réparer, s'entend-elle répondre.

— Comment ?

— En plaidant non coupable.

— Quoi ?

— Aucun jury au monde ne te condamnera une fois qu'il aura entendu ton histoire.

Sa mère secoue la tête avec véhémence.

— Aucun jury n'entendra cette histoire. Personne d'autre ne l'entendra.

— C'est trop tard.

— Quoi ? Que veux-tu dire ?

— La police l'a déjà entendue.
— Quoi ? Tu n'avais pas le droit de leur dire !
— Amanda n'a rien dit, intervient Ben.
— Alors comment...
— C'est Lucy qui est allée trouver la police, hier soir.
— Lucy ?
— Elle leur a dit la vérité.
— Non. Vous mentez. Vous essayez de me tromper.
— Non, maman. C'est fini les mensonges.
— Oh, mon Dieu ! Ma pauvre petite fille ! Comment va-t-elle ?
— Pourquoi ne pas le lui demander toi-même ?

Amanda se tourne vers Ben. Il se lève et pousse les portes qui donnent sur le couloir.

Et soudain elle apparaît, encadrée par le soleil qui tombe des grandes fenêtres sur le côté. Hayley Mallins, ou plutôt Lucy Tureck. La fille de ma mère. Et ma sœur, pense Amanda, tandis que celle-ci s'approche d'un pas prudent.

Elle porte un pull rose pâle sur un pantalon gris et ses cheveux bruns sont tirés en arrière. Bien que ses yeux soient encore gonflés par les larmes et que ses lèvres tremblent, il émane d'elle un grand calme. Elle irradie la sérénité. Comme la demoiselle du tableau de Renoir, debout sur sa balançoire.

Sa mère se lève lentement. Elle titube comme si elle était suspendue à des fils.

— Lucy, articule-t-elle sans qu'aucun son sorte de sa bouche.
— Maman !

Les deux femmes se jettent dans les bras l'une de l'autre, les doigts de Gwen s'enfoncent dans la douce laine du pull de sa fille tandis que Lucy agrippe le coton rugueux du sweat-shirt de sa mère. Au bout de quelques minutes, elles s'écartent à regret, leurs yeux se sondent, leurs doigts caressent des rides nouvelles et inconnues. Puis Amanda voit sa mère embrasser sa sœur dix fois sur les joues en essayant de ne pas imaginer ce qu'elle éprouverait à sa place.

— Je t'aime, entend-elle.
— Je t'aime.

Amanda essuie une larme inopportune en les regardant

s'étreindre à nouveau. Elles tanguent comme si elles se tenaient sur une balançoire invisible. Elle secoue la tête d'impatience. Que se passe-t-il, bon sang ? Elle n'est tout de même pas jalouse ? Elle détesterait participer à cette scène larmoyante. Alors que lui arrive-t-il ? Pourquoi se sent-elle abandonnée ? Pourquoi se sent-elle déchirée par la vision de ces deux femmes qu'elle connaît à peine et n'a aucune envie de connaître ? Tout se termine bien. Sa mère et sa sœur sont réunies. Le procureur devrait faire preuve d'une certaine clémence. Elle pourra enfin quitter cette satanée ville. Ça y est. Tout le monde a gagné. Tout va bien.

Tout va sacrément bien !

— Ma poupée ?

Amanda voit avec stupeur le cercle de sa mère et de sa sœur s'ouvrir comme une fleur et les deux femmes lui tendre les bras. Non, pense-t-elle. Je ne veux pas y aller. Il n'y a pas de place pour moi. Je vais tomber. C'est trop effrayant. Trop dangereux.

Mais tandis qu'elle fait non de la tête, son corps la propulse en avant. Elle sent le bras de sa sœur l'attirer par le coude tandis que sa mère la prend par la taille. Les deux femmes la soulèvent. Amanda monte avec elles sur la balançoire.

35.

Ils roulent en silence vers l'aéroport. C'est une belle journée sans nuages, avec un grand soleil qui brille dans un ciel d'un bleu intense. On aurait presque l'impression qu'il fait chaud, songe Amanda en se serrant dans sa nouvelle parka. Quand la porterait-elle en Floride ? Quelle folie de dépenser autant d'argent pour un vêtement qui lui servirait si peu. Et rouge, pardessus le marché. Quelle mouche l'avait piquée ?

Oui, elle avait perdu la tête. C'était son mauvais côté. Ou peut-être le bon. En tout cas, celui qui avait accepté que Ben la raccompagne à l'aéroport, quand il avait surgi chez sa mère à six heures et demie du matin, alors qu'ils s'étaient fait leurs adieux la veille. N'avaient-ils pas décidé d'un commun accord que ce serait plus facile ainsi, moins pénible, de terminer cette semaine surprenante et tumultueuse par des au revoir convenables et posés ? Ne s'étaient-ils pas embrassés chastement en se souhaitant mutuellement bonne chance ? N'avait-il pas promis de la tenir au courant de la santé de sa mère ? N'avait-elle pas promis de rester en contact ? Ne s'étaient-ils pas félicités du succès de leurs efforts ?

Le procureur s'était accroché à sa position pendant des heures, mais à la fin de l'audience de la veille, la raison l'avait emporté : sa mère plaiderait la folie passagère et ne ferait qu'un rapide séjour en hôpital psychiatrique. Le temps qu'elle recouvre la liberté, environ six mois, Lucy pourrait régler ses affaires en Angleterre et revenir s'installer à Toronto avec ses enfants. Grâce à l'héritage de la mère de Rodney Tureck, elle aurait même de l'argent devant elle. Sans compter les cent mille dollars qui dormaient toujours dans un coffre à North York.

C'était fini. L'affaire était réglée. Mission accomplie. Amanda avait fait son devoir.

— Ça va ?

Ben brise le silence prolongé d'une voix calme, assurée, comme s'il était satisfait qu'elle rentre en Floride, comme s'il considérait que c'était vraiment fini entre eux, une fois pour toutes.

Amanda hoche la tête, sans oser parler. En fait, elle ne reconnaît plus sa voix ces derniers jours. Et après tous ces bouleversements, Dieu sait ce qu'elle serait capable de dire ! Elle est arrivée dans cette ville pratiquement orpheline. Elle en repart avec une mère, une sœur, des neveux. Son ex-mari est devenu son meilleur ami. Quoi d'étonnant si elle ne sait plus où elle en est ?

Il lui faudra du temps pour digérer ce qu'il s'est passé. Elle a besoin de prendre de la distance. Il faut qu'elle découvre qui est en réalité Amanda Price Myers Travis.

Foutaises ! songe-t-elle en se tournant vers Ben. Elle sait très bien qui elle est. À quoi bon perdre son temps ? Et elle n'a aucun besoin de recul. Ce qu'il lui faut se trouve juste à côté d'elle. Ce qu'il lui faut, c'est oublier sa fierté et dire à Ben qu'elle a changé d'avis, que Jennifer est sans doute un procureur parfaitement compétent et une femme charmante, mais qu'elle n'est vraiment pas faite pour lui. Que la seule qui soit faite pour lui, c'est elle, Amanda. Et qu'elle aimerait bien qu'il lui donne une seconde chance.

— Alors quand vas-tu amener ta voiture à réparer ?

— J'appellerai le concessionnaire lundi, répond-il, les yeux fixés sur la route. Je ne devrais pas en avoir pour très cher.

Amanda opine sans rien dire, une fois de plus. Elle pourrait réitérer ses excuses, ou au moins proposer de payer la réparation. N'était-elle pas responsable de l'accident, en fin de compte ? Mais à quoi bon ? Il a déjà accepté ses excuses et refusera son offre, il est tellement têtu.

J'avais oublié combien tu pouvais être têtue, avait dit sa mère.

Décidément, ils se ressemblaient beaucoup, Ben et elle.

N'est-ce pas pour cette raison que tu es partie ? avait-il demandé.

C'était une bonne décision à cette époque, et c'est une bonne décision aujourd'hui. Il faut bouger, aller de l'avant. On ne peut pas remonter le temps. C'est une grave erreur d'essayer.

L'autoroute est moins encombrée que les autres fois, bien qu'il y ait encore beaucoup de circulation. Amanda se demande où peuvent aller tous ces gens à une heure aussi matinale. La vieille Corvette saute sur un nid-de-poule. Décidément, ces châssis trop bas transmettent le moindre chaos.

— Tu as faim ? s'enquiert Ben alors qu'ils passent devant le Hilton de l'aéroport.

Amanda secoue la tête et revoit le jeune couple qui s'embrassait devant les ascenseurs. Elle espère que leur lune de miel aux Bahamas se déroule bien. Et qu'ils auront une vie longue et heureuse ensemble.

— Nous pouvons manger un morceau en vitesse à l'aéroport, si tu veux.

— Non, répond-elle, d'une voix plus forte qu'elle ne l'aurait voulu. Je suis désolée, s'excuse-t-elle aussitôt.

— De quoi ?

— Mon Dieu, par où commencer ?

Ben sourit.

— Tu ne me dois aucune excuse, Amanda.

— Si.

— Je suis un grand garçon. Je savais ce qui m'attendait.

Heureuse de l'apprendre, songe-t-elle, en regardant par sa fenêtre pendant que Ben s'engage sur la file qui mène au Terminal 2.

— Tu n'as qu'à me déposer. Ce n'est pas la peine que tu descendes.

— D'accord.

Il entre néanmoins dans le parking et suit la rampe qui monte en spirale jusqu'au cinquième niveau. Il se gare près de la passerelle qui mène à l'étage des départs, coupe le moteur, retire la clé et se tourne vers elle, avec un grand sourire.

— Nous y sommes.

— Nous y sommes.

Il descend de la voiture, attrape son sac sur la minuscule

banquette arrière et lui ouvre sa portière avant même qu'elle n'ait détaché sa ceinture.

— Quelle efficacité ! s'écrie-t-elle en s'extirpant de son siège, après avoir jeté un adieu muet à la vieille voiture. Content de te débarrasser de moi ?

Il sourit.

— Les meilleures choses ont une fin.

Amanda lutte contre l'envie de le jeter en bas de l'escalator, juste derrière lui, et le suit dans le terminal déjà bondé.

— Mon Dieu, mais où vont tous ces gens ?

— En Floride, répond Ben qui vient de s'arrêter devant la rangée d'appareils d'enregistrement automatique. Tu as une carte de crédit ?

— Je peux le faire.

Amanda insère sa carte dans la fente, puis tape les informations nécessaires. Ils attendent en silence que la machine recrache la carte d'embarquement.

— Eh bien, cette fois ça y est, déclare Amanda, avec un petit sourire forcé.

— Nous avons le temps de boire un café.

— Non, je préfère y aller. Je dois passer la douane et les contrôles de sécurité. Dieu seul sait le temps que ça va prendre.

Il baisse les yeux, les relève.

— Eh bien, cette fois, ça y est, répète-t-il.

— Ça y est.

Il se penche, ses lèvres effleurent sa joue.

— Prends soin de toi, Amanda.

Elle résiste à l'envie de caresser l'endroit qu'il a embrassé, pour y garder son baiser.

— Toi, aussi.

— Tu m'appelles si tu as besoin de quoi que ce soit.

— Absolument. Et tu m'appelles dès qu'il y a du nouveau pour ma mère.

— Tu peux aller la voir quand tu veux, tu sais.

Elle opine. Ils ont déjà prononcé ces phrases cent fois.

— Je ne sais pas quand je pourrai me libérer. Sans doute pas tout de suite.

— Tu verras bien.

Ils s'approchent du passage de la douane où il y a déjà la queue.

— Je crois que tu dois remplir une fiche, dit-il en lui montrant une table couverte de formulaires, à l'intérieur.

— Ah, oui, c'est vrai.

— Carte d'embarquement, s'il vous plaît, demande une employée en uniforme en lui tendant la main.

— Eh bien, là, ça y est vraiment...

— Ça y est.

— Au revoir, Ben.

— Au revoir, ma poupée.

Et soudain, ils se retrouvent dans les bras l'un de l'autre. Il lui embrasse les cheveux, les joues, les yeux, les lèvres. Et elle lui rend ses baisers en pleurant et en s'accrochant à lui comme si sa vie en dépendait.

Ne me quitte pas, le supplie-t-elle intérieurement. Je t'en prie. Ne me laisse pas partir.

— Vous bloquez le passage, les informe l'employée d'un ton sec. Écartez-vous, s'il vous plaît.

Amanda se dégage à regret des bras de Ben. Elle inspire profondément en essayant de recouvrer ses esprits.

— Ça va. Je suis prête.

Elle tend sa carte à la jeune femme qui l'inspecte avant de lui faire signe d'avancer. Amanda franchit les portes puis se retourne vers Ben. Dis-moi de rester, le supplie-t-elle du regard.

— Appelle-moi un de ces jours ! lui lance-t-elle alors qu'il disparaît dans la foule.

Ça y est, c'est fini. Vraiment fini.

Elle remplit les formulaires et prend place dans la file d'attente. *Kir-rell*, psalmodie-t-elle à voix basse, tandis qu'une torpeur miséricordieuse l'envahit de la tête aux pieds. *Kir-rell. Kir-rell.* Soudain, une sonnerie de portable coupe le rythme hypnotique de son mantra. Son portable, s'aperçoit-elle, en l'extirpant de son sac.

— Je t'appelle trop tôt ? demande Ben.

— Où es-tu ?

— Dans ma voiture. Et tu ne le croiras pas, il recommence à neiger.

Amanda se tourne vers la grande baie vitrée sur le devant de la salle. En effet, elle voit une nuée de flocons.

— Et je me disais que je n'avais pas pris de vacances depuis un certain temps et que ça ne me ferait pas de mal d'aller un peu au soleil.

— Il y en a en Floride, répond-elle, retenant son souffle.

— Oui, mais c'est peut-être difficile de trouver à se loger...

— Je connais un endroit génial avec vue sur l'océan, où il y aura toujours de la place pour toi.

— Eh bien, il faut que j'arrange mon planning, que je voie quand je peux partir...

— C'est une excellente idée, s'empresse-t-elle d'acquiescer tout en suivant la file d'attente. Et tu pourrais en profiter pour te renseigner sur ce que je dois faire pour exercer au Canada. C'est vrai, je vais devoir y passer beaucoup de temps, si je veux empêcher ma mère de tirer sur des inconnus.

— Oui, ça serait une bonne idée.

Long silence.

Qu'est-ce que je suis encore en train de faire ? s'interroge-t-elle.

— Je t'aime, dit-elle.

— Je t'aime aussi, réplique-t-il aussitôt.

— Au suivant !

L'employé qui répartit les passagers entre les différents guichets lui indique le 15.

— Ce n'est pas le bon moment, peut-être ! lance le douanier d'un ton sarcastique en voyant Amanda au téléphone.

— Quoi ? Oh, pas du tout ! s'exclame-t-elle avec un sourire rayonnant, tout en remettant l'appareil dans son sac. C'est un merveilleux moment !

Une heure plus tard, assise dans l'avion bondé, elle entend le pilote annoncer qu'ils volent à une altitude de croisière de onze mille cent mètres, et qu'en dépit du ciel dégagé ils risquent de rencontrer quelques turbulences. Le front appuyé contre le hublot, le regard perdu sur le bleu infini, Amanda ne pense plus qu'à l'avenir.

Remerciements

Un grand merci à mes deux villes préférées au monde, Toronto et Palm Beach, et à leurs merveilleux habitants. À Owen Laster, Larry Mirkin et Beverley Slopen, mes trois mousquetaires qui me maintiennent aussi bien sur le droit chemin que sur les chemins de traverse. À Aurora, qui est dans notre famille depuis plus de treize ans, et à Rosie toujours prête à m'aider. Aux anciens assistants d'Owen, Jonathan Peckarsky et Bill Kingsland, et à son assistante actuelle, Susanna Schell, qui ont toujours répondu avec le sourire à mes demandes souvent saugrenues. À Julia Noonan, du Centre de détention de l'Ouest et à Berthe Cano, de la Bibliothèque de référence de Toronto, pour avoir répondu à mes questions sans compter leur temps. Aux avocats David Bayliss et Larry Douglas, qui m'en ont appris plus que je ne voulais sur le système judiciaire canadien. À ma sœur, Renee, et à tous les merveilleux amis qui m'ont soutenue au Canada comme aux États-Unis. À mon caniche toy, Casey, qui me fait tellement rire. À Emily Bestler, Sarah Branham, Judith Curr, Louise Burke, Seale Ballenger, Thomas Semosh et tous les gens fabuleux d'Atria et de Pocket Books. À Maya Mavjee, John Neale, Brad Martin, Stephanie Gowan, Val Gow et tout le personnel de Doubleday Canada. À Corinne Assayag, qui a réalisé un travail spectaculaire dans la conception et la gestion de mon site web, et à ma fille, Shannon, pour ses conseils, ses encouragements, et son aide capitale pour ma messagerie. À Warren, pour la relecture de mon manuscrit une fois achevé, et à Annie, pour avoir enfin trouvé le temps de lire mon dernier livre. Aux vaillants libraires et accompagnateurs d'auteur que j'ai rencontrés au cours de mes différentes tournées de dédicaces. Et, une fois de plus, à mes lecteurs partout dans le monde. Merci. Vous n'arrêtez pas de me stupéfier.

La photocomposition de cet ouvrage
a été réalisée par
GRAPHIC HAINAUT
59163 Condé-sur-l'Escaut

Imprimé au Canada
Dépôt légal : janvier 2008
N° d'édition : 46583/01 – N° d'impression :